LAROUSSE

LIVRES DE BORD

Conjugaison

Avec la collaboration
de
Yann Le Lay,
certifié de lettres classiques

Responsable de l'édition
Noëlle Degoud

Conception graphique et mise en page
Jean-Pierre Jauneau

Traitement des tableaux et du « Répertoire des verbes »
Gabino Alonso, Marion Pépin et Jocelyne Rebena
(Informatique éditoriale Larousse),
Marianne Réty (saisie)

Correction-révision
Chantal Barbot et Madeleine Soize

Fabrication
Martine Toudert

Couverture
Romain Fleury

L'éditeur tient à remercier
tous les enseignants et formateurs d'enseignants
qui, par leurs avis et leurs conseils,
ont favorisé la réalisation de cet ouvrage,
et tout particulièrement Michèle Delbarre,
conseillère pédagogique,
ainsi que Gérard Fournier,
inspecteur de l'Éducation nationale.

Distributeur exclusif au Canada : Les Éditions Française Inc.
ISBN 2-03-533117-X

COMPOSITION : EURONUMÉRIQUE. MONTROUGE.
IMPRESSION ROTOLITO LOMBARDA
DÉPÔT LÉGAL : AVRIL 1995 N° DE PROJET : 10082369 (I) 60 (OSB 90°)
IMPRIME EN ITALIE - JANVIER 2001

SOMMAIRE

Abréviations utilisées dans l'ouvrage

adj.	adjectif
C.C.	complément circonstanciel
C.O.	complément d'objet
C.O.D.	complément d'objet direct
C.O.I.	complément d'objet indirect
C.O.S.	complément d'objet second
cond.	conditionnel
fém.	féminin
imparf.	imparfait
impér.	impératif
ind.	indicatif
*	phrase grammaticalement incorrecte
inf.	infinitif
masc.	masculin
part.	participe
pers.	personnel
plur.	pluriel
prés.	présent
princ.	principale
prop.	proposition
sing.	singulier
sub.	subordonnée
subj.	subjonctif

INDEX DES NOTIONS EXPLIQUÉES

Les notions fondamentales sont précédées d'un astérisque.

PREMIÈRE PARTIE

LE VERBE ET LA CONJUGAISON

LES DIFFÉRENTES CATÉGORIES DE VERBES

Le verbe est un mot de forme variable qui constitue, avec le nom ou le pronom, l'un des éléments fondamentaux de la plupart des phrases. Il donne des informations sur le sujet de la phrase, que celui-ci soit un être animé, un objet, une idée... et permet de répondre à ce type de questions :

- **Que fait le sujet ?**
- **Qui est-il ?**
- **Que ressent-il ?**

Les différentes formes que peut prendre le verbe ajoutent des précisions, par exemple sur l'époque à laquelle se situe une action, sur sa durée, etc.

LES VERBES D'ACTION

La grande majorité des verbes sont des verbes dits «d'action» ; ils expriment une action que réalise ou que subit le sujet du verbe :

Demain, [je] [prendrai] rendez-vous chez le garagiste

je : sujet qui agit — prendrai : verbe d'action

et, dans une semaine, [la voiture] [sera réparée].

la voiture : sujet qui subit l'action — sera réparée : verbe d'action

LES VERBES D'ÉTAT

Les verbes d'état indiquent sous quelle apparence se présente le sujet, à quoi il ressemble, qui il est. Cet état s'exprime par un nom ou un adjectif appelé «attribut du sujet» :

[Elle] [paraissait] [heureuse] de me voir.

Elle : sujet — paraissait : verbe d'état — heureuse : attribut du sujet

Au sens strict, il s'agit des verbes :

être,	**devenir,**
paraître,	**rester,**
sembler,	**demeurer** (au sens de «rester dans le même état» et non au sens d'«habiter»),
ressembler à,	
avoir l'air (de),	**s'appeler,**
passer pour,	**se nommer.**

Mais d'autres verbes (habituellement des verbes d'action) peuvent exprimer l'état ; ils sont alors accompagnés d'un attribut du sujet :

vivre	*Jeanne a vécu* ***heureuse***	**se faire**	*Les écrevisses se font* ***rares***
tomber	*Le héros tombe* ***mort***	**partir**	*Je suis partie* ***confiante***
se trouver	*Je me trouve* ***beau***	**revenir**	*Je suis revenu* ***déçu.***

Les verbes pronominaux

Un verbe pronominal est toujours accompagné d'un pronom personnel réfléchi (qui renvoie au sujet) placé après le sujet :

Je (sujet) *me* (pronom réfléchi) *souviens très bien de vous ;* *Je* (sujet) *ne me* (pronom réfléchi) *rappelle plus rien.*

Sans ce pronom, des verbes comme «se souvenir», «s'emparer de», «s'écrouler», «s'enfuir», «se repentir»... n'auraient aucun sens.
Ces verbes ne peuvent être mis ni à la voix active ni à la voix passive (voir plus loin «La notion de voix»). Ils sont appelés «essentiellement pronominaux» ; le pronom personnel réfléchi n'y a pas de signification particulière.

REMARQUE. Pour de nombreux verbes, la voix pronominale est une des trois voix possibles de la conjugaison, avec la voix active et la voix passive (voir p. 12).

Les auxiliaires

L'auxiliaire est un verbe qui sert à conjuguer un autre verbe, à certains modes, à certains temps et à certaines voix (voir «La conjugaison», p. 11) : il aide à construire certaines formes verbales et, dans ce cas, il perd son sens.
Les auxiliaires «être» ou «avoir» sont les plus courants. Par exemple, on forme l'indicatif plus-que-parfait actif à l'aide de l'auxiliaire «être» ou «avoir» (selon les verbes) conjugué à l'imparfait actif et du participe passé du verbe que l'on veut conjuguer :

J'avais (auxiliaire) *chanté* (part. passé) ; *J'étais* (auxiliaire) *partie* (part. passé).

REMARQUE Il arrive que «être» et «avoir» ne soient pas des auxiliaires :

Je suis (verbe d'état) *votre nouveau professeur de piano.*
J'ai (verbe d'action signifiant «je possède») *ce livre chez moi.*

L'auxiliaire «avoir»

Il s'emploie pour conjuguer la plupart des verbes aux temps composés de la voix active, sauf quelques-uns qui se conjuguent avec «être» (voir page suivante) :

*J'**ai** lu* (verbe «lire» au passé composé).

L'AUXILIAIRE «ÊTRE»

Il s'emploie pour conjuguer certains verbes et pour construire certaines formes.

- Quelques verbes construisent leurs temps composés de la voix active avec «être» :

— les verbes qui indiquent l'état ou la position où l'on se trouve : «demeurer» (quand il ne signifie pas «habiter»), «rester» :

Elle ***est*** *restée calme* (verbe «rester» au passé composé) ;

— les verbes qui indiquent un changement d'état ou un déplacement dans l'espace : «devenir», «naître», «mourir», «tomber», «monter», «descendre»... :

Il ***est*** *né hier* (verbe «naître» au passé composé).

ATTENTION
Quand un verbe de déplacement est accompagné d'un complément d'objet direct, on emploie l'auxiliaire «avoir» ; on dit ainsi :

Je [suis] descendue [chez la voisine] ; *J'[ai] descendu [la poubelle].*

suis : auxiliaire «être» — chez la voisine : complément circonstanciel de lieu — ai : auxiliaire «avoir» — la poubelle : complément d'objet direct

- Tous les verbes conjugués à la voix pronominale construisent leurs temps composés avec «être» :

Je me ***suis*** *blessée* (passé composé du verbe «blesser» conjugué à la voix pronominale).

- Tous les verbes à tous les temps de la voix passive ont leurs formes construites avec «être» :

Je ***suis*** *soignée* (présent) ;
J'ai ***été*** *soignée* (passé composé du verbe «soigner» conjugué à la voix passive).

LES SEMI-AUXILIAIRES

Certains verbes ne jouent qu'occasionnellement le rôle d'auxiliaires. Dans ce cas, ils sont toujours suivis d'un verbe à l'infinitif ; ce sont :

- **«aller», «être sur le point de»** (cette expression en plusieurs mots s'appelle une «périphrase verbale»), qui servent à former le futur proche :

Le facteur ***va*** *passer d'une minute à l'autre ;*
L'orage ***est sur le point d****'éclater ;*

- **«venir de»,** employé pour indiquer un passé récent :

Nous ***venons de*** *manger ;*

- **«pouvoir», «devoir», «avoir à»,** qui n'indiquent pas qu'une action a (a eu ou aura) lieu à un moment précis, mais simplement qu'elle est possible, probable, nécessaire, obligatoire... On les appelle «auxiliaires modaux» :

Le facteur ***doit*** *passer d'un moment à l'autre* (probabilité) ;
L'orage ***peut*** *éclater* (possibilité) ;
*J'****ai à*** *apprendre une leçon* (obligation) ;

- **«se mettre à», «être en train de»,** qu'on appelle «auxiliaires d'aspect» (voir «Le verbe dans la phrase», p. 35) et qui expriment :

— qu'une action en est à son début : *Ils* ***se sont mis à*** *rire ;*
— qu'une action est en cours : *Elle* ***est en train de*** *lire.*

Les verbes transitifs

Un verbe est transitif quand il se construit avec un complément d'objet (C.O.) direct ou indirect.
Un verbe est transitif direct si son complément d'objet est direct (C.O.D.) :

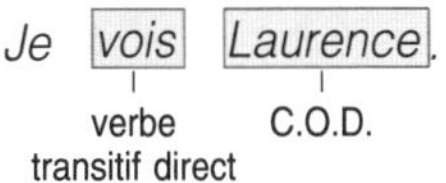

Il est dit «transitif indirect» si ce complément d'objet est indirect (C.O.I.), c'est-à-dire précédé d'une préposition :

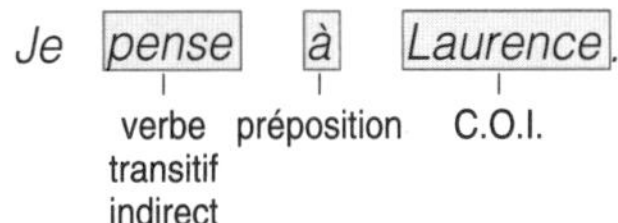

ATTENTION
Un verbe transitif peut ne pas être suivi d'un complément d'objet. Dans la conversation, par exemple, le C.O.D. n'est pas toujours exprimé (échanges rapides ou familiers, réponses à des questions, etc.) :

Désolé, j'ai déjà donné (= j'ai déjà donné de l'argent à un autre démarcheur) ;

La société Dupont ? Oui, je connais (= je la connais).

On dit alors que ces verbes sont employés «absolument».

REMARQUE Deux verbes (ou plus) ne peuvent être suivis d'un ou de plusieurs compléments communs que s'ils ont la même construction (soit directe, soit indirecte). Il vaut mieux aussi (sauf volonté de produire un effet de style, un jeu de mots) que ces compléments soient des mots ou groupes de mots de même nature.
Il y aurait rupture de construction (anacoluthe) si cette règle n'était pas respectée ; ainsi, on ne peut écrire : * Elle a apporté puis joué avec sa nouvelle poupée, car le verbe «apporter» est transitif direct (il doit être accompagné d'un C.O.D.) tandis que «jouer» est ici transitif indirect (il doit être suivi de la préposition «avec» et d'un C.O.I.). Il faut donc écrire :

Elle a apporté sa nouvelle poupée puis a joué avec elle («elle», pronom personnel, représente «sa nouvelle poupée»).

Les verbes intransitifs

Un verbe est intransitif quand il est construit sans complément d'objet :

Nous marchons (pas de complément) ;
Nous marchons dans la forêt (un C.C. de lieu mais pas de C.O.).

ATTENTION
Un même verbe peut, selon ses emplois, être tour à tour transitif direct, transitif indirect ou intransitif. Il change souvent de sens en changeant de construction :

construction	= verbe suivi de...	exemple
verbe transitif direct	C.O.D.	*Je joue ma vie* (= je risque...).
verbe transitif indirect	C.O.I.	*Je joue du violon.*
verbe intransitif	pas de C.O.	*Les enfants jouent.*

LES VERBES IMPERSONNELS

Un verbe impersonnel (on dit aussi «unipersonnel») est un verbe conjugué à la 3e personne du singulier et dont le pronom sujet «il» ne représente aucune réalité. On trouve sous la forme impersonnelle :

- des verbes ou des périphrases verbales exprimant des phénomènes météorologiques : «il neige», «il pleut», «il vente», «il tonne», «il fait beau», «il fait nuit»... ;

- des verbes ou des locutions verbales exprimant la nécessité : «il faut», «il est nécessaire de», «il est impératif de»... ;

- des tournures présentatives : «il y a» («il y avait»...), «il est» («il était»...) :
  Il est huit heures ; Il était une fois un roi et une reine... ;

- des verbes d'action accidentellement construits de manière impersonnelle, aux voix active, pronominale ou passive : «il manque», «il reste», «il vaut mieux», «il passe», «il se produit», «il se vend», «il est décidé»...
Dans ce cas, comme avec «il y a» ou «il est nécessaire», la phrase impersonnelle peut être transformée en phrase personnelle :

Il manque des outils dans la boîte → Des outils manquent dans la boîte ;

Il se vend 30 000 exemplaires de ce modèle chaque année → 30 000 exemplaires de ce modèle se vendent chaque année ;

Il est pris une mesure en votre faveur → Une mesure est prise en votre faveur.

REMARQUE Le sujet «il» d'un verbe impersonnel est appelé «sujet grammatical» ou «sujet apparent» ; le verbe est quelquefois suivi d'un autre sujet, le sujet logique (ou sujet réel) qui représente l'agent réel de l'action exprimée par le verbe :

Il *tombe* *de gros flocons* (= de gros flocons tombent).

sujet grammatical — sujet logique

LES VERBES DÉFECTIFS

Les verbes défectifs ont une conjugaison incomplète : certaines formes manquent (elles font défaut) ou ne sont pas utilisées (elles sont inusitées). Par exemple, l'impératif du verbe «frire» est inusité aux 1re et 2e personnes du pluriel. C'est un verbe défectif.

LA CONJUGAISON

Le verbe est le mot qui peut prendre le plus de formes différentes. Comme les noms, les pronoms, les adjectifs, sa forme varie en fonction du nombre (singulier ou pluriel) et parfois du genre (masculin ou féminin).

À ces variations s'ajoutent celles qui sont liées à la personne, au temps, au mode, à la voix (voir plus loin). On appelle «conjugaison» l'ensemble des formes que peut prendre un verbe sous l'effet de ces modifications.

LA NOTION DE PERSONNE

La forme du verbe varie selon que le sujet grammatical est singulier ou pluriel, et, aux temps composés, selon son genre et son nombre (dans certains cas seulement ; voir plus loin «L'accord du participe passé»).
En latin, langue à l'origine du français, la forme du verbe suffisait à indiquer si le pronom sujet était une 1re personne, une 2e ou une 3e, du singulier ou du pluriel. Le français a conservé ces variations bien qu'il exprime le pronom sujet :

	singulier		pluriel	
1re personne	je	chanter**ai**	nous	chanter**ons**
2e personne	tu	chanter**as**	vous	chanter**ez**
3e personne	il/elle/on ou tout autre sujet	chanter**a**	ils/elles ou tout autre sujet	chanter**ont**

LA 1re PERSONNE

La 1re personne désigne l'être (ou, parfois, la chose) qui s'exprime, seul ou inclus dans un groupe. On l'exprime à l'aide des pronoms sujets «je» («j'» devant une voyelle ou un **h**- muet) au singulier, et «nous» au pluriel :

J'irai / nous irons en vacances en Suisse.

REMARQUE «Nous» indique que celui qui parle fait partie d'un groupe, et peut avoir plusieurs significations :
— nous = toi + moi : *Nous allons être amis, tous les deux ;*
— nous = vous + moi : *Nous allons commencer la visite ;*
— nous = lui/elle + moi : *Nous vous rendrons visite demain ;*
— nous = eux/elles + moi : *Nous allons au cinéma, les enfants et moi.*

«Nous» a dans certains cas le sens d'un singulier :
— «nous de majesté» : *Nous vous faisons chevalier ;*
— «nous de modestie» (son emploi permet d'éviter de dire «je», qui peut paraître prétentieux) : *Dans notre étude, nous avons adopté la méthode suivante... ;*

— «nous» signifiant «tu» (familièrement ou ironiquement) : *Alors, nous n'avons toujours pas appris notre leçon ?*

ATTENTION
Le pronom indéfini «on» remplace quelquefois «nous» en langage familier et prend alors la valeur d'un pronom personnel pluriel :

Nadia et moi, on est allés au cinéma hier.

LA 2e PERSONNE

La 2e personne désigne le ou les êtres (ou, parfois, les choses) à qui l'on parle. On l'exprime par les pronoms personnels «tu» au singulier et «vous» au pluriel :

As-tu vu l'heure ? *Les enfants, voulez-vous du gâteau ?*

Le pronom «vous» peut aussi désigner une personne unique (vouvoiement de politesse) :

Vous êtes très aimable, monsieur.

REMARQUE «Vous» (désignant un pluriel) a plusieurs sens : «toi + toi», «toi + vous» ou «toi + lui/eux/elle(s)».

ATTENTION
Le pronom «on» remplace quelquefois «tu» ou «vous» en langage familier :

On a perdu sa langue ? On est fatigué/ée/és/ées ?

LA 3e PERSONNE

La 3e personne représente l'être de qui on parle, ou la chose dont on parle ; le sujet de 3e personne peut être :

— un nom ou un groupe nominal : ***Deux chats** se promènent sur le toit ;*

— un pronom de 3e personne qui peut être un pronom personnel sujet («il/s, elle/s») : *Jean est absent, on dit qu'**il** est malade* («il» : pronom personnel), ou un pronom démonstratif, possessif, indéfini («cela», «on»), etc. : *Mes géraniums poussent mal, **les tiens** sont magnifiques* («les tiens» : pronom possessif) ;

— un autre équivalent du nom, par exemple un verbe à l'infinitif : ***Mentir*** (= le mensonge) *est inutile* ou une proposition subordonnée : ***Que Marie réussisse*** (= la réussite de Marie) *me ferait plaisir.*

REMARQUE Parmi les pronoms personnels, le pronom de 3e personne est le seul à posséder un genre qui peut être :
— le masculin : *Il* (= le château) *tombe en ruine ;*
— le féminin : *Elle* (= la championne) *a battu le record ;*
— le neutre : «*Je suis jeune, il est vrai*» (*le Cid,* Pierre Corneille) = cela, le fait que je sois jeune, est vrai...

RAPPEL Les verbes dits «impersonnels» se conjuguent seulement à la 3e personne du singulier.

LA NOTION DE VOIX

La voix est l'une des trois formes sous lesquelles peut se présenter le verbe. Schématiquement, elle permet d'indiquer quelle relation grammaticale existe entre le sujet, le verbe et l'éventuel complément d'objet.

LA VOIX ACTIVE

La voix active indique que le sujet du verbe :

— fait une action sur le C.O.D. :

L'enfant ***casse*** *ses jouets ;*

— est dans un certain état («être», «paraître»...), change d'état (sous l'effet d'une action dont l'agent n'est pas nommé : «devenir», «fondre», «bouillir», «prendre» au sens de «devenir solide»...), se déplace («venir», «aller»...) ; dans ce cas, le verbe n'existe le plus souvent qu'à la voix active :

Cet enfant ***paraît*** *très éveillé ;*
La glace ***fond*** *; le ciment* ***prend*** *;*
Je ***viens*** *vous parler.*

REMARQUE Généralement, dans les livres de grammaire et les dictionnaires, les tableaux de conjugaison sont donnés à la voix active.

LA VOIX PASSIVE

La voix passive, toujours conjuguée avec l'auxiliaire «être», indique que le sujet du verbe subit une action :

Le jouet ***est*** *déjà* ***cassé***.

Seuls les verbes transitifs directs (suivis d'un C.O.D.) peuvent être mis à la voix passive ; le sujet du verbe passif est le C.O.D. du verbe actif correspondant :

Le maire *a inauguré* *la patinoire* → *La patinoire* ***a été inaugurée*** *par le maire.*

Le maire	la patinoire	La patinoire
sujet du verbe actif	C.O.D. du verbe actif	sujet du verbe passif

ATTENTION
Les verbes «obéir à», «désobéir à» et «pardonner à», qui sont suivis d'un C.O.I. à la voix active, peuvent néanmoins admettre la voix passive : *Pierre* ***a été obéi*** *; Lucie* ***est pardonnée***.

REMARQUE L'agent (celui qui fait réellement l'action) peut être exprimé par un complément appelé «complément d'agent», lequel est introduit par les prépositions «par» ou «de» :

La patinoire a été inaugurée ***par*** *le maire.*

La patinoire	par le maire
sujet qui subit l'action	complément d'agent qui fait l'action

Ma grand-mère était aimée ***de*** *tous.*

LA VOIX PRONOMINALE

Conjugué à la voix pronominale, le verbe est précédé d'un pronom personnel réfléchi, c'est-à-dire représentant le(s) même(s) être(s) ou la (les) même(s) chose(s) que le sujet, qui joue le rôle de complément :

Tu ***te rappelles*** *son nom ?* («te» : pronom personnel réfléchi).

RAPPEL Les verbes essentiellement pronominaux n'existent qu'à la voix pronominale (voir p. 7). Le sens des verbes conjugués à la voix pronominale dépend du contexte.

■ les verbes pronominaux à sens réfléchi

Ils signifient que le sujet fait une action sur lui-même ou pour lui-même :

> *Pierre* ***se lave*** (= lave lui-même) : «se» est complément d'objet direct du verbe «laver» ;
>
> *Claire* ***s'est offert*** *une montre* (= a offert une montre à elle-même) : «se» est complément d'objet second (C.O.S.) du verbe «offrir».

REMARQUE On appelle «C.O.S.» un second complément qui s'ajoute au C.O.D. ; quand il indique, comme ici, en faveur ou au détriment de qui se fait l'action, il est appelé «complément d'attribution».

■ les verbes pronominaux à sens réciproque

Le pronom personnel renvoie aux différentes personnes représentées par le ou les sujets ; le verbe indique que ces personnes font une action les unes sur les autres, ou les unes pour les autres :

> *Les Dupont et les Martin* ***se détestent*** («se» est C.O.D. du verbe «détester» : les uns détestent les autres, et réciproquement) ;
>
> ***Vous vous faites*** *des cadeaux* («se» est C.O.S. du verbe «faire» : les uns font des cadeaux aux autres, et réciproquement).

Ces verbes ne peuvent guère exister qu'au pluriel, ou avec l'idée d'un pluriel :

> *Le chat* ***s'est*** *encore* ***battu*** (idée implicite d'un adversaire).

■ les verbes pronominaux à sens passif

Ils remplacent en une tournure plus élégante la voix passive qu'on hésite souvent à utiliser, en particulier quand l'agent de l'action n'est pas précisé (on peut aussi employer le pronom «on»). Le pronom réfléchi n'a pas de fonction particulière :

> *L'huile pour moteur* ***se vend*** *en bidons* (= l'huile... est vendue ou : on vend l'huile...).

■ les verbes pronominaux à sens vague

Ce sont les équivalents de verbes à la voix active et le pronom n'y a pas de valeur particulière. Il marque parfois une nuance de sens :

> « *Madame* ***se meurt*** » (Bossuet) = Madame agonise.

POUR RÉSUMER

Le sens du verbe conjugué à la voix pronominale varie selon le contexte :

> *Il se sert dans le saladier* → sens réfléchi = il sert lui-même ;
>
> *Les enfants se servent les uns les autres* → sens réciproque = chaque enfant sert un autre enfant ;
>
> *Ce vin se sert bien frais* → sens passif = ce vin doit être servi (ou : est généralement servi) bien frais ;
>
> *Il se sert de l'ordinateur* → sens vague = il utilise.

ATTENTION

À l'infinitif et au participe, un verbe conjugué à la voix pronominale peut sembler conjugué à la voix active. Le pronom réfléchi tend en effet à disparaître après les verbes «faire», «laisser», «envoyer», «(em)mener» :

> *On a laissé échapper un tigre* (= on a laissé un tigre s'échapper).

L'AUXILIAIRE DE CONJUGAISON

À chacune des trois voix correspond une conjugaison spécifique :

— la voix passive se conjugue à tous les temps avec l'auxiliaire «être» ;

— la voix pronominale se conjugue aux temps composés avec l'auxiliaire «être» ;

— la voix active se conjugue aux temps composés avec l'auxiliaire «avoir» ou l'auxiliaire «être» selon les verbes :

	indicatif	
	présent	**passé composé**
voix active	je lave je descends	j'ai lavé je suis descendu/e
voix passive	je suis lavé/e	j'ai été lavé/e
voix pronominale	je me lave	je me suis lavé/e

LES MODES

Un mode est une catégorie de la conjugaison qui définit la manière dont celui qui parle perçoit l'état ou l'action exprimés par le verbe. Par exemple :

— le mode indicatif sert à exprimer des états ou des actions présentés comme réels ou certains :

*Nous **partirons** demain ;*

— le mode subjonctif est utilisé pour des actions ou des états non réalisés, incertains, souhaités :

*Il faut que nous **partions** demain.*

La conjugaison des verbes comprend sept modes, chacun d'entre eux pouvant (si le sens le permet) exister aux voix active, passive, pronominale et à différents temps (voir plus loin).

LES MODES PERSONNELS

Il existe quatre modes personnels, ainsi nommés car les formes verbales varient en personne et en nombre, et parfois en genre aux temps composés.

- **l'indicatif**

Tu aimes ; tu es aimée ; vous vous aimez.

- **le subjonctif**

[Il faut] que tu aimes ; que tu sois aimée ; que vous vous aimiez.

- **le conditionnel**

Tu aimerais ; tu serais aimée ; vous vous aimeriez.

- **l'impératif**

Aime ; sois aimée ; aimez-vous.

LES MODES IMPERSONNELS

La conjugaison comporte trois modes impersonnels, c'est-à-dire dont la forme ne varie pas selon la personne ; seul le participe passé peut varier, mais en genre et en nombre et non pas en personne (voir «L'accord du participe passé», p. 25).

■ **l'infinitif**

servir (prés., voix active) ; *avoir été servi/ie/is/ies* (passé, voix passive) ; *s'être servi/ie/is/ies* (passé, voix pronominale).

■ **le participe**

servant ; ayant été servi/ie/is/ies ; s'étant servi/ie/is/ies.

ATTENTION
On appelle couramment «participes passés» les formes comme «servi/ie/is/ies» qui, accompagnées d'un auxiliaire, servent à construire les temps composés.

■ **le gérondif**

en servant (voix active) ; *en étant servi/ie/is/ies* (voix passive) ; *en se servant* (voix pronominale).

Voir aussi «L'emploi des modes», p. 31.

ATTENTION
À la voix pronominale, les modes impersonnels prennent la marque de la personne :

On m'a dit de ***me*** *servir ;*
En ***te*** *servant du micro-ordinateur, tu iras plus vite.*

LES TEMPS

Dans une phrase, le verbe peut servir à évoquer une action, une situation en cours d'évolution, ou encore l'apparition d'un sentiment, un mécanisme intellectuel : c'est ce qu'on appelle un «procès», c'est-à-dire un processus. Il peut aussi évoquer un état ou un sentiment permanents.
Chaque mode du verbe comporte un ou plusieurs temps. Ceux-ci permettent de préciser à quel moment se situent ce procès ou cet état. Ce moment est défini par rapport au moment où l'on parle ou écrit. Par exemple, à l'indicatif :

— si le procès se déroule au moment où l'on s'exprime (= simultanéité)
→ on emploie le présent :

Nous ***mangeons*** *de la tarte ;*

— si le procès s'est déroulé avant le moment où l'on s'exprime (= antériorité)
→ on emploie un temps du passé :

Hier, je ***suis allée*** *au cinéma ;*

— si le procès doit se dérouler après le moment où l'on s'exprime (= postériorité)
→ on emploie le futur :

Demain, il ***fera*** *beau.*

On peut ainsi faire figurer les différents temps de la conjugaison de l'indicatif sur un axe du temps :

Axe du temps

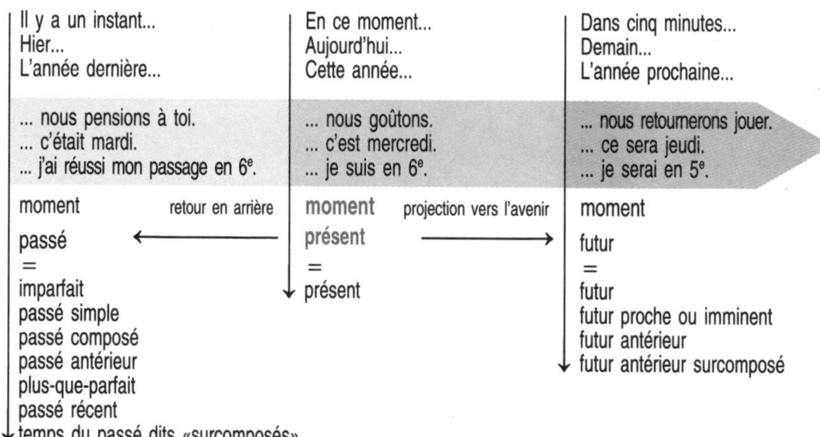

De tous les modes, l'indicatif est celui qui comporte le plus grand nombre de temps (voir p. 18 et 19) ; c'est le seul qui exprime le futur.
Les autres modes n'ont qu'un présent et un ou plusieurs temps du passé.

TEMPS SIMPLES, COMPOSÉS ET SURCOMPOSÉS

Il existe trois catégories de temps, classés selon leur forme.

■ les temps simples

La forme verbale est constituée d'un seul mot :

Je marcherai (ind. futur simple, voix active).

■ les temps composés

La forme verbale est constituée d'un auxiliaire ou d'un semi-auxiliaire (voir p. 7 à 9) à un temps simple, suivi du participe passé ou de l'infinitif présent :

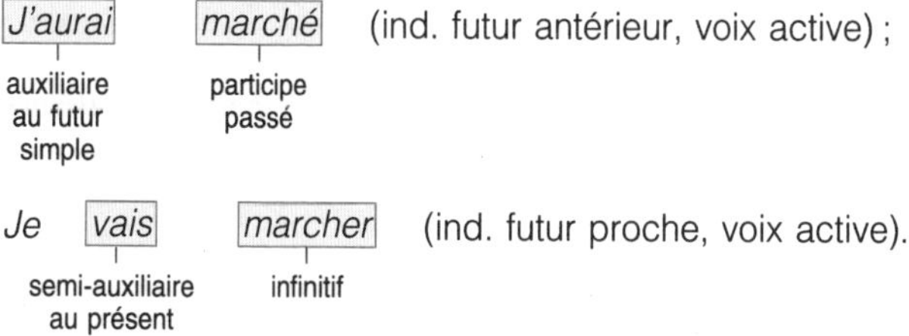

Pour former les principaux temps composés, on procède ainsi :

temps composé voulu	temps de l'auxiliaire	exemples
indicatif		
passé composé	indicatif présent	*j'**ai** chanté ; je **suis** descendu/e*
plus-que-parfait	indicatif imparfait	*j'**avais** chanté ; j'**étais** descendu/e*
futur antérieur	indicatif futur simple	*j'**aurai** chanté ; je **serai** descendu/e*
passé antérieur	indicatif passé simple	*(quand) j'**eus** chanté ; je **fus** descendu/e*

temps composé voulu	temps de l'auxiliaire	exemples
impératif passé	impératif présent	***aie*** *chanté ;* ***sois*** *descendu/e*
conditionnel passé 1re forme	conditionnel présent	*j'****aurais*** *chanté ;* *je* ***serais*** *descendu/e*
subjonctif passé	subjonctif présent	*que j'****aie*** *chanté ;* *que je* ***sois*** *descendu/e*
subjonctif plus-que-parfait	subjonctif imparfait	*que j'****eusse*** *chanté ;* *que je* ***fusse*** *descendu/e*
infinitif passé	infinitif présent	***avoir*** *chanté ;* ***être*** *descendu/e*
participe passé	participe présent	***ayant*** *chanté ;* ***étant*** *descendu/e*
Attention : le gérondif existe seulement au présent.		

■ les temps surcomposés

La forme verbale est constituée d'un auxiliaire conjugué à un temps composé, suivi du participe passé :

J' *ai eu* (auxiliaire au passé composé) *marché* (participe passé) (ind. passé surcomposé, voix active).

ATTENTION

Les temps surcomposés n'existent ni à la voix passive ni à la voix pronominale.
L'impératif passé n'existe ni à la voix passive ni à la voix pronominale.

■ distribution des temps aux modes personnels de la voix active

	indicatif	subjonctif	conditionnel	impératif
temps simples	**présent** tu aimes	**présent** que tu aimes	**présent** tu aimerais	**présent** aime
	imparfait tu aimais	**imparfait** que tu aimasses	*n'existe pas*	*n'existe pas*
	futur simple tu aimeras	*n'existe pas*	*n'existe pas*	*n'existe pas*
	futur du passé tu aimerais	*n'existe pas*	*n'existe pas*	*n'existe pas*
	passé simple tu aimas	*n'existe pas*	*n'existe pas*	*n'existe pas*
temps composés	**passé composé** tu as aimé	**passé** que tu aies aimé	**passé 1re forme** tu aurais aimé	**passé** aie aimé
	plus-que-parfait tu avais aimé	**plus-que-parfait** que tu eusses aimé	**passé 2e forme** tu eusses aimé	*n'existe pas*

	indicatif	subjonctif	conditionnel	impératif
temps composés	**passé proche** tu viens d'aimer	*n'existe pas*	*n'existe pas*	*n'existe pas*
	passé proche du passé tu venais d'aimer	*n'existe pas*	*n'existe pas*	*n'existe pas*
	passé antérieur tu eus aimé	*n'existe pas*	*n'existe pas*	*n'existe pas*
	futur proche tu vas aimer	*n'existe pas*	*n'existe pas*	*n'existe pas*
	futur proche du passé tu allais aimer	*n'existe pas*	*n'existe pas*	*n'existe pas*
	futur antérieur du passé tu aurais aimé	*n'existe pas*	*n'existe pas*	*n'existe pas*
	futur antérieur tu auras aimé	*n'existe pas*	*n'existe pas*	*n'existe pas*

■ distribution des temps aux modes impersonnels de la voix active

	infinitif	participe	gérondif
temps simples	**présent** aimer	**présent** aimant	**présent** en aimant
temps composés	**passé** avoir aimé	**passé** ayant aimé	*n'existe pas*

Pour l'emploi des différents temps verbaux, voir «Le verbe dans la phrase : l'emploi des temps», p. 35, et «la concordance des temps», p. 40.

LES GROUPES DE VERBES

Selon la terminaison de leur infinitif présent actif, les verbes sont répartis en trois groupes de conjugaison :

● les verbes en -**er**, comme «aimer», constituent le premier groupe : sauf «aller» et «envoyer», ils sont tous réguliers, c'est-à-dire conformes à un modèle ;

● les verbes en -**ir** qui ont leur participe présent en -**issant**, comme «finir», forment le deuxième groupe : ils sont tous réguliers sauf quelques formes des verbes «haïr» et «fleurir» ;

● les verbes en **-ir** qui ont leur participe présent terminé par **-ant**, comme «venir», les verbes en **-oir** comme «savoir» et en **-re** comme «vivre» sont rassemblés dans le troisième groupe : ils sont presque tous irréguliers.

Remarque Lorsqu'un nouveau verbe, rendu nécessaire par l'évolution de l'activité humaine, est créé, ce verbe appartient généralement au 1er groupe («délocaliser», «permanenter», «scotcher») ou, plus rarement, au 2e («alunir», calqué sur «atterrir»). On peut dire que le 3e groupe représente un ensemble de conjugaisons mortes puisqu'il ne produit plus de nouveaux verbes. Certains verbes du 3e groupe ont même tendance à disparaître au profit de synonymes plus faciles à conjuguer, au prix de néologismes parfois jugés inélégants : ainsi, «résoudre» est fortement concurrencé par «solutionner» ; «clore», par «clôturer», etc.

Le mécanisme de la conjugaison

Comme les noms et d'autres mots, le verbe est formé de plusieurs éléments.

● L'élément de base est la racine qui indique la signification du verbe et qui se retrouve, plus ou moins modifiée (on parle alors de «radical»), dans les mots de la même famille :

[chant]er — radical ; *[chant]* — radical ; *[chant]eur* — radical ; *[cant]atrice* — radical ; *dé[chant]er* — radical

● Au radical s'ajoute parfois un préfixe qui complète le sens («**re**chanter» = chanter à nouveau) et toujours un suffixe. Ce suffixe a deux fonctions : il permet de construire, à partir du radical, un verbe, un nom, un adjectif ou un adverbe ; il sert de marque grammaticale au mot ainsi formé :

Dans le cas du verbe, ce suffixe est appelé «terminaison» ou «désinence». Il permet au verbe de varier selon :

— le mode : *nous chant[ons]* (indicatif) ; *chant[er]* (infinitif) ; *chant[ant]* (participe) ;

— le temps : *je chant[e]* (présent) ; *je chant[erai]* (futur) ;

— la personne : *je chant[erai]* (1re pers. du sing.) ; *nous chant[erons]* (1re pers. du plur.).

Ces terminaisons sont récapitulées dans le tableau qui figure p. 44.

ATTENTION

— Certains verbes ont plusieurs radicaux ; on dit qu'ils ont plusieurs bases. C'est le cas de verbes d'emploi très fréquent comme «être», «avoir» ou «aller».

— Les verbes dérivés à l'aide d'un préfixe se conjuguent généralement comme le verbe simple, sauf quelques cas particuliers (voir à partir de la p. 56).

LE VERBE DANS LA PHRASE

Élément central du groupe verbal, le verbe est indispensable dans les phrases appelées «phrases verbales». Le verbe n'est généralement pas isolé dans la phrase. Pour orthographier correctement une forme verbale, il est donc nécessaire de savoir repérer son sujet et, souvent, son complément d'objet. Si l'on veut employer un verbe dans une phrase complexe, il faut aussi comprendre quels modes et quels temps utiliser en fonction du contexte.

L'ACCORD DU VERBE AVEC LE SUJET

Aux temps simples, le sujet d'une phrase impose au verbe un accord en personne et en nombre : le verbe prend une terminaison spécifique :

tu	*dans* *es*	*elles*	*dans* *ent*
sujet à la 2e pers. du sing.	terminaison de la 2e pers. du sing.	sujet à la 3e pers. du plur.	terminaison de la 3e pers. du plur.

Aux temps composés, c'est l'auxiliaire qui s'accorde en personne et en nombre avec le sujet (pour l'accord du participe passé, voir p. 25).

L'ACCORD AVEC UN SEUL SUJET

Lorsqu'il y a un seul sujet, le verbe s'accorde en personne et en nombre avec ce sujet :

L'avion décolle (sujet à la 3e pers. du sing. → verbe à la 3e pers. du sing.) ;

Tu arriveras bientôt (sujet à la 2e pers. du sing. → verbe à la 2e pers. du sing.).

ATTENTION
La règle s'applique aussi dans le cas du sujet inversé (placé après le verbe). On inverse obligatoirement le sujet :

— dans certaines phrases interrogatives (plus rarement dans une phrase exclamative) :

*Vont-**elles** finir par arriver ?* (le pronom sujet «elles» est inversé) ;
*Aimez-**vous** voyager ? Où vont-**ils** en vacances ?*

— avec le verbe «dire» ou tout verbe qui introduit des paroles que l'on rapporte, si ce verbe se trouve au milieu de la citation ou après celle-ci :

*«Ils sont trop verts, dit-**il**, et bons pour des goujats»* (La Fontaine) ;
*«Quelle belle nuit !» s'exclama **Pierre** en s'asseyant ;*

— après des adverbes comme «aussi», au sens de «c'est pourquoi» :

*Je te savais malade, aussi suis-**je** heureuse de te voir.*

■ cas particuliers

Il peut arriver que le verbe ne s'accorde pas avec son sujet grammatical.

• Si le sujet est un nom collectif au singulier, comme «une classe» (= un ensemble d'élèves) ou «un tas» (= un empilement d'objets), l'accord du verbe se fait normalement, selon la personne et le nombre :

*Un gros troupeau travers**e** la route.*

ATTENTION
Si le nom collectif, employé avec un article indéfini («un», «une»), est suivi d'un complément de détermination (appelé quelquefois «complément du nom»), on peut, au choix, accorder le verbe selon la grammaire ou selon le sens.
Si on veut insister sur l'idée d'un groupe uni, l'accord se fait au singulier :

***Une foule** de touristes se press**e** à l'entrée du musée.*

Si on veut mettre en valeur le grand nombre d'individus qui composent l'ensemble (et qui sont exprimés par le complément de détermination), l'accord se fait au pluriel :

*Une foule de **touristes** se press**ent** à l'entrée du musée.*

La règle s'applique aussi à des expressions comme «le reste de», «ce que j'ai de» : *Le reste de mes livres ira/iront au grenier.*

• Si le sujet est un nom numéral indiquant une fraction («moitié», «tiers», «dixième»...) ou un ensemble («dizaine», «(demi-)douzaine», «centaine», «millier», etc.) et qu'il soit suivi d'un complément de détermination, c'est le sens de la phrase qui détermine l'accord :

*Une demi-douzaine d'œufs **sera** nécessaire pour le gâteau* (ici, le nom «demi-douzaine» a un sens précis : c'est un ensemble de six → l'accord se fait selon l'idée d'ensemble) ;

*Une demi-douzaine de badauds assist**aient** à la scène* («une demi-douzaine» désigne ici un nombre indéfini : il pouvait y avoir aussi bien cinq badauds que sept → l'accord se fait selon l'idée de nombre).

• Si le sujet est un adverbe de quantité, ou une expression signifiant la quantité («peu/beaucoup», «assez/trop», «tant», «la plupart», «nombre» suivis ou non de «de», etc.), l'accord se fait avec le complément qui suit (même s'il est sous-entendu). Celui-ci est le plus souvent au pluriel, mais peut se présenter au singulier, par exemple s'il désigne une quantité indénombrable (qu'on ne peut pas compter) :

*Beaucoup de skieurs descend**ent** la piste ;*
*Beaucoup la descend**ent*** (complément pluriel sous-entendu) ;
*Beaucoup d'eau ruissel**le** dans ce chemin.*

• Malgré leurs sens, l'expression «plus d'un(e)» appelle un accord au singulier :

***Plus d'un** hôtel affich**e** «complet» ;*

et l'expression «moins de deux» demande un accord au pluriel :

***Moins de deux** heures suff**iront**.*

• Dans le cas des verbes impersonnels (voir p. 10), le sujet grammatical «il» appelle le singulier, même si le verbe est suivi d'un sujet logique au pluriel :

Il ***faut*** *des outils.*

• Le pronom neutre «ce» («c'») est singulier :

*C'****est*** *triste.*

REMARQUE Quand «ce» joue le rôle de présentatif, l'accord peut se faire soit au singulier, soit au pluriel :

*C'****est*** *mes neveux* (langue courante) ;
Ce ***sont*** *mes neveux* (langue soutenue).

De la même manière, on peut dire «c'est eux» ou «ce sont eux».

• Si le sujet est un verbe à l'infinitif, une proposition subordonnée ou une citation entre guillemets, l'accord se fait au singulier :

*Conserver le bon cap paraî****t*** *difficile ;*
*Comment elle a réussi rest****e*** *un mystère.*

• Si le sujet est un titre d'œuvre au pluriel, l'accord se fait plutôt au pluriel quand le titre commence par un article :

Les Femmes savantes ***sont*** *au programme ;*

s'il ne comporte pas d'article, l'accord se fait au singulier :

Dialogues de bêtes ***est*** *au programme.*

L'ACCORD AVEC PLUSIEURS SUJETS

Lorsqu'il y a plusieurs sujets juxtaposés ou coordonnés par «et», «puis», etc., le verbe s'accorde au pluriel :

L'aigle, le milan, le faucon, la buse ***sont*** *des rapaces ;*
*Janine, Michelle et Pierre arriv****eront*** *bientôt ;*
Toi et moi ***irons*** *au cinéma.*

Voir plus loin l'accord en personne (p. 24).

■ cas particuliers

Il arrive quelquefois que l'accord se fasse au singulier.

• Quand les sujets juxtaposés formant une énumération sont repris par un pronom indéfini singulier («tout», «rien», «nul», «personne»), l'accord se fait au singulier avec ce pronom placé en dernier :

«Un souffle, une ombre, un rien, ***tout*** *lui donn****ait*** *la fièvre»* (La Fontaine).

• Quand les sujets sont coordonnés par les conjonctions «ou» ou «ni», tout dépend du sens de la phrase.

— On fait l'accord au pluriel quand la présence (ou l'absence) d'un sujet dans l'action n'exclut pas celle de l'autre :

Je ne sais pas si le vin ou le café ***sont*** *compris* (ce peut être l'un et l'autre) ;

Ni le vin ni le café ne ***sont*** *compris.*

— On fait l'accord au singulier quand seul l'un des sujets peut faire l'action :

Le Brésil ou l'Italie ***gagnera*** *la Coupe du monde* (seul l'un des deux peut gagner).

ATTENTION

— Après «l'un(e) et l'autre», on met le plus souvent le pluriel, mais le singulier es possible si les deux sujets sont considérés séparément :

L'une et l'autre voiture ***sont*** *en panne* (= les deux) ;
L'un et l'autre savant ***fait*** *autorité dans son domaine* (= chacun d'eux)

— Après «l'un(e) ou l'autre», on met le plus souvent le singulier car les deux sujet s'excluent :

L'un ou l'autre ***a*** *tort.*

— Après «ni l'un(e) ni l'autre», l'accord se fait au pluriel ou au singulier selo qu'on considère séparément ou non les deux sujets :

Ni l'une ni l'autre des voitures ne ***sont*** *en panne ;*
Ni l'une ni l'autre ne ***saura*** *vous aider.*

L'ACCORD EN PERSONNE AVEC PLUSIEURS SUJETS

Lorsqu'il y a plusieurs sujets de même personne, le verbe s'accorde au pluri avec cette personne :

La chatte et son petit (deux sujets à la 3e pers.) *dorment* (verbe à la 3e pers. du pluriel) *dans le panier.*

Lorsqu'il y a plusieurs sujets de personnes différentes, le verbe s'accorde av une seule des personnes représentées, selon des règles bien précises.

- La 1re personne l'emporte sur la 2e :

  Toi et moi (1re pers. du sing.) *irons* (verbe à la 1re pers. du plur.) *au cinéma.*

- La 1re personne l'emporte sur la 3e :

  Elle et ***moi irons*** *au cinéma.*

- La 1re personne l'emporte sur la 2e et la 3e réunies :

  Elle, toi et ***moi irons*** *au cinéma.*

- La 2e personne l'emporte sur la 3e :

  Toi *et elle* ***irez*** *au cinéma ; Pierre, Claire, Marie et* ***toi irez*** *au ciném*

L'ACCORD AVEC LE SUJET «QUI»

Si le sujet est le pronom relatif «qui», le verbe s'accorde en personne a l'antécédent de ce pronom (le nom que le pronom reprend) :

C'est moi (antécédent à la 1re pers. du sing.) *qui veux* (verbe à la 1re pers. du sing.) *venir ;*

C'est ***elle*** *qui* ***veut*** *venir ;*
Vous *qui voul****iez*** *du gâteau, en voici.*

REMARQUE Lorsque l'antécédent du relatif est un attribut du sujet, l'accord se fait plutôt avec la personne de cet attribut :

Vous êtes un commerçant qui sait conseiller ses clients.

Vous	un commerçant	qui	sait
sujet à la 2e pers. du sing.	attribut du sujet à la 3e pers. du sing.	pronom relatif	verbe accordé : 3e pers. du sing.

Cependant, avec les adjectifs attributs «le seul (la seule) qui», «le premier (la première) qui», «le dernier (la dernière) qui», l'accord en personne peut se faire avec cet attribut ou avec le sujet :

Vous êtes le seul qui puissiez (puisse) m'aider.

Avec les autres adjectifs attributs exprimant la pluralité, l'accord se fait avec la personne du sujet :

***Vous** êtes trois qui **puissiez** m'aider.*

L'ACCORD DU PARTICIPE PASSÉ

Les temps composés de la conjugaison sont formés à l'aide d'un auxiliaire et d'un participe passé. L'auxiliaire («être» ou «avoir») s'accorde en personne et en nombre avec le sujet du verbe. Le participe passé, qui n'est alors qu'un élément du verbe, peut prendre un accord en genre et en nombre, selon l'auxiliaire et la voix employés.

VERBES CONJUGUÉS AVEC «ÊTRE»

• Les verbes conjugués à la voix passive le sont toujours à l'aide de l'auxiliaire «être». Le participe passé s'accorde en genre et en nombre avec le sujet du verbe :

Tous les déchets seront recyclés.

Tous les déchets	seront	recyclés
sujet masc. plur.	auxiliaire «être»	part. passé au masc. plur.

ATTENTION
La règle reste la même quand l'auxiliaire «être» est lui-même à un temps composé ; mais il faut savoir que le verbe «être» se conjugue avec l'auxiliaire «avoir» (voir partie «Conjugaison», tableau 1) :

*Tous les déchets ont été recycl**és**.*

ont été	recyclés
auxiliaire «être» au passé composé	accord avec le sujet pluriel

• À la voix pronominale, tous les verbes forment leurs temps composés avec «être». Les verbes essentiellement pronominaux (voir p. 7), les pronominaux à sens passif ou à sens vague (voir p. 14) suivent la règle générale ; le participe passé s'accorde en genre et en nombre avec le sujet du verbe :

*Les coureurs se sont élanc**és*** (essentiellement pronominal) ;
*Cette marchandise s'est bien vend**ue*** (sens passif) ;
*Marie s'est attaqu**ée** à un difficile problème* (sens vague).

Pour l'accord du participe passé des verbes pronominaux de sens réfléchi et réciproque, voir p. 28.

• À la voix active, seuls certains verbes se conjuguent avec «être» (voir le «Répertoire des verbes»). La règle est la même qu'à la voix passive ; le participe s'accorde en genre et en nombre avec le sujet du verbe :

Elle est parti*e*.

ATTENTION

Quelle que soit la voix, il faut être attentif au sens des pronoms sujets :

— «on» (pronom indéfini de la 3e personne du singulier) peut avoir le sens de «nous», «toi» ou «vous» :

On est allé dans le jardin (quelqu'un d'inconnu : «on» joue le rôle de pronom indéfini singulier) ;

Marie et moi, on est allées dans le jardin («on» joue le rôle de pronom personnel pluriel au sens de «nous» → l'auxiliaire s'accorde au singulier mais le participe est au pluriel) ;

Alors, ma chérie, on est trop fatiguée pour courir ? («on» a ici le sens de «tu» et s'accorde donc au singulier) ;

— «nous» ou «vous» peuvent désigner une seule personne :

Êtes-vous venu(e)s en métro ? (on s'adresse à deux personnes → accord au pluriel) ;

Êtes-vous venu(e) en métro ? («vous» de politesse = une seule personne → accord au singulier) ;

— quand le verbe comprend plusieurs sujets à la 3e personne de genres différents, le participe s'accorde au masculin pluriel :

Amélie, Catherine et Pierre sont partis.

VERBES CONJUGUÉS AVEC «AVOIR»

Le participe passé des verbes conjugués avec l'auxiliaire «avoir» s'accorde en genre et en nombre avec le complément d'objet direct (C.O.D.) du verbe, si ce complément existe et s'il est placé avant le participe :

Plus de cerises ! Les oiseaux les ont mangées !

les : pronom C.O.D. du verbe «manger» fém. plur. (remplace «cerises»)

mangées : part. passé accordé au fém. plur.

Voici les arbres que nous avons récemment plantés.

que : pronom relatif C.O.D. du verbe «planter», masc. plur. (remplace «les arbres»)

plantés : part. passé accordé au masc. plur.

ATTENTION

Cette règle est stricte ; on n'accorde donc pas le participe passé dans les cas suivants.

• Quand le verbe est intransitif (il ne peut avoir de C.O.), il n'y a pas d'accord :

*Elles ont bien **ri** en le voyant.*

• Quand le complément d'objet est indirect (C.O.I. introduit par une préposition), notamment avec les verbes transitifs indirects, il n'y a pas d'accord :

Je vais observer l'éclipse, la presse en *a beaucoup parl**é**.*

pronom C.O.I. du verbe «parler»
(= la presse a beaucoup parlé de l'éclipse)

• Quand le C.O.D. est placé après le participe, il n'y a pas d'accord :

Nous avons *plant**é*** *des arbres*.

part. passé invariable — C.O.D. du verbe «planter», placé après le part. passé

• Quand le verbe est impersonnel, il n'y a pas d'accord ; ce qui peut précéder le verbe n'est pas un C.O.D., mais le sujet logique du verbe (voir aussi à la fin de ce chapitre) :

As-tu entendu la tempête qu'il y a ***eu*** *pendant la nuit ?* (le sujet logique du verbe est «qu'», qui remplace le nom «tempête»).

• Quand vient avant le verbe non pas un C.O.D. mais un complément circonstanciel (C.C.) de quantité, il n'y a pas d'accord ; ce complément répond à la question «combien ?», alors que le C.O.D. répond à la question «quoi ?» ou «qui ?». Souvent construit sans préposition, ce C.C. indique la taille que l'on fait, le poids, le prix, l'âge, la distance, etc. :

*Les quinze kilomètres que j'ai march**é** m'ont fatiguée* («que», qui remplace «les quinze kilomètres», est un C.C. de quantité : j'ai marché combien ? quinze kilomètres → pas d'accord) ;

*Il a vu bien des événements durant les cent ans qu'il a véc**u*** (il a vécu combien de temps ? cent ans ; «qu'», remplaçant «cent ans», est C.C. de quantité du verbe «vivre» → pas d'accord).

Mais on fait l'accord du participe dans des phrases de ce type :

*Elle a eu bien du courage devant les épreuves qu'elle a véc**ues*** (elle a vécu quoi ? des épreuves ; «qu'», remplaçant «épreuves», est C.O.D. du verbe «vivre» → accord).

• Quand le C.O.D. placé devant le participe n'est pas le complément du verbe conjugué, mais celui d'un verbe à l'infinitif placé après le participe, il n'y a pas d'accord ; le sujet de ce verbe à l'infinitif est souvent sous-entendu :

*Qui est cette actrice que j'ai entend**u** interviewer ?* («que», remplaçant «cette actrice», est C.O.D. du verbe «interviewer» et non du verbe «entendre» : j'ai entendu quoi ? quelqu'un interviewer cette actrice) ;

Il s'est acheté tous les disques qu'il a ***pu*** («que», remplaçant «tous les disques», est C.O.D. non de «pouvoir» mais de «s'acheter» qui est sous-entendu : qu'il a pu s'acheter).

Mais on fait l'accord du participe quand le pronom antécédent est à la fois C.O.D. du verbe conjugué et sujet de l'infinitif qui le suit :

*Qui est cette actrice que j'ai entend**ue** parler à la radio ?* («que», remplaçant «cette actrice», est C.O.D. du verbe «entendre» et sujet du verbe «parler» : j'ai entendu qui ? cette actrice, et elle parlait).

• Quand le participe a devant lui pour C.O.D. le pronom adverbial neutre «en», l'accord ne se fait pas si «en» a un sens partitif et remplace un nom indénombrable (désignant quelque chose qu'on ne peut pas ou guère compter en unités) :

*Il a mangé des pâtes, de la confiture → Il en a mang**é**.*

REMARQUE On peut accorder le participe :

— si «en» remplace un nom précédé de «des», article indéfini pluriel (le nom déterminé est dénombrable, il représente des choses que l'on peut compter) :

*As-tu acheté des livres ? → En as-tu achet**é(s)** ?*

— si «en» est accompagné (et, de préférence, précédé) d'un adverbe de quantité :

*Des films, **combien** en ai-je v**u(s)** ! → J'en ai **trop** v**u(s)** !*

• Certaines des règles énoncées p. 22 à 25 pour l'accord du verbe avec son sujet s'appliquent à l'accord en nombre du participe avec son C.O.D. ; sont concernés : les noms collectifs suivis d'un complément, les noms numéraux suivis d'un complément, les C.O.D. multiples ; dans ce cas :

— plusieurs C.O.D. singuliers entraînent un accord du participe au pluriel, sauf lorsqu'ils ont un sens très proche. On écrit ainsi : *Pierre, Paul et Jacques que j'ai v**us***, mais *La peur, l'angoisse que j'ai éprouv**ée*** (accord au singulier : «la peur» = «l'angoisse») ;

— les C.O.D. coordonnés par «ou» entraînent un accord du participe au singulier si la présence de l'un exclut celle de l'autre (voir p. 23) : *C'est Paul ou Jean que j'ai aperç**u**.*

■ accord en genre du participe conjugué avec «avoir»

Si le participe est précédé de C.O.D. masculins et féminins, l'accord se fait au masculin pluriel :

*Marie, Lise et Luc, je les ai v**us** hier.*

ATTENTION

Le pronom «l'» placé avant le participe peut être

— féminin : *J'ai vu la pièce, je l'ai trouv**ée** ennuyeuse*
(accord au féminin car «l'» = «la pièce») ;

— masculin : *Ce spectacle, je l'ai trouv**é** ennuyeux*
(accord au masculin car «l'» = «le spectacle») ;

— neutre ; dans ce dernier cas, l'accord se fait au masculin (singulier) : *J'ai aimé la pièce, comme tu l'avais prév**u*** («l'» est neutre et remplace une proposition : tu avais prévu quoi ? le fait que j'aimerais la pièce).

VERBES À LA VOIX PRONOMINALE DE SENS RÉFLÉCHI OU RÉCIPROQUE

À la voix pronominale, des règles d'accord particulières existent pour les verbes à sens réfléchi ou réciproque.
Le participe passé s'accorde avec le C.O.D. du verbe si celui-ci le précède (règle semblable à celle qui concerne les verbes conjugués à la voix active avec l'auxiliaire «avoir») ; ce C.O.D. peut être le pronom réfléchi, inséparable du verbe pronominal, ou un autre mot de la phrase.

• Exemples avec des verbes pronominaux à sens réfléchi :

Marie et moi, nous *nous* *sommes déjà* *lav**é(e)s*** ;

C.O.D. du verbe «laver» : nous avons lavé qui ? nous-mêmes — part. passé accordé avec le C.O.D.

Nous nous sommes *lav**é*** *les mains* ;
(*lavé* : part. passé non accordé ; *les mains* : C.O.D. placé après le part.)

Vos mains, vous *les* *êtes-vous* *lav**ées*** ?
(*les* : pronom C.O.D. fém. plur. remplaçant «vos mains» ; *lavées* : part. passé accordé au fém. plur. avec le C.O.D. placé avant)

Jeanne *s'* *est* *achet**é*** *hier* *une nouvelle montre*.
(*s'* : C.O.S. ; *acheté* : part. passé non accordé ; *une nouvelle montre* : C.O.D. placé après le part.)

- Exemples avec des verbes pronominaux à sens réciproque :

Marie et Paul *se* *sont* *aid**és*** *pour ce travail* (= Marie a aidé Paul et Paul a aidé Marie)
(*se* : C.O.D. ; *aidés* : part. passé accordé au masc. plur. avec le C.O.D)

Les chefs d'État *se* *sont* *échang**é*** *les cadeaux d'usage*.
(*se* : C.O.S. ; *échangé* : part. passé non accordé ; *les cadeaux d'usage* : C.O.D. placé après le part.)

*Les catastrophes naturelles se sont succéd**é** cet hiver* (pas d'accord du participe : «se» n'est pas un C.O.D. mais un C.O.I. = une catastrophe a succédé **à** l'autre) ;

*Ils se sont ment**i**/ressembl**é**/parl**é**...* («se» est un C.O.I. = l'un à l'autre).

ATTENTION

— Le participe d'un même verbe conjugué à la voix pronominale peut suivre des règles d'accord différentes selon son sens :

*Les enfants se sont serv**i** de la tarte* → sens réfléchi, pas d'accord avec le C.O.D. «de la tarte» car il est placé après le verbe ;

*Les enfants se sont serv**is** de l'ordinateur* → sens vague (= ils ont utilisé...), accord avec le sujet «les enfants».

— Le participe des verbes «se rire (de)», «se sourire», «se plaire», «se déplaire» et «se complaire (à)» reste toujours invariable, que ces verbes soient employés :

- au sens réciproque, ce qui est normal puisque le pronom réfléchi a la fonction de C.O.I. (sourire, plaire l'un à l'autre) :

*Elles se sont sour**i** ; Ils se sont tout de suite dépl**u** ;*

- ou au sens vague, alors que la règle voudrait que le participe s'accorde avec le sujet :

*Elles se sont r**i** des pièges* (= elles n'en ont pas tenu compte) ;
*Ils se sont pl**u** à tout critiquer* (= ils y ont pris plaisir).

— Quand le participe passé est suivi d'un infinitif, on applique la même règle que pour le participe passé conjugué avec l'auxiliaire «avoir» : on fait l'accord avec le pronom réfléchi C.O.D. uniquement quand ce pronom est aussi le sujet du verbe à l'infinitif (voir p. 27) :

*Elle s'est v**ue** perdre l'équilibre* (c'est elle qui perdait l'équilibre) ;
*Elle s'est v**u** décerner un prix* (c'est quelqu'un d'autre qui l'a décerné).

REMARQUE Le participe du verbe «se faire» reste invariable :

*Elle s'est fai**t** pleurer en épluchant les oignons ;*
*Ils se sont fai**t** mal en tombant.*

PARTICIPE PASSÉ DES VERBES IMPERSONNELS

À toutes les voix, le participe passé des verbes employés impersonnellement est invariable :

*La circulation a été bloquée par la neige qu'il y a **eu*** (voix active) ;
*Il s'est produi**t** bien des événements depuis* (voix pronominale) ;
*Voici les mesures qu'il a été décid**é** de prendre* (voix passive).

PARTICIPE PASSÉ EMPLOYÉ SANS AUXILIAIRE

Le participe passé peut être employé sans auxiliaire :

— soit comme équivalent de l'adjectif qualificatif : *l'année **passée*** (= l'année dernière) ; *une fille **élancée*** (= svelte) ;

— soit avec la valeur d'un verbe, par exemple dans une proposition participiale : *À peine la lettre reçue* (= dès que la lettre fut reçue), *il répondit.*

Le participe passé s'accorde alors en genre et en nombre avec le nom auquel il se rapporte, comme un adjectif qualificatif.

ATTENTION
Le participe passé de certains verbes est invariable lorsqu'il est placé immédiatement avant le nom auquel il se rapporte, mais s'accorde normalement s'il est placé après lui. Il s'agit surtout des formes suivantes :

attendu	ci-inclus	étant donné	non compris	vu
ci-annexé	ci-joint	excepté	passé	y compris

*Pass**é** la frontière, le paysage change* mais *La frontière pass**ée**... ;*

*Le repas a coûté cent francs, y compr**is** les boissons* mais *boissons compr**ises**.*

ADJECTIF VERBAL ET PARTICIPE PRÉSENT

Le participe présent actif (voir p. 16) a deux emplois :

— comme verbe ; dans ce cas, il reste invariable :

***Partant** demain en voyage, nous ne vous verrons pas* («partant» est un part. présent employé comme verbe ; il équivaut à «comme nous partons») ;

— comme adjectif qualificatif ; il est alors appelé «adjectif verbal» et, comme tout autre adjectif, s'accorde en genre et en nombre avec le nom ou le pronom qu'il qualifie :

Florence est toujours partante (= enthousiaste).

adj. verbal accordé avec «Florence»

REMARQUE L'adjectif verbal peut aussi parfois s'employer comme nom (on dit qu'il est substantivé) : *un(e) adhérent(e) ; un(e) passant(e) ; un(e) président(e).*

ATTENTION
L'orthographe de l'adjectif verbal (substantivé ou non) peut être différente de celle du participe présent (voir le «Répertoire des verbes»), particulièrement pour les verbes en -**ger**, -**guer** et -**quer**.
Le participe conserve intact le radical de l'infinitif.

verbe	participe présent	adjectif verbal
fatiguer	fatiguant	*une promenade fati**ga**nte*
fabriquer	fabriquant	*un fabri**ca**nt de meubles*
convaincre	convainquant	*un argument convain**ca**nt*
somnoler	somnolant	*un enfant somnol**en**t*
diverger	divergeant	*des avis diverg**en**ts*

L'EMPLOI DES MODES

Le mode utilisé dans la phrase permet, quand on s'exprime, de présenter comme on le souhaite un état ou un procès. C'est le mode choisi qui indique si cet état ou ce procès sont réels, incertains, liés à une condition, souhaités ou redoutés, ou encore s'il s'agit d'un ordre ou d'une défense.

L'INDICATIF

L'indicatif, employé à ses différents temps (voir tableaux p. 18 et 19), permet de décrire des états ou des faits réels (passés, présents ou permanents), ou considérés comme certains dans le futur :

> *Pierre **est arrivé** hier, **reste** avec nous aujourd'hui et **repartira** demain.*

Dans un récit, l'indicatif peut exprimer des états ou des faits fictifs mais présentés comme réels :

> *«Une vieille femme **sortit** de la cabane.* [...] *Saisissant un coq par le cou, elle l'**égorgea** sur le feu»* (Henri Bosco).

LE SUBJONCTIF

Le subjonctif permet d'exprimer un état ou une action non réalisés et dont la réalisation est présentée comme :

— incertaine mais possible, éventuelle : *Il se peut qu'il **pleuve** demain* (subj. prés. du verbe «pleuvoir») ;

— incertaine et douteuse : *Je ne crois pas qu'il **pleuve** demain ;*

— souhaitée, voulue, conseillée, ordonnée (mais on ne sait pas si cet ordre sera suivi d'effet) : *Pourvu qu'il **pleuve !** Nous aimerions que tu **lises** ce roman ; Qu'ils **entrent*** (subjonctif à la place de l'impératif aux personnes où celui-ci est défectif) ;

— redoutée : *Je crains qu'il ne **pleuve** sur le ciment frais ;*

— supposée : *Qu'il **fasse** des excuses, et je l'autoriserai à rentrer* (= s'il fait...).

REMARQUE Le subjonctif permet aussi d'exprimer :

— un procès réalisé mais qu'on examine intellectuellement, avec lequel on prend une distance pour se former une opinion : *Qu'il **soit** contrarié, d'accord, mais il pourrait rester poli ! Il est normal que la jeunesse **veuille** s'amuser ;*

— une possibilité que l'on refuse d'envisager, par exemple parce que l'on est indigné : *Moi, que je lui **fasse** des excuses ?*

■ quand employer le subjonctif ?

C'est dans les propositions subordonnées que le subjonctif est le plus souvent employé.

● Après les verbes ou les périphrases verbales exprimant :

— la volonté, l'ordre, la défense : *je veux (voudrais) que, j'exige que, j'interdis que, je défends que, je souhaite(rais) que, je désire(rais) que ;*

— l'obligation : *il faut que, il est nécessaire que, il est impératif que, il importe que ;*

— la possibilité, l'éventualité : *il est possible que, il se peut que, il arrive que ;*

— le doute : *je doute que, je ne crois pas que* (mais : «je crois que» + indicatif), *je ne pense pas que* (mais : «je pense que» + indicatif), *je ne suis pas sûr/e que* (mais : «je suis sûr/e que» + indicatif) ;

— la crainte : *je crains que, je redoute que, j'ai peur que ;*

— des sentiments divers (regret, surprise, joie) : *il (c') est dommage que, je regrette que, je me plains que, je m'étonne que, je suis surpris/e que, je suis content/e que, je me réjouis que, je suis triste que, il est heureux que, il est malheureux que...*

● Après certaines conjonctions de subordination exprimant :

— le temps : *avant que, en attendant que, jusqu'à ce que* (mais : «après que» + indicatif) ;

— le but ou la crainte (ce qu'on cherche à éviter) : *afin que, pour que, de (telle) sorte que, de manière que, de peur que, pour éviter que ;*

— l'opposition ou la concession : *quoique, bien que, sans que ;*

— une cause que l'on écarte : *non que ;*

— la condition : *à condition que, pourvu que, pour peu que, en admettant que, à moins que.*

● On emploie aussi le subjonctif :

— après «le plus/le moins + adjectif ou adverbe (ou tout autre superlatif) + que» : *C'est le soda le moins cher que j'**aie pu** trouver ;*

— après «le seul (la seule) / le premier (la première)... qui (ou un autre pronom relatif)...» : *C'est le seul air que je **sache** jouer ;*

— après «il n'y a que... qui (ou un autre relatif)» : *Il n'y a que ce chandail qui m'**aille** encore ;*

— après «tout(e)... que» : *Tout courageux qu'il **prétende** être, il s'est enfui ;*

— après «quoi... que» : *Quoi qu'elle **ait fait**, elle est pardonnée ;*

— dans une proposition relative à valeur de but : *Je cherche un chien qui **sache** chasser ;*

— dans toute proposition subordonnée jouant le rôle de sujet : *Qu'il **pleuve** me chagrine ; Cela me chagrine qu'il **pleuve**.*

ATTENTION
Le subjonctif est précédé de la conjonction «que» dans les tableaux de conjugaison, mais, dans certaines expressions, «que» n'accompagne pas toujours le subjonctif : ***Vive** le Québec !* (= que vive le Québec ! ; souhait) ; ***Advienne** que pourra* (= qu'il arrive ce qui peut arriver) ; ***Soit** le carré ABCD...* (= supposons qu'existe...).

LE CONDITIONNEL

Le conditionnel en tant que mode sert à exprimer en particulier un procès dont la réalisation n'est (ou n'était) pas certaine et dépend (ou dépendait) d'une condition. Cette condition, au moment où l'on parle, peut être :

— réalisable (cette nuance est appelée «le potentiel», ou «l'éventuel» si elle paraît moins probable) : *Vous* ***pourriez*** *venir à la fête demain si vos occupations le permettaient ;*

— non réalisable dans le présent («irréel du présent») : *Nous* ***sortirions*** *maintenant s'il ne pleuvait pas ;*

— non réalisée dans le passé («irréel du passé») : *Elle* ***serait venue*** *si elle n'avait été retenue par ses obligations.*

Le conditionnel permet d'exprimer aussi :

— un souhait pour le futur → on emploie le conditionnel présent : *Je* ***boirais*** *bien un café !*

— un regret concernant le passé → on emploie le conditionnel passé : *J'****aurais voulu*** *partir plus tôt ;*

— une affirmation dont on ne veut pas assumer la responsabilité (on n'est pas sûr qu'elle soit exacte ou on s'exprime ironiquement) : *Il* ***serait*** *gravement malade ; Te* ***serais****-tu* ***décidée*** *à venir ?* (nuance ironique : on n'ose y croire) ;

— une demande, un conseil dont on souhaite atténuer la brutalité : *J'****aurais souhaité*** *vous demander un service ; Vous* ***devriez*** *être plus prudent.*

ATTENTION
Il faut éviter de confondre le conditionnel-mode avec le futur du passé et le futur antérieur du passé qui, bien que leurs formes soient celles des conditionnels présent et passé, appartiennent au mode indicatif (voir p. 18 et 19). On les appelle parfois «formes en -**rais**» : *Je croyais que tu* ***viendrais*** (futur du passé).

L'IMPÉRATIF

Dans une proposition isolée, l'impératif exprime :

— l'ordre ou la défense (c'est-à-dire l'ordre de ne pas faire quelque chose) : ***Entrez*** *!* ***Sois*** *prêt à l'heure ! N'****entrez*** *pas !*

— une exhortation (un encouragement très vif) : ***Ayez*** *confiance !*

— une invitation : ***Asseyez****-vous, mademoiselle ;*

— une simple affirmation : ***Croyez*** *bien à mes sentiments cordiaux.*

ATTENTION
Dans une proposition indépendante juxtaposée ou coordonnée à une autre, il remplace souvent un complément circonstanciel :
— C.C. de condition : ***Fais*** *un pas de plus, et tu tombes !* (= si tu fais...) ;
— C.C. de concession (opposition) : ***Répétez****-le-lui vingt fois, il ne vous entendra pas* (= même si vous le lui répétez...).

L'INFINITIF

L'infinitif est d'abord la forme nominale du verbe : précédé ou non de l'article, il fait du verbe l'équivalent du nom (on dit qu'«il le substantive») et lui en donne toutes les fonctions : ***Courir*** *est bon pour la santé* (= la course est bonne... ; «courir» :

sujet du verbe «être»); *Il en a perdu* ***le boire*** *et* ***le manger*** («le boire», «le manger» : C.O.D. du verbe «perdre»).

L'infinitif a cependant souvent sa pleine valeur de verbe :

— avec son propre sujet parfois inversé, il est le centre d'une proposition subordonnée, dite «infinitive» : *Je vois* ***des mésanges voler*** (= des mésanges qui volent) ; *La détonation a fait* ***s'envoler les oiseaux*** (= que les oiseaux se sont envolés) ;

— sans sujet propre, il peut être le noyau d'un groupe infinitif complétant un verbe conjugué (comme C.O.I. ou C.C.) : «*Je me suis empressé* ***de manquer la classe*** (groupe infinitif C.O.I.) [...] ***pour filer en bateau sur le Furens***» (groupe infinitif C.C. de but) [Jules Vallès].

ATTENTION
On peut employer un tel groupe uniquement si le sujet non exprimé de l'infinitif est aussi celui du verbe conjugué qui l'accompagne. La phrase suivante, qui comporte un seul sujet grammatical, est donc incorrecte : * La voiture a dérapé avant de me rendre compte du danger. Il faut écrire :

La voiture a dérapé avant que je ne me rende compte...

■ valeurs particulières

Comme seul verbe d'une proposition indépendante ou principale, avec ou sans sujet, l'infinitif peut exprimer :

— un ordre, une consigne, un mode d'emploi, une recette... : *Entrer sans* ***fumer*** *;* ***Battre*** *les œufs en neige... ;*

— une étape prévisible d'un récit (infinitif de narration, précédé de la préposition «de») : *L'élève tomba de sa chaise ; et toute la classe* ***de rire*** *bruyamment ;*

— une hésitation, une indécision (infinitif délibératif, toujours de forme interrogative) : «*L'enfant* [Cosette] *jeta un regard lamentable en avant et en arrière. Que* ***faire*** *? Que* ***devenir*** *? Où* ***aller*** *?*» (Victor Hugo) ;

— divers sentiments (indignation, hypothèse inacceptable...) dans une phrase exclamative ou interrogative : ***Rouler*** *à cette vitesse en ville ! Moi,* ***faire*** *des excuses ?*

LE PARTICIPE

• Quand il joue un rôle d'adjectif, le participe se comporte dans la phrase exactement comme l'adjectif qualificatif.
On le reconnaît au fait qu'il peut toujours varier en genre et en nombre, et qu'il peut prendre les degrés comparatif et superlatif :

*Ces livres sont intéress****ants*** *;*
*Cette pièce est plus intéress****ante*** *;*
*Ma question est intéress****ée****.*

• Quand il joue le rôle d'un verbe, le participe terminé par -**ant** est toujours invariable. On le trouve le plus souvent avec son propre sujet, comme centre d'une proposition dite «participiale» :

La pluie ***ayant cessé****, nous pouvons sortir* («la pluie» : sujet du participe).

Il peut aussi ne pas avoir de sujet propre, tout en gardant sa valeur de verbe :

Je la vois d'ici, ***dévalant*** (= qui dévale) *les pentes ;*
Partant *demain* (= comme elle part), *Marie fait ses bagages.*

LE GÉRONDIF

Le gérondif est la forme adverbiale du verbe : il n'existe qu'au présent et donne au verbe la valeur d'un adverbe circonstanciel ; il joue donc le rôle d'un complément circonstanciel :

— C.C. de temps : *Je siffle* ***en travaillant*** (= quand je travaille) ;

— C.C. de cause : *Elle s'est cassé la voix* ***en criant*** *trop fort* (= parce qu'elle a crié...) ;

— C.C. d'opposition : *Tu as réussi ton examen* ***en ayant*** *à peine* ***révisé*** (= bien que tu aies à peine révisé) ;

— C.C. de condition : ***En passant*** *par là, vous iriez plus vite* (= si vous passiez par là...) ;

— C.C. de manière : *Il a obéi* ***en grommelant*** (= de mauvais gré) ;

— C.C. de moyen : *Je n'ai pu ouvrir le placard qu'****en forçant*** *la serrure.*

ATTENTION
Le sujet non exprimé du gérondif doit être le même que celui du verbe dont le gérondif est complément circonstanciel :

> ***En démolissant*** *le mur, les ouvriers ont trouvé un trésor* (ce sont les ouvriers qui démolissent, et qui trouvent).

La phrase : * En démolissant le mur, un trésor est apparu, est donc incorrecte.

L'EMPLOI DES TEMPS

Un verbe à une forme donnée se caractérise généralement par trois valeurs qui précisent son sens :
— une valeur dite «modale», liée au mode utilisé (voir précédemment) ;
— une valeur dite «temporelle», liée au temps utilisé ;
— une valeur dite «d'aspect», liée elle aussi au temps utilisé mais définissant la manière dont celui qui parle ou qui écrit se représente l'état ou l'action exprimés par le verbe.

Par exemple, dans la phrase : *Nous* ***allions*** *souvent au cinéma,* le verbe «aller» est à l'indicatif imparfait et comporte :
— une valeur modale : l'indicatif exprime un fait réel ;
— une valeur temporelle : l'imparfait indique un fait passé ;
— une valeur d'aspect : l'imparfait insiste sur la répétition du fait.

L'INDICATIF PRÉSENT

Le présent de l'indicatif exprime :

— une action ou un état qui commencent, qui sont en cours (le présent sert donc aussi à la description) ou qui se terminent au moment où l'on parle (au moment de l'énonciation) : *Le train* ***démarre*** *; Il* ***pleut*** *; La maison* ***est entourée*** *de grands saules ; Le jour* ***baisse*** *;*

— une action qui vient de se produire (passé récent) ou qui est sur le point de se produire (futur imminent) : *Je* ***rentre*** *à l'instant ; Nous* ***partons*** *dans un quart d'heure ;*

— dans un récit, un événement passé auquel on veut donner un certain relief. Ce présent, appelé «présent de narration», remplace un verbe au passé simple ou au passé composé (voir plus loin) : *Nous* ***déjeunions*** (imparfait) ; *tout à coup, on* ***frappe*** (présent) *impatiemment à la porte...* ;

— un état qui se répète, une habitude ayant cours au moment où l'on parle (aspect dit «itératif») : *Le mercredi, les enfants* ***vont*** *à la piscine* ;

— l'ordre : *Je passe devant, tu me* ***suis*** ;

— un état ou une action qui constituent une vérité permanente : *L'eau ne* ***gèle*** *pas quand on y* ***ajoute*** *de la glycérine ; Qui sème le vent* ***récolte*** *la tempête.*

REMARQUE Dans un récit au passé, l'emploi du présent de l'indicatif peut signifier que ce que l'on décrit est toujours exact ou existe toujours au moment où l'on s'exprime : «[...] *Elle chaussa des galoches et avala les quatre lieues qui* ***séparent*** *Pont-l'Évêque d'Honfleur*» (Gustave Flaubert).

L'INDICATIF FUTUR SIMPLE

Le futur simple indique qu'une action est à venir ou doit se réaliser avec certitude (telle est du moins l'opinion de celui qui parle) :

Nous ***déjeunerons*** *à Bruxelles ; Il* ***fera*** *beau demain.*

Il peut aussi exprimer :

— un ordre (plus ou moins atténué) ou un précepte général, une obligation morale : *Vous m'****attendrez*** *ici ; Tu ne* ***tueras*** *point* ;

— une simple intention : *Je* ***réviserai*** *ma leçon après dîner* ;

— un passé (futur dit «d'anticipation historique») : *Le Président ne* ***terminera*** *pas son mandat : il* ***mourra*** *cinq ans après son élection* ;

— certains sentiments : *Elle* ***aura*** *encore raison !* (ironie indignée) ;

— une vérité permanente : *Paris* ***sera*** *toujours Paris.*

L'INDICATIF FUTUR PROCHE OU IMMINENT

Ce futur a les mêmes valeurs que le futur simple, mais indique qu'un événement doit avoir lieu dans un avenir assez ou très rapproché par rapport au moment où on s'exprime :

Elle ***va se marier*** (futur proche) ;
Tu ***vas faire*** *ton lit* (nuance d'ordre) ;
L'omelette ***était sur le point de brûler*** (futur proche du passé).

L'INDICATIF FUTUR ANTÉRIEUR

Le futur antérieur indique que, de deux actions à venir, l'une se réalisera avant l'autre, exprimée au futur simple :

Quand tu *auras fini* *ton travail, nous nous* *promènerons*.

auras fini : futur antérieur — promènerons : futur simple

Il prend, toujours avec l'idée d'une antériorité, les mêmes valeurs particulières que le futur (ordre, intention, anticipation historique...) : *Vous* ***aurez tapé*** *ce courrier avant ce soir ; Je t'****aurai donné*** *ma réponse d'ici à la fin du mois.*
Il peut aussi exprimer une supposition : «*Ce doit être un courant d'air qui* ***aura fait*** *grincer la porte*» (Marcel Aymé).

L'INDICATIF FUTUR DU PASSÉ

Le futur du passé (mêmes formes verbales que le conditionnel présent) indique que, dans le passé, un événement était encore à venir : *Je pensais que tu m'**attendrais*** (au présent, ce serait : *Je pense que tu m'attendras*).

L'INDICATIF FUTUR ANTÉRIEUR DU PASSÉ

Le futur antérieur du passé (mêmes formes verbales que le conditionnel passé) est employé pour indiquer que, de deux événements à venir dans le passé, l'un devait avoir lieu avant l'autre : *Je pensais que, quand tu **aurais fini**, tu viendrais me rejoindre* (au présent : *Je pense que, quand tu auras fini, tu viendras me rejoindre*).

L'INDICATIF IMPARFAIT

Comme son nom l'indique, l'imparfait exprime surtout un procès non terminé (ou même non commencé) dans le passé :

— procès en cours (aspect duratif) : *Tiens, nous **parlions** justement de toi*

ou état en cours (l'imparfait sert alors à la description dans le passé) : *La maison **était entourée** de grands saules ;*

— procès répété, habituel (aspect itératif : on n'envisage pas le moment où l'habitude a cessé) : *Le lundi **était** jour de fermeture ;*

— procès qui était sur le point de se réaliser, mais qui ne s'est pas accompli : *Il était temps, nous **partions** !* (= nous allions partir).

ATTENTION
L'imparfait s'emploie aussi dans un système conditionnel et indique alors :

— dans une proposition subordonnée, une condition non remplie au moment où l'on parle (irréel du présent : on emploie obligatoirement l'imparfait dans la proposition de condition) : *Si je **parlais** allemand, je pourrais m'expliquer ;*

ou un souhait présenté comme une suggestion : *Si tu **écrivais** au journal, tu aurais tous les renseignements ;*

— dans une proposition indépendante ou principale, le résultat prévisible d'une condition qui a failli être remplie ; l'imparfait remplace ainsi parfois le conditionnel passé : *Un pas de plus, et tu **tombais** à l'eau* (= et tu serais tombé...).

L'INDICATIF PASSÉ SIMPLE

Ce temps est aujourd'hui absent de la langue parlée. Il ne se trouve qu'à l'écrit, dans la langue soutenue ou littéraire.
Comme l'imparfait, c'est un temps du passé mais, contrairement à lui, il exprime des faits totalement achevés :

— dont on peut situer le début et la fin à un moment précis du temps (d'où le nom de «passé défini» qu'on lui donne parfois) : *Nous étions au milieu du repas quand elle **arriva** ;*

— qu'on perçoit comme un tout sans en montrer le déroulement, sans en considérer la durée ; pour celui qui écrit, seul compte le fait que l'action ait eu lieu, peu importe qu'elle ait ou non pris du temps : *L'atmosphère était lourde, nous **mangeâmes** silencieusement.*

Par conséquent, le passé simple est utilisé pour montrer, souvent rapidement, les étapes d'un récit (aspect ponctuel) : *«Enfin, il* [un perroquet] ***se perdit****. Elle* [sa propriétaire] *l'avait posé sur l'herbe,* ***s'absenta*** *une minute ; et quand elle* ***revint****, plus de perroquet ! D'abord elle le* ***chercha*** *dans les buissons, au bord de l'eau et sur les toits.* [...] *Ensuite elle* ***inspecta*** *tous les jardins* [...]. *Enfin elle* ***rentra****, épuisée, les savates en lambeaux, la mort dans l'âme»* (Gustave Flaubert).

REMARQUE Contrairement au passé composé, le passé simple permet de narrer des faits situés dans un passé lointain, sans rapport avec le présent (faits révolus), même s'ils se sont réellement produits. C'est pourquoi il est parfois appelé «passé historique» : *Molière* ***naquit*** *en 1622.*

L'INDICATIF PASSÉ COMPOSÉ

Le passé composé est utilisé pour faire le récit oral ou écrit d'événements passés, comme le passé simple, qu'il remplace en langage courant :

Nous allions nous coucher quand elle ***est arrivée****.*

On le trouve aussi dans des récits littéraires, et à l'intérieur d'un récit au passé simple quand l'auteur fait parler un personnage au discours direct : *«Alors l'homme au teint bronzé prononça d'une voix lente* : "[...] *Moi, j'****ai deviné*** *la peur en plein jour, il y a dix ans environ. Je l'****ai ressentie****, l'hiver dernier, par une nuit de décembre"»* (Guy de Maupassant).
Mais, contrairement au passé simple, le passé composé indique également l'antériorité d'un fait par rapport à un autre fait exprimé au présent ou au futur : *J'****ai repeint*** *les volets hier, ils seront bientôt secs.*

REMARQUE Cette action passée a souvent encore des conséquences au moment où l'on parle : *Il* ***a hérité*** *d'un oncle d'Amérique* (et, aujourd'hui, il est riche).

L'INDICATIF PLUS-QUE-PARFAIT

Le plus-que-parfait s'emploie en proposition subordonnée ou indépendante et indique une action passée antérieure à une autre, exprimée à l'imparfait, au passé simple ou au passé composé :

*Les enfants ont mangé toute la tarte que j'****avais faite****.*

L'INDICATIF PASSÉ ANTÉRIEUR

Le passé antérieur indique lui aussi l'antériorité d'une action par rapport à une autre action située dans le passé. On le trouve surtout dans les propositions subordonnées de temps, avec une proposition principale au passé simple. On l'emploie donc à l'écrit : *«Quand le cancer* [la tumeur] ***eut crevé****, elle le pansa tous les jours»* (Gustave Flaubert).

L'INDICATIF PASSÉ PROCHE OU RÉCENT

Formé à l'aide du semi-auxiliaire «venir de» au présent, le passé proche indique un événement qui s'est produit juste avant le moment où l'on parle :

Je ***viens de rentrer****.*

Construit avec le semi-auxiliaire à l'imparfait (passé proche du passé), il exprime qu'un événement s'était produit juste avant un autre événement dont on fait le récit :

Je ***venais de rentrer*** *quand j'ai appris la nouvelle.*

REMARQUE D'autres temps peuvent exprimer les mêmes nuances si on les accompagne de certains adverbes : *Je* ***rentre à l'instant*** (présent) ; ***À peine avais****-je* ***raccroché*** *que le téléphone sonnait de nouveau* (plus-que-parfait).

LES TEMPS SURCOMPOSÉS

L'emploi des temps surcomposés est rare et plutôt caractéristique de la langue parlée. On ne les trouve guère qu'à l'indicatif :

— passé surcomposé (auxiliaire au passé composé) : *j'****ai eu*** *fini ;*
— plus-que-parfait surcomposé (auxiliaire au plus-que-parfait) : *j'****avais eu*** *fini ;*
— futur antérieur surcomposé (auxiliaire au futur antérieur) : *j'****aurai eu*** *fini.*

Les temps surcomposés permettent d'exprimer une antériorité par rapport à l'action exprimée par un verbe qui est lui-même employé à un temps composé. Par exemple, le passé surcomposé s'emploie en compagnie d'un verbe au passé composé pour indiquer un événement antérieur et totalement achevé :

> *Quand j'****ai eu recopié*** (passé surcomposé) *l'adresse, je me suis aperçue* (passé composé) *de mon erreur.*

L'EMPLOI DES TEMPS AUX AUTRES MODES

À tous les modes, le présent et le passé ont chacun une même valeur.
Le présent exprime un fait contemporain d'un autre fait (simultanéité) ou contemporain du moment où l'on parle :

> *Nous ne croyions pas nous* ***tromper*** (l'action de «se tromper» se passe en même temps que celle de «croire» qui, elle, se situe dans le passé).

Le passé indique généralement l'antériorité d'un fait envisagé par rapport au moment où l'on parle ou par rapport à un autre moment. Ainsi, l'impératif passé indique qu'un ordre devra être réalisé avant un certain événement :

> ***Aie fini*** *avant mon retour.*

■ les temps du subjonctif

Le subjonctif comprend quatre temps dont trois du passé mais, dans le langage de tous les jours (langue courante), seuls deux temps sont réellement utilisés, le présent et le passé, dans les conditions décrites ci-dessus :

> *Je ne crois pas que Catherine* ***soit*** *encore là* (subjonctif présent) ;
> *Je ne crois pas que Laurent* ***ait pu*** *faire réparer l'aspirateur* (subjonctif passé).

L'imparfait et le plus-que-parfait ne sont utilisés qu'en langue soutenue (employée dans des circonstances plus rares) ou littéraire, quand on applique strictement les règles de la concordance des temps (voir page suivante).

■ les temps du conditionnel

Le conditionnel comprend deux temps du passé ; ils ont tous deux la même valeur, indiquant en particulier un irréel du passé (condition non réalisée dans le passé), mais le passé 2e forme appartient à la langue écrite, soutenue ou littéraire :

> *Si je m'étais mieux entraînée, je* ***serais arrivée*** *en tête* (passé 1re forme) ;
> *Si vous me l'aviez demandé, j'****eusse pu*** *vous aider* (passé 2e forme).

La concordance des temps

Dans une proposition subordonnée, l'emploi d'un temps est le plus souvent imposé par le temps du verbe de la proposition dont elle dépend, par exemple si on transpose un énoncé au discours direct en discours indirect :

Elle m'a dit : «Je pars pour Lausanne» (= deux prop. indépendantes)

→ *Elle m'a dit* (prop. principale) *qu'elle partait pour Lausanne* (prop. subordonnée).

On appelle «concordance des temps» le rapport qui doit exister entre le verbe de la principale et celui de la subordonnée.

Remarque On parle parfois de «concordance des modes» quand les deux verbes sont à un mode différent.

Concordance dans une subordonnée à l'indicatif

Dans un système où la proposition principale et la proposition subordonnée sont toutes deux à l'indicatif, la concordance des temps se fait de manière logique, en tenant compte du moment où ont lieu les événements (ou les états) les uns par rapport aux autres.

- L'action ou l'état exprimés par la subordonnée ont lieu en même temps que ceux de la principale : on est dans un rapport de simultanéité → on emploie le même temps dans les deux propositions :

  *Je **crois** qu'il **arrive*** (verbes au présent) ;
  *Je **croyais** qu'il **arrivait*** (verbes à l'imparfait).

- L'action ou l'état exprimés par la subordonnée ont lieu avant ceux de la principale : on est dans un rapport d'antériorité → on emploie un temps composé du passé dans la subordonnée :

  Je crois (présent) *qu'elle est arrivée* (passé composé) ; *Je croyais* (imparfait) *qu'elle était arrivée* (plus-que-parfait).

- L'action ou l'état exprimés par la subordonnée ont lieu après ceux de la principale : on est dans un rapport de postériorité → on emploie un futur dans la subordonnée :

  Je crois (présent) *qu'il fera* (futur simple) *beau ;* *Je croyais* (imparfait) *qu'il ferait* (futur du passé) *beau.*

Remarque Il est possible d'exprimer une antériorité par rapport à un événement ou un état futurs. On emploie alors un temps composé du futur dans la subordonnée : *Je crois qu'il **sera arrivé** avant nous* (présent + futur antérieur) ; *Je croyais qu'il **serait arrivé** avant nous* (imparfait + futur antérieur du passé).

Concordance dans une subordonnée au subjonctif

Les rapports temporels sont aussi respectés de manière logique, mais ils se simplifient grâce à la nuance de sens du subjonctif (action ou état non réalisés).

• L'action ou l'état exprimés par la subordonnée ont lieu en même temps que ceux de la principale ou après → dans la langue courante, on emploie le subjonctif présent dans la subordonnée pour marquer la simultanéité ou la postériorité :

Je doute *qu'elle* vienne *ce soir ; Je* doutais *qu'elle* vienne *ce soir.*
(doute : ind. prés. ; vienne : subj. prés. ; doutais : ind. imparf. ; vienne : subj. prés.)

• L'action ou l'état exprimés par la subordonnée ont lieu avant ceux de la principale → dans la langue courante, on emploie le subjonctif passé dans la subordonnée pour marquer l'antériorité :

Je doutais *qu'elle* soit venue *la veille au soir.*
(doutais : ind. imparf. ; soit venue : subj. passé)

ATTENTION

— En langue soutenue, avec un verbe principal au passé, la règle de concordance des temps impose le subjonctif imparfait ou le subjonctif plus-que-parfait (s'il y a antériorité), surtout à la 3e personne du singulier :

Je doutais qu'il ***vînt*** *ce soir-là* (ind. imparf. + subj. imparf.) ;
Je doutais qu'elle ***fût venue*** *la veille* (ind. imparf. + subj. plus-que-parfait).

— Les formes avec **-ss-**, peu élégantes, tendent à être remplacées par les formes correspondantes des temps employés dans la langue courante :

Je voulais que vous ***vinssiez*** → *que vous* ***veniez*** (subj. présent au lieu du subj. imparf.) ;

Je doutais qu'ils ***eussent terminé*** → *qu'ils* ***aient terminé*** (subj. passé au lieu du subj. plus-que-parfait).

— Avec un verbe principal au conditionnel présent, le verbe de la subordonnée peut, en langue soutenue, se mettre au subjonctif imparfait (au lieu du subjonctif présent employé en langue courante) ou au subjonctif plus-que-parfait (au lieu du subjonctif passé) :

Je souhaiterais que ce pauvre homme ***pût*** *marcher* (au lieu de : «puisse») ;

Je voudrais qu'on ***eût terminé*** *avant midi* (au lieu de : «qu'on ait terminé»).

LA PRONONCIATION DES FORMES VERBALES

La partie «Conjugaisons» est essentiellement constituée par les tableaux de verbes modèles. Dans ces tableaux, la prononciation des formes verbales est toujours indiquée pour les temps simples, à l'exception de quelques verbes très rarement employés.
Pour les temps composés, il suffit de se reporter aux auxiliaires et semi-auxiliaires (tableaux 1 à 4) et d'ajouter la prononciation du participe passé du verbe concerné.
Les sons placés entre parenthèses peuvent être supprimés dans la prononciation courante. (Ce même principe a été adopté dans le «Répertoire des verbes», p. 154 et suivantes.)
Le tableau suivant récapitule les différents sons du français, avec leur transcription en alphabet phonétique international ainsi que des exemples.

	notation phonétique	exemples
voyelles orales	[a]	l**a**c, c**a**ve, **a**g**a**te, il plonge**a**
	[ɑ]	t**a**s, v**a**se, b**â**ton, **â**me, qu'elle dans**â**t
	[e]	ann**ée**, p**a**ys, d**é**sobéir, je chant**ai**
	[ɛ]	b**e**c, po**è**te, bl**ê**me, No**ë**l, il p**ei**gne, elle **ai**me
	[i]	**î**le, v**i**lle, ép**î**tre, f**i**n**i**
	[ɔ]	n**o**te, r**o**be, P**au**l
	[o]	dr**ô**le, **au**be, agn**eau**, s**o**t, p**ô**le
	[u]	**ou**til, m**ou**, p**ou**r, g**oû**t, a**oû**t
	[y]	**u**sage, l**u**th, m**u**r, il **eu**t
	[œ]	p**eu**ple, bouvr**eu**il, b**œu**f
	[ø]	ém**eu**te, j**eû**ne, av**eu**, n**œu**d
	[ə]	m**e**, gr**e**lotter, j**e** s**e**rai
nasales	[ɛ̃]	l**im**be, **in**st**in**ct, m**ain**, s**ain**t, dess**ein**, l**ym**phe, s**yn**cope
	[œ̃]	elle v**in**t, parf**um**, auc**un**, br**un**, à j**eun**
	[ɑ̃]	ch**am**p, **an**ge, **em**baller, **en**nui, ch**an**t**an**t
	[ɔ̃]	pl**om**b, **on**gle, m**on**, chant**ons**
semi-voyelles ou semi-consonnes	[j]	**y**eux, l**i**eu, ferm**i**er, l**i**ane, pi**ll**er
	[ɥ]	l**u**i, n**u**it, s**u**ivre, b**u**ée, elle s**u**a
	[w]	**ou**i, **ou**est, m**oi**, squ**a**le
consonnes	[p]	**p**rendre, a**pp**orter, sto**p**
	[b]	**b**ateau, com**b**ler, a**b**order, a**bb**é, sno**b**
	[d]	**d**alle, a**dd**ition, ca**d**enas
	[t]	**t**rain, **th**éâtre, vende**tt**a
	[k]	co**q**, **qu**atre, **c**arte, **k**ilo, s**qu**elette, a**cc**abler, ba**cch**ante, **ch**rome, **ch**lore
	[g]	**gu**êpe, **g**arder, **g**ondole, conju**gu**er
	[f]	**f**able, **ph**ysique, **f**ez, che**f**
	[v]	**v**oir, **w**agon, a**v**iver, ré**v**olte
	[s]	**s**avant, **sc**ien**c**e, **c**ela, pa**t**ien**c**e, nous rapié**ç**ons
	[z]	**z**èle, a**z**ur, ré**s**eau, ra**s**ade
	[ʒ]	**j**abot, dé**j**ouer, **j**ongleur, â**g**é, nous man**ge**ons
	[ʃ]	**ch**arrue, é**ch**ec, **sch**éma, **sh**ah
	[l]	**l**ier, pa**l**, inte**ll**igence, i**ll**ettré, ca**l**cu**l**
	[r]	**r**are, a**rr**acher, âp**r**e, sab**r**e
	[m]	a**m**as, **m**ât, dra**m**e, gra**mm**aire
	[n]	**n**ager, **n**aine, **n**euf, dictio**nn**aire
	[ɲ]	a**gn**eau, pei**gn**er, bai**gn**er, beso**gn**e

CONJUGAISONS

Les terminaisons régulières aux temps simples (voix active)

INFINITIF

présent

1er GROUPE	2e GROUPE	3e GROUPE
-er	-ir	-ir, -oir, -re

INDICATIF

présent

1er GROUPE	2e GROUPE	3e GROUPE
-e	-is	-s
-es	-is	-s
-e	-it	-t
-ons	-issons	-ons
-ez	-issez	-ez
-ent	-issent	-ent, -ont

imparfait

1er GROUPE	2e GROUPE	3e GROUPE
-ais	-issais	-ais
-ais	-issais	-ais
-ait	-issait	-ait
-ions	-issions	-ions
-iez	-issiez	-iez
-aient	-issaient	-aient

futur simple

1er GROUPE	2e GROUPE	3e GROUPE
-erai	-irai	-rai
-eras	-iras	-ras
-era	-ira	-ra
-erons	-irons	-rons
-erez	-irez	-rez
-eront	-iront	-ront

passé simple

1er GROUPE	2e GROUPE	3e GROUPE
-ai	-is	-is, -us
-as	-is	-is, -us
-a	-it	-it, -ut
-âmes	-îmes	-îmes, -ûmes
-âtes	-îtes	-îtes, -ûtes
-èrent	-irent	-irent, -urent

PARTICIPE

présent

1er GROUPE	2e GROUPE	3e GROUPE
-ant	-issant	-ant

passé

1er GROUPE	2e GROUPE	3e GROUPE
-é/-ée -és/-ées	-i/-ie -is/-ies	-i/-ie/-is/-ies; -u/-ue/-us/-ues; -is/-ise/-ises; -us/-use/-uses

SUBJONCTIF

présent

1er GROUPE	2e GROUPE	3e GROUPE
-e	-isse	-e
-es	-isses	-es
-e	-isse	-e
-ions	-issions	-ions
-iez	-issiez	-iez
-ent	-issent	-ent

imparfait

1er GROUPE	2e GROUPE	3e GROUPE
-asse	-isse	-isse, -usse
-asses	-isses	-isses, -usses
-ât	-ît	-ît, -ût
-assions	-issions	-issions, -ussions
-assiez	-issiez	-issiez, -ussiez
-assent	-issent	-issent, -ussent

CONDITIONNEL

présent

1er GROUPE	2e GROUPE	3e GROUPE
-erais	-irais	-rais
-erais	-irais	-rais
-erait	-irait	-rait
-erions	-irions	-rions
-eriez	-iriez	-riez
-eraient	-iraient	-raient

IMPÉRATIF

1er GROUPE	2e GROUPE	3e GROUPE
inusité	*inusité*	*inusité*
-e	-is	-s
inusité	*inusité*	*inusité*
-ons	-issons	-ons
-ez	-ez	-ez
inusité	*inusité*	*inusité*

L'INDICATIF PRÉSENT

		1ER GROUPE	2E GROUPE	3E GROUPE	
		infinitif en -er	infinitif en -ir (part. prés. en -issant)	infinitif en -ir (mais part. prés. en -ant), -oir ou -re	
1re pers. sing.	je	chant **e**	fin i **s**	par **s**	prend **s**
2e pers. sing.	tu	chant **e s**	fin i **s**	par **s**	prend **s**
3e pers. sing.	il/elle	chant **e**	fin i **t**	par **t**	prend
1re pers. pl.	nous	chant **ons**	fin iss **ons**	part **ons**	pren **ons**
2e pers. pl.	vous	chant **e z**	fin iss **ez**	part **ez**	pren **ez**
3e pers. pl.	ils/elles	chant **e nt**	fin iss **ent**	part **ent**	prenn **ent**
		1 base : chant-	**2 bases :** fin- finiss-	**2 bases :** par- part-	**3 bases :** prend- pren- prenn-

LES RESSEMBLANCES

- La caractéristique de la terminaison de la 2e personne du singulier est le -**s** final : il est présent dans tous les groupes et à tous les temps, sauf à l'impératif.
- Dans les trois groupes, la terminaison de la 1re personne du pluriel est -**ons** ou se termine par -**ons**. Cette terminaison s'ajoute à la base même si celle-ci se termine par une voyelle : ***cré**er* → *nous **cré**o**ns***.
- Dans le 1er et le 2e groupe, la terminaison de la 2e personne du pluriel est -**ez** ou se termine par -**ez**.
Cette terminaison est remplacée par -**es** pour certains verbes du 3e groupe : ***faire*** → *fait**es.***
- Dans le 2e ainsi que dans le 3e groupe, la 1re et la 2e personne du singulier sont identiques et se terminent chacune par un -**s**.
- Dans le 1er groupe, la 1re et la 3e personne du singulier sont identiques.
- Dans le 1er groupe, les trois personnes du singulier se prononcent de la même façon. Mais, à l'écrit, la 2e personne prend toujours un -**s** final.

L'IMPÉRATIF PRÉSENT

	1ER GROUPE	2E GROUPE	3E GROUPE	
Rappel : infinitif	chant e r	fin i r	part ir	prend re
2e pers. sing.	chant **e**	fin i **s**	par **s**	prend **s**
1re pers. pl.	chant **ons**	fin iss **ons**	part **ons**	pren **ons**
2e pers. pl.	chant **e z**	fin iss **ez**	part **ez**	pren **ez**

LES RESSEMBLANCES

- La conjugaison du présent de l'impératif est identique à celle du présent de l'indicatif sauf sur un point : à la 2e personne du singulier, les verbes du 1er groupe ne prennent pas de -**s** final.
Certains verbes du 3e groupe suivent cette règle :

avoir → *aie* ***ouvrir*** → *ouvre*
cueillir → *cueille* ***savoir*** → *sach**e***.

INDICATIF FUTUR SIMPLE

		1ER GROUPE			2E GROUPE			3E GROUPE					
Rappel : infinitif		chant	er		fin	ir		part	ir		prend	r	e
1re pers. sing.	je	chant	er	ai	fin	ir	ai	part	ir	ai	prend	r	ai
2e pers. sing.	tu	chant	er	**as**	fin	ir	**as**	part	ir	**as**	prend	r	**as**
3e pers. sing.	il/elle	chant	er	a	fin	ir	a	part	ir	a	prend	r	a
1re pers. pl.	nous	chant	er	ons	fin	ir	ons	part	ir	ons	prend	r	ons
2e pers. pl.	vous	chant	er	ez	fin	ir	ez	part	ir	ez	prend	r	ez
3e pers. pl.	ils/elles	chant	er	ont	fin	ir	ont	part	ir	ont	prend	r	ont

LES RESSEMBLANCES

• Le -**r**- est la caractéristique du futur : on le retrouve à toutes les personnes des trois groupes. Les terminaisons sont les mêmes pour tous les groupes.

• Comme à l'indicatif présent, la 2e personne du singulier se termine toujours par -**s**.

• Sauf pour beaucoup de verbes du 3e groupe, tout se passe comme si on ajoutait les terminaisons à l'infinitif présent.

• Pour les verbes du 3e groupe qui ont leur infinitif en -**re**, il suffit de retrancher le -**e** final de l'infinitif pour construire le futur simple :

boire *→ je* ***boir*** *ai.*

Mais pour de nombreux autres verbes du 3e groupe la base est imprévisible :

venir *→ je* ***viend*** *rai* — ***être*** *→ je* ***se*** *rai*
avoir *→ j'****au*** *rai* — ***faire*** *→ je* ***fe*** *rai*
vouloir *→ je* ***voud*** *rai* — ***voir*** *→ je* ***ver*** *rai.*

LE CONDITIONNEL PRÉSENT

		1ER GROUPE			2E GROUPE			3E GROUPE					
Rappel : futur simple													
1re pers. sing.	je	chant	er	ai	fin	ir	ai	part	ir	ai	prend	r	ai
1re pers. sing.	je	chant	er	ais	fin	ir	ais	part	ir	ais	prend	r	ais
2e pers. sing.	tu	chant	er	ais	fin	ir	ais	part	ir	ais	prend	r	ais
3e pers. sing.	il/elle	chant	er	ait	fin	ir	ait	part	ir	ait	prend	r	ait
1re pers. pl.	nous	chant	er	ions	fin	ir	ions	part	ir	ions	prend	r	ions
2e pers. pl.	vous	chant	er	iez	fin	ir	iez	part	ir	iez	prend	r	iez
3e pers. pl.	ils/elles	chant	er	aient	fin	ir	aient	part	ir	aient	prend	r	aient

LES RESSEMBLANCES

• Pour tous les verbes, la base utilisée est la même que pour l'indicatif futur simple ; seules les terminaisons diffèrent.

• Tout se passe comme si on remplaçait les terminaisons du futur par celles de l'imparfait (voir p. suivante) : ***chanter*** *→ je chante r* ***ai*** (futur simple) *→ je chante r* ***ais*** (conditionnel présent).

REMARQUE L'indicatif futur du passé a les mêmes formes que le conditionnel présent.

INDICATIF IMPARFAIT

		1ER GROUPE		2E GROUPE		3E GROUPE			
Rappel : ind. prés.									
1re pers. pl.	nous	chant	ons	finiss	ons	part	ons	pren	ons
1re pers. sing.	je	chant	**ais**	finiss	**ais**	part	**ais**	pren	**ais**
2e pers. sing.	tu	chant	**ais**	finiss	**ais**	part	**ais**	pren	**ais**
3e pers. sing.	il/elle	chant	ait	finiss	ait	part	ait	pren	ait
1re pers. pl.	nous	chant	ions	finiss	ions	part	ions	pren	ions
2e pers. pl.	vous	chant	iez	finiss	iez	part	iez	pren	iez
3e pers. pl.	ils/elles	chant	aient	finiss	aient	part	aient	pren	aient

LES RESSEMBLANCES

- À tous les groupes, la base utilisée pour toutes les personnes est celle de la 1re personne du pluriel de l'indicatif présent. Seul le verbe «être» fait exception.

- Les terminaisons sont les mêmes pour tous les groupes ; à la 1re et à la 2e personne du pluriel, les terminaisons -**ions** et -**iez** s'ajoutent à la base sans la modifier, même si celle-ci se termine par une voyelle : *nous bala**yi**ons, nous étudi**i**ons.*
Mais ces terminaisons imposent à la base de certains verbes l'ajout d'une cédille au -**c**- ou l'ajout d'un -**e**- après -**g**- pour leur garder un son doux :

*placer → nous pla**ç**ons* (base : **plaç**-) ; *nous pla**c**ions* (base : **plac**-) ;
*manger → nous man**ge**ons* (base : **mange**-) ; *nous man**g**ions* (base : **mang**-).

- Les terminaisons -**ais**/-**ais**/-**ait**/-**aient** se prononcent [ɛ], ce qui permet, à l'oral, de distinguer l'imparfait du 1er groupe «je chantais» et le passé simple «je chantai», dont la finale est prononcée plus fermée [e].

LE SUBJONCTIF PRÉSENT

		1ER GROUPE			2E GROUPE			3E GROUPE					
Rappel : ind. prés.													
3e pers. pl.	ils/elles	chant	e	nt	finiss	e	nt	part	e	nt	prenn	e	nt
1re pers. sing.	que je	chant	e		finiss	e		part	e		prenn	e	
2e pers. sing.	que tu	chant	e	s	finiss	e	s	part	e	s	prenn	e	s
3e pers. sing.	qu'il/elle	chant	e		finiss	e		part	e		prenn	e	
1re pers. pl.	que nous	chant	i	ons	finiss	i	ons	part	i	ons	pren	i	ons
2e pers. pl.	que vous	chant	i	ez	finiss	i	ez	part	i	ez	pren	i	ez
3e pers. pl.	qu'ils/elles	chant	e	nt	finiss	e	nt	part	e	nt	prenn	e	nt

LES RESSEMBLANCES

- Les terminaisons sont les mêmes pour tous les verbes des trois groupes.

- Comme à l'indicatif imparfait, le -**i**- caractéristique des terminaisons des 1re et 2e personnes du pluriel s'ajoute à la base, même si celle-ci se termine par une voyelle : *que nous bala**yi**ons, que nous étudi**i**ons.*

- Aux trois personnes du singulier de tous les groupes, les terminaisons sont les mêmes que celles de l'indicatif présent du 1er groupe.

- Pour certains verbes très courants du 3e groupe, à l'oral, l'indicatif présent et le subjonctif présent semblent être le même temps aux trois premières personnes du singulier et à la 3e personne du pluriel. À l'écrit, leurs terminaisons les distinguent au singulier : *je, tu voi**s**, on voi**t***, mais *que je voi**e**, que tu voi**es**, qu'on voi**e**.*

L'INDICATIF PASSÉ SIMPLE

		1ER GROUPE			2E GROUPE			3E GROUPE					
Rappel : infinitif		chant	e	r	fin	i	r	part	i	r	boi	r	e
1re pers. sing.	je	chant	a	i	fin	i	s	part	i	s	b	u	s
2e pers. sing.	tu	chant	a	s	fin	i	s	part	i	s	b	u	s
3e pers. sing.	il/elle	chant	a		fin	i	t	part	i	t	b	u	t
1re pers. pl.	nous	chant	**â**	**mes**	fin	**î**	**mes**	part	**î**	**mes**	b	**û**	**mes**
2e pers. pl.	vous	chant	**â**	**tes**	fin	**î**	**tes**	part	**î**	**tes**	b	**û**	**tes**
3e pers. pl.	ils/elles	chant	è	rent	fin	i	rent	part	i	rent	b	u	rent

LES RESSEMBLANCES

• Au pluriel, la seule différence de terminaison entre les trois groupes est la voyelle : 1er groupe → -**a**- (et -**è**- à la 3e personne)
2e groupe → -**i**- partout
3e groupe → -**i**- ou -**u**- partout, selon les verbes.
Il y a toujours un accent circonflexe sur la voyelle aux 1re et 2e personnes.

• Au singulier, les consonnes finales de la terminaison sont les mêmes pour le 2e et le 3e groupe. Seul le 1er groupe est différent : à la 1re et à la 3e personne, il n'y a pas de consonne finale, comme à l'indicatif présent.

• Une seule et même base est utilisée pour construire toutes les formes de chaque verbe. Pour les verbes du 1er et du 2e groupe, c'est celle du présent de l'indicatif. La base des verbes du 3e groupe est moins prévisible mais est souvent la même que celle du participe passé ; on retrouve la voyelle caractéristique -**i**- ou -**u**- : *cour**u**, je cour**us** ; pr**is**, je pr**is*** mais *v**u**, je v**is***.

• La terminaison du 1er groupe -**ai** est prononcée [e], ce qui permet, à l'oral, de distinguer le passé simple «je chantai» et l'imparfait «je chantais» (voir p. 47).

LE SUBJONCTIF IMPARFAIT

		1ER GROUPE			2E GROUPE			3E GROUPE					
Rappel : ind. passé simple **2e pers. sing.**	tu	chant	a	s	fin	i	s	part	i	s	b	u	s
1re pers. sing.	que je	chant	a	sse	fin	i	sse	part	i	sse	b	u	sse
2e pers. sing.	que tu	chant	a	sses	fin	i	sses	part	i	sses	b	u	sses
3e pers. sing.	qu'il/elle	chant	**â**	t	fin	**î**	t	part	**î**	t	b	**û**	t
1re pers. pl.	que nous	chant	a	ssions	fin	i	ssions	part	i	ssions	b	u	ssions
2e pers. pl.	que vous	chant	a	ssiez	fin	i	ssiez	part	i	ssiez	b	u	ssiez
3e pers. pl.	qu'ils/elles	chant	a	ssent	fin	i	ssent	part	i	ssent	b	u	ssent

LES RESSEMBLANCES

• Pour tous les verbes, la base est celle du passé simple de l'indicatif. Pour la trouver, on retranche le -**s** final de la 2e personne du singulier du passé simple. On ajoute ensuite les terminaisons suivantes :

	singulier	**pluriel**
1re personne	-sse	-ssions
2e personne	-sses	-ssiez
3e personne	-accent circonflexe sur la voyelle + **-t**	-ssent

• À tous les groupes, les 3es personnes du singulier de l'indicatif passé simple et du subjonctif imparfait ont la même prononciation. Mais elles se distinguent à l'écrit par l'accent circonflexe ainsi que par le -**t** au 1er groupe :

ind. passé simple : il/elle chanta **subj. imparfait :** qu'il/elle chant**ât**

CONJUGAISON À LA VOIX PASSIVE

- C'est toujours l'auxiliaire « être » qui est employé. Attention : aux temps composés, « être » construit ses formes avec l'auxiliaire « avoir » (*j'ai été*). **Été** est toujours invariable.
- Le participe passé d'un verbe conjugué à la voix passive s'accorde toujours avec le sujet : *Marie est aim**ée** de ses collègues.*

INFINITIF

présent	passé
être aimé/ée, aimés/ées	avoir été aimé/ée/és/ées

PARTICIPE

présent	passé
étant aimé/ée/és/ées	ayant été aimé/ée/és/ées

INDICATIF

présent			passé composé		
je/j'	suis	aimé/ée	ai	été	aimé/ée
tu	es	aimé/ée	as	été	aimé/ée
il/elle	est	aimé/ée	a	été	aimé/ée
nous	sommes	aimés/ées	avons	été	aimés/ées
vous	êtes	aimés/ées	avez	été	aimés/ées
ils/elles	sont	aimés/ées	ont	été	aimés/ées
imparfait			**plus-que-parfait**		
j'	étais	aimé/ée	avais	été	aimé/ée
tu	étais	aimé/ée	avais	été	aimé/ée
il/elle	était	aimé/ée	avait	été	aimé/ée
nous	étions	aimés/ées	avions	été	aimés/ées
vous	étiez	aimés/ées	aviez	été	aimés/ées
ils/elles	étaient	aimés/ées	avaient	été	aimés/ées
futur simple			**futur antérieur**		
je/j'	serai	aimé/ée	aurai	été	aimé/ée
tu	seras	aimé/ée	auras	été	aimé/ée
il/elle	sera	aimé/ée	aura	été	aimé/ée
nous	serons	aimés/ées	aurons	été	aimés/ées
vous	serez	aimés/ées	aurez	été	aimés/ées
ils/elles	seront	aimés/ées	auront	été	aimés/ées
passé simple			**passé antérieur**		
je/j'	fus	aimé/ée	eus	été	aimé/ée
tu	fus	aimé/ée	eus	été	aimé/ée
il/elle	fut	aimé/ée	eut	été	aimé/ée
nous	fûmes	aimés/ées	eûmes	été	aimés/ées
vous	fûtes	aimés/ées	eûtes	été	aimés/ées
ils/elles	furent	aimés/ées	eurent	été	aimés/ées

SUBJONCTIF

présent				
que	je	sois	aimé/ée	
que	tu	sois	aimé/ée	
qu'	il/elle	soit	aimé/ée	
que	nous	soyons	aimés/ées	
que	vous	soyez	aimés/ées	
qu'	ils/elles	soient	aimés/ées	
imparfait				
que	je	fusse	aimé/ée	
que	tu	fusses	aimé/ée	
qu'	il/elle	fût	aimé/ée	
que	nous	fussions	aimés/ées	
que	vous	fussiez	aimés/ées	
qu'	ils/elles	fussent	aimés/ées	
passé				
que	j'	aie	été	aimé/ée
que	tu	aies	été	aimé/ée
qu'	il/elle	ait	été	aimé/ée
que	nous	ayons	été	aimés/ées
que	vous	ayez	été	aimés/ées
qu'	ils/elles	aient	été	aimés/ées
plus-que-parfait				
que	j'	eusse	été	aimé/ée
que	tu	eusses	été	aimé/ée
qu'	il/elle	eût	été	aimé/ée
que	nous	eussions	été	aimés/ées
que	vous	eussiez	été	aimés/ées
qu'	ils/elles	eussent	été	aimés/ées

CONDITIONNEL

présent			passé 1re forme		
je/j'	serais	aimé/ée	aurais	été	aimé/ée
tu	serais	aimé/ée	aurais	été	aimé/ée
il/elle	serait	aimé/ée	aurait	été	aimé/ée
nous	serions	aimés/ées	aurions	été	aimés/ées
vous	seriez	aimés/ées	auriez	été	aimés/ées
ils/elles	seraient	aimés/ées	auraient	été	aimés/ées

passé 2e forme

mêmes formes que le subjonctif plus-que-parfait

IMPÉRATIF

présent		passé	
sois	aimé/ée	aie	été aimé/ée
soyons	aimés/ées	ayons	été aimés/ées
soyez	aimés/ées	ayez	été aimés/ées

CONJUGAISON À LA VOIX PRONOMINALE

- C'est toujours l'auxiliaire « être » qui est employé pour construire les formes composées.
- Il arrive que le participe passé ne s'accorde pas avec le sujet (voir p. 28 et 29).

INFINITIF

présent	passé
s'amuser	s'être amusé/ée/és/ées

PARTICIPE

présent	passé
s'amusant	s'étant amusé/ée/és/ées

INDICATIF

présent		passé composé		
je m'	amuse	me	suis	amusé/ée
tu t'	amuses	t'	es	amusé/ée
il/elle s'	amuse	s'	est	amusé/ée
nous nous	amusons	nous	sommes	amusés/ées
vous vous	amusez	vous	êtes	amusés/ées
ils/elles s'	amusent	se	sont	amusés/ées

imparfait		plus-que-parfait		
je m'	amusais	m'	étais	amusé/ée
tu t'	amusais	t'	étais	amusé/ée
il/elle s'	amusait	s'	était	amusé/ée
nous nous	amusions	nous	étions	amusés/ées
vous vous	amusiez	vous	étiez	amusés/ées
ils/elles s'	amusaient	s'	étaient	amusés/ées

futur simple		futur antérieur		
je m'	amuserai	me	serai	amusé/ée
tu t'	amuseras	te	seras	amusé/ée
il/elle s'	amusera	se	sera	amusé/ée
nous nous	amuserons	nous	serons	amusés/ées
vous vous	amuserez	vous	serez	amusés/ées
ils/elles s'	amuseront	se	seront	amusés/ées

passé simple		passé antérieur		
je m'	amusai	me	fus	amusé/ée
tu t'	amusas	te	fus	amusé/ée
il/elle s'	amusa	se	fut	amusé/ée
nous nous	amusâmes	nous	fûmes	amusés/ées
vous vous	amusâtes	vous	fûtes	amusés/ées
ils/elles s'	amusèrent	se	furent	amusés/ées

SUBJONCTIF

présent		
que	je m'	amuse
que	tu t'	amuses
qu'	il/elle s'	amuse
que	nous nous	amusions
que	vous vous	amusiez
qu'	ils/elles s'	amusent

imparfait		
que	je m'	amusasse
que	tu t'	amusasses
qu'	il/elle s'	amusât
que	nous nous	amusassions
que	vous vous	amusassiez
qu'	ils/elles s'	amusassent

passé			
que	je me	sois	amusé/ée
que	tu te	sois	amusé/ée
qu'	il/elle se	soit	amusé/ée
que	nous nous	soyons	amusés/ées
que	vous vous	soyez	amusés/ées
qu'	ils/elles se	soient	amusés/ées

plus-que-parfait			
que	je me	fusse	amusé/ée
que	tu te	fusses	amusé/ée
qu'	il/elle se	fût	amusé/ée
que	nous nous	fussions	amusés/ées
que	vous vous	fussiez	amusés/ées
qu'	ils/elles se	fussent	amusés/ées

CONDITIONNEL

présent		passé 1re forme		
je m'	amuserais	me	serais	amusé/ée
tu t'	amuserais	te	serais	amusé/ée
il/elle s'	amuserait	se	serait	amusé/ée
nous nous	amuserions	nous	serions	amusés/ées
vous vous	amuseriez	vous	seriez	amusés/ées
ils/elles s'	amuseraient	se	seraient	amusés/ées

passé 2e forme

mêmes formes que le subjonctif plus-que-parfait

IMPÉRATIF

présent	passé
amuse-toi	*inusité*
amusons-nous	
amusez-vous	

Conjugaison à la tournure négative

- Attention : la place de « pas » varie selon les temps.
- À la voix pronominale, tout se passe comme si le 2e pronom faisait partie du verbe : *ne pas se tromper, ne pas s'être trompé/ée/és/ées, elle ne se trompe pas, je ne me suis pas trompé/ée...*

INFINITIF

présent	passé
ne pas pleurer	ne pas avoir pleuré

PARTICIPE

présent	passé
ne pleurant pas	n'ayant pas pleuré

INDICATIF

présent

je	ne pleure	pas
tu	ne pleures	pas
il/elle	ne pleure	pas
nous	ne pleurons	pas
vous	ne pleurez	pas
ils/elles	ne pleurent	pas

passé composé

n'ai	pas	pleuré
n'as	pas	pleuré
n'a	pas	pleuré
n'avons	pas	pleuré
n'avez	pas	pleuré
n'ont	pas	pleuré

imparfait

je	ne pleurais	pas
tu	ne pleurais	pas
il/elle	ne pleurait	pas
nous	ne pleurions	pas
vous	ne pleuriez	pas
ils/elles	ne pleuraient	pas

plus-que-parfait

n'avais	pas	pleuré
n'avais	pas	pleuré
n'avait	pas	pleuré
n'avions	pas	pleuré
n'aviez	pas	pleuré
n'avaient	pas	pleuré

futur simple

je	ne pleurerai	pas
tu	ne pleureras	pas
il/elle	ne pleurera	pas
nous	ne pleurerons	pas
vous	ne pleurerez	pas
ils/elles	ne pleureront	pas

futur antérieur

n'aurai	pas	pleuré
n'auras	pas	pleuré
n'aura	pas	pleuré
n'aurons	pas	pleuré
n'aurez	pas	pleuré
n'auront	pas	pleuré

passé simple

je	ne pleurai	pas
tu	ne pleuras	pas
il/elle	ne pleura	pas
nous	ne pleurâmes	pas
vous	ne pleurâtes	pas
ils/elles	ne pleurèrent	pas

passé antérieur

n'eus	pas	pleuré
n'eus	pas	pleuré
n'eut	pas	pleuré
n'eûmes	pas	pleuré
n'eûtes	pas	pleuré
n'eurent	pas	pleuré

SUBJONCTIF

présent

que	je	ne pleure	pas
que	tu	ne pleures	pas
qu'	il/elle	ne pleure	pas
que	nous	ne pleurions	pas
que	vous	ne pleuriez	pas
qu'	ils/elles	ne pleurent	pas

imparfait

que	je	ne pleurasse	pas
que	tu	ne pleurasses	pas
qu'	il/elle	ne pleurât	pas
que	nous	ne pleurassions	pas
que	vous	ne pleurassiez	pas
qu'	ils/elles	ne pleurassent	pas

passé

que	je	n'aie	pas	pleuré
que	tu	n'aies	pas	pleuré
qu'	il/elle	n'ait	pas	pleuré
que	nous	n'ayons	pas	pleuré
que	vous	n'ayez	pas	pleuré
qu'	ils/elles	n'aient	pas	pleuré

plus-que-parfait

que	je	n'eusse	pas	pleuré
que	tu	n'eusses	pas	pleuré
qu'	il/elle	n'eût	pas	pleuré
que	nous	n'eussions	pas	pleuré
que	vous	n'eussiez	pas	pleuré
qu'	ils/elles	n'eussent	pas	pleuré

CONDITIONNEL

présent

je	ne pleurerais	pas
tu	ne pleurerais	pas
il/elle	ne pleurerait	pas
nous	ne pleurerions	pas
vous	ne pleureriez	pas
ils/elles	ne pleureraient	pas

passé 1re forme

n'aurais	pas	pleuré
n'aurais	pas	pleuré
n'aurait	pas	pleuré
n'aurions	pas	pleuré
n'auriez	pas	pleuré
n'auraient	pas	pleuré

passé 2e forme

mêmes formes que le subjonctif plus-que-parfait

IMPÉRATIF

présent		passé		
ne pleure	pas	n'aie	pas	pleuré
ne pleurons	pas	n'ayons	pas	pleuré
ne pleurez	pas	n'ayez	pas	pleuré

Conjugaison à la tournure interrogative

- Le sujet pronom est placé après le verbe.
  Il est relié à la forme verbale par un trait d'union.
- À la 3e pers. du sing., un **-t-** est ajouté si la forme verbale se termine par une voyelle : *reste-t-il du pain ?* (on l'appelle **-t-** euphonique : il évite la rencontre de deux voyelles qui produisent une sonorité désagréable).
- À la 1re pers. du sing. de l'ind. prés. des verbes du 1er groupe, la terminaison devient **-é** mais cette forme est peu employée. L'inversion n'a pas lieu aux 2e et 3e groupes (*finis-je, *veux-je, *cours-je, *sers-je n'existent pas).

INFINITIF

présent	passé
rester étant resté/ée/és/ées	être resté/ée, restés/ées

PARTICIPE

présent	passé
restant	resté/ée, restés/ées

INDICATIF

présent	passé composé	
resté-je ? *(rare)*	suis-je	resté/ée ?
restes-tu ?	es-tu	resté/ée ?
reste-t-il/elle ?	est-il/elle	resté/ée ?
restons-nous ?	sommes-nous	restés/ées ?
restez-vous ?	êtes-vous	restés/ées ?
restent-ils/elles ?	sont-ils/elles	restés/ées ?
imparfait	**plus-que-parfait**	
restais-je ?	étais-je	resté/ée ?
restais-tu ?	étais-tu	resté/ée ?
restait-il/elle ?	était-il/elle	resté/ée ?
restions-nous ?	étions-nous	restés/ées ?
restiez-vous ?	étiez-vous	restés/ées ?
restaient-ils/elles ?	étaient-ils/elles	restés/ées ?
futur simple	**futur antérieur**	
resterai-je ?	serai-je	resté/ée ?
resteras-tu ?	seras-tu	resté/ée ?
restera-t-il/elle ?	sera-t-il/elle	resté/ée ?
resterons-nous ?	serons-nous	restés/ées ?
resterez-vous ?	serez-vous	restés/ées ?
resteront-ils/elles ?	seront-ils/elles	restés/ées ?
passé simple	**passé antérieur**	
restai-je ?	fus-je	resté/ée ?
restas-tu ?	fus-tu	resté/ée ?
resta-t-il/elle ?	fut-il/elle	resté/ée ?
restâmes-nous ?	fûmes-nous	restés/ées ?
restâtes-vous ?	fûtes-vous	restés/ées ?
restèrent-ils/elles ?	furent-ils/elles	restés/ées ?

SUBJONCTIF

présent
n'existe pas
imparfait
n'existe pas
passé
n'existe pas
plus-que-parfait
n'existe pas

CONDITIONNEL

présent	passé 1re forme	
resterais-je ?	serais-je	resté/ée ?
resterais-tu ?	serais-tu	resté/ée ?
resterait-il/elle ?	serait-il/elle	resté/ée ?
resterions-nous ?	serions-nous	restés/ées ?
resteriez-vous ?	seriez-vous	restés/ées ?
resteraient-ils/elles ?	seraient-ils/elles	restés/ées ?
passé 2e forme		
n'existe pas		

IMPÉRATIF

présent	passé
n'existe pas	*n'existe pas*

3e GROUPE

- Participe passé toujours invariable.
- Sert d'auxiliaire de conjugaison :
  - pour toutes les formes de la voix passive;
  - pour les temps composés de la voix pronominale et de certains verbes à la voix active.

[ɛtr]

Bases : MULTIPLES

INFINITIF

présent	passé
être [ɛtr]	avoir été

PARTICIPE

présent	passé
étant [etɑ̃]	**été** [ete] ayant été

INDICATIF

présent / passé composé

je	suis	[sɥi]	ai	été
tu	es	[ɛ]	as	été
il/elle	est	[ɛ]	a	été
nous	sommes	[sɔm]	avons	été
vous	êtes	[ɛt]	avez	été
ils/elles	sont	[sɔ̃]	ont	été

imparfait / plus-que-parfait

j'	étais	[etɛ]	avais	été
tu	étais	[etɛ]	avais	été
il/elle	était	[etɛ]	avait	été
nous	étions	[etjɔ̃]	avions	été
vous	étiez	[etje]	aviez	été
ils/elles	étaient	[etɛ]	avaient	été

futur simple / futur antérieur

je	serai	[s(ə)re]	aurai	été
tu	seras	[s(ə)ra]	auras	été
il/elle	sera	[s(ə)ra]	aura	été
nous	serons	[s(ə)rɔ̃]	aurons	été
vous	serez	[s(ə)re]	aurez	été
ils/elles	seront	[s(ə)rɔ̃]	auront	été

passé simple / passé antérieur

je	fus	[fy]	eus	été
tu	fus	[fy]	eus	été
il/elle	fut	[fy]	eut	été
nous	fûmes	[fym]	eûmes	été
vous	fûtes	[fyt]	eûtes	été
ils/elles	furent	[fyr]	eurent	été

SUBJONCTIF

présent

que	je	sois	[swa]
que	tu	sois	[swa]
qu'	il/elle	soit	[swa]
que	nous	soyons	[swajɔ̃]
que	vous	soyez	[swaje]
qu'	ils/elles	soient	[swa]

imparfait

que	je	fusse	[fys]
que	tu	fusses	[fys]
qu'	il/elle	fût	[fy]
que	nous	fussions	[fysjɔ̃]
que	vous	fussiez	[fysje]
qu'	ils/elles	fussent	[fys]

passé

que	j'	aie	été
que	tu	aies	été
qu'	il/elle	ait	été
que	nous	ayons	été
que	vous	ayez	été
qu'	ils/elles	aient	été

plus-que-parfait

que	j'	eusse	été
que	tu	eusses	été
qu'	il/elle	eût	été
que	nous	eussions	été
que	vous	eussiez	été
qu'	ils/elles	eussent	été

CONDITIONNEL

présent / passé 1re forme

je	serais	[s(ə)rɛ]	aurais	été
tu	serais	[s(ə)rɛ]	aurais	été
il/elle	serait	[s(ə)rɛ]	aurait	été
nous	serions	[sərjɔ̃]	aurions	été
vous	seriez	[sərje]	auriez	été
ils/elles	seraient	[s(ə)rɛ]	auraient	été

passé 2e forme

mêmes formes que le subjonctif plus-que-parfait

IMPÉRATIF

présent		passé	
sois	[swa]	aie	été
soyons	[swajɔ̃]	ayons	été
soyez	[swaje]	ayez	été

2 AVOIR

3E GROUPE

[avwar]

Bases :
AV-/AU-
AI-/A-/AY-
O-
EU-

- Sert d'auxiliaire de conjugaison pour les temps composés de la plupart des verbes à la voix active.
- Emploi impersonnel : *il y a, il y aura, qu'il y ait*, etc. (= il existe...).

INFINITIF

présent	passé
avoir [avwar]	avoir eu

PARTICIPE

présent	passé
ayant [ejɑ̃]	eu/eue, eus/eues [y] ayant eu

INDICATIF

présent

j'	ai	[ɛ]
tu	as	[a]
il/elle	a	[a]
nous	avons	[avɔ̃]
vous	avez	[ave]
ils/elles	ont	[ɔ̃]

passé composé

ai	eu
as	eu
a	eu
avons	eu
avez	eu
ont	eu

imparfait

j'	avais	[avɛ]
tu	avais	[avɛ]
il/elle	avait	[avɛ]
nous	avions	[avjɔ̃]
vous	aviez	[avje]
ils/elles	avaient	[avɛ]

plus-que-parfait

avais	eu
avais	eu
avait	eu
avions	eu
aviez	eu
avaient	eu

futur simple

j'	aurai	[ɔre]
tu	auras	[ɔra]
il/elle	aura	[ɔra]
nous	aurons	[ɔrɔ̃]
vous	aurez	[ɔre]
ils/elles	auront	[ɔrɔ̃]

futur antérieur

aurai	eu
auras	eu
aura	eu
aurons	eu
aurez	eu
auront	eu

passé simple

j'	eus	[y]
tu	eus	[y]
il/elle	eut	[y]
nous	eûmes	[ym]
vous	eûtes	[yt]
ils/elles	eurent	[yr]

passé antérieur

eus	eu
eus	eu
eut	eu
eûmes	eu
eûtes	eu
eurent	eu

SUBJONCTIF

présent

que	j'	aie	[ɛ]
que	tu	aies	[ɛ]
qu'	il/elle	ait	[ɛ]
que	nous	ayons	[ejɔ̃]
que	vous	ayez	[eje]
qu'	ils/elles	aient	[ɛ]

imparfait

que	j'	eusse	[ys]
que	tu	eusses	[ys]
qu'	il/elle	eût	[y]
que	nous	eussions	[ysjɔ̃]
que	vous	eussiez	[ysje]
qu'	ils/elles	eussent	[ys]

passé

que	j'	aie	eu
que	tu	aies	eu
qu'	il/elle	ait	eu
que	nous	ayons	eu
que	vous	ayez	eu
qu'	ils/elles	aient	eu

plus-que-parfait

que	j'	eusse	eu
que	tu	eusses	eu
qu'	il/elle	eût	eu
que	nous	eussions	eu
que	vous	eussiez	eu
qu'	ils/elles	eussent	eu

CONDITIONNEL

présent

j'	aurais	[ɔrɛ]
tu	aurais	[ɔrɛ]
il/elle	aurait	[ɔrɛ]
nous	aurions	[ɔrjɔ̃]
vous	auriez	[ɔrje]
ils/elles	auraient	[ɔrɛ]

passé 1re forme

aurais	eu
aurais	eu
aurait	eu
aurions	eu
auriez	eu
auraient	eu

passé 2e forme

mêmes formes que le subjonctif plus-que-parfait

IMPÉRATIF

présent

aie	[ɛ]
ayons	[ejɔ̃]
ayez	[eje]

passé

aie	eu
ayons	eu
ayez	eu

[ale]

Bases :
ALL-/AILL-
V-
I-

- Comme dans tout verbe du 1er groupe, pas de **-s** final à la 2e pers. du sing. de l'impératif présent, sauf dans **vas-y** (**-s**- euphonique).
- Temps composés formés avec « être ».
- « Aller » sert d'auxiliaire pour le futur proche : *je vais partir* (= je suis sur le point de partir).
- Attention à l'ordre des mots dans « s'en aller ». À l'impératif : *va-t'en, allons-nous-en, allez-vous-en ;* aux temps composés, « en » se place en principe avant l'auxiliaire : *je m'en suis allé/ée.*

INFINITIF

présent	passé
aller [ale]	être allé/ée/és/ées

PARTICIPE

présent	passé
allant [alɑ̃]	allé/ée, allés/ées [ale] étant allé/ée/és/ées

INDICATIF

présent			passé composé	
je	vais	[vɛ]	suis	allé/ée
tu	vas	[va]	es	allé/ée
il/elle	va	[va]	est	allé/ée
nous	allons	[alɔ̃]	sommes	allés/ées
vous	allez	[ale]	êtes	allés/ées
ils/elles	vont	[vɔ̃]	sont	allés/ées

imparfait			plus-que-parfait	
j'	allais	[alɛ]	étais	allé/ée
tu	allais	[alɛ]	étais	allé/ée
il/elle	allait	[alɛ]	était	allé/ée
nous	allions	[aljɔ̃]	étions	allés/ées
vous	alliez	[alje]	étiez	allés/ées
ils/elles	allaient	[alɛ]	étaient	allés/ées

futur simple			futur antérieur	
j'	irai	[ire]	serai	allé/ée
tu	iras	[ira]	seras	allé/ée
il/elle	ira	[ira]	sera	allé/ée
nous	irons	[irɔ̃]	serons	allés/ées
vous	irez	[ire]	serez	allés/ées
ils/elles	iront	[irɔ̃]	seront	allés/ées

passé simple			passé antérieur	
j'	allai	[ale]	fus	allé/ée
tu	allas	[ala]	fus	allé/ée
il/elle	alla	[ala]	fut	allé/ée
nous	allâmes	[alam]	fûmes	allés/ées
vous	allâtes	[alat]	fûtes	allés/ées
ils/elles	allèrent	[alɛr]	furent	allés/ées

SUBJONCTIF

présent			
que	j'	aille	[aj]
que	tu	ailles	[aj]
qu'	il/elle	aille	[aj]
que	nous	allions	[aljɔ̃]
que	vous	alliez	[alje]
qu'	ils/elles	aillent	[aj]

imparfait			
que	j'	allasse	[alas]
que	tu	allasses	[alas]
qu'	il/elle	allât	[ala]
que	nous	allassions	[alasjɔ̃]
que	vous	allassiez	[alasje]
qu'	ils/elles	allassent	[alas]

passé			
que	je	sois	allé/ée
que	tu	sois	allé/ée
qu'	il/elle	soit	allé/ée
que	nous	soyons	allés/ées
que	vous	soyez	allés/ées
qu'	ils/elles	soient	allés/ées

plus-que-parfait			
que	je	fusse	allé/ée
que	tu	fusses	allé/ée
qu'	il/elle	fût	allé/ée
que	nous	fussions	allés/ées
que	vous	fussiez	allés/ées
qu'	ils/elles	fussent	allés/ées

CONDITIONNEL

présent			passé 1re forme	
j'	irais	[irɛ]	serais	allé/ée
tu	irais	[irɛ]	serais	allé/ée
il/elle	irait	[irɛ]	serait	allé/ée
nous	irions	[irjɔ̃]	serions	allés/ées
vous	iriez	[irje]	seriez	allés/ées
ils/elles	iraient	[irɛ]	seraient	allés/ées

passé 2e forme

mêmes formes que le subjonctif plus-que-parfait

IMPÉRATIF

présent		passé	
va	[va]	sois	allé/ée
allons	[alɔ̃]	soyons	allés/ées
allez	[ale]	soyez	allés/ées

4 VENIR

3E GROUPE

[v(ə)nir]

Bases :
VEN-
VIEN-/VIENN-
VIEND-
VIN-

- « Venir » sert d'auxiliaire de conjugaison pour le passé proche : *je viens d'arriver* (= je suis arrivé/ée à l'instant).
- C'est l'auxiliaire « être » qui sert à former les temps composés.

INFINITIF

présent	passé
venir [v(ə)nir]	être venu/ue, venus/ues

PARTICIPE

présent	passé
venant [v(ə)nɑ̃]	venu/ue, venus/ues [v(ə)ny] étant venu/ue/us/ues

INDICATIF

présent

je	viens	[vjɛ̃]	suis	venu/ue
tu	viens	[vjɛ̃]	es	venu/ue
il/elle	vient	[vjɛ̃]	est	venu/ue
nous	venons	[v(ə)nɔ̃]	sommes	venus/ues
vous	venez	[v(ə)ne]	êtes	venus/ues
ils/elles	viennent	[vjɛn]	sont	venus/ues

(passé composé: right columns)

imparfait / **plus-que-parfait**

je	venais	[v(ə)nɛ]	étais	venu/ue
tu	venais	[v(ə)nɛ]	étais	venu/ue
il/elle	venait	[v(ə)nɛ]	était	venu/ue
nous	venions	[v(ə)njɔ̃]	étions	venus/ues
vous	veniez	[v(ə)nje]	étiez	venus/ues
ils/elles	venaient	[v(ə)nɛ]	étaient	venus/ues

futur simple / **futur antérieur**

je	viendrai	[vjɛ̃dre]	serai	venu/ue
tu	viendras	[vjɛ̃dra]	seras	venu/ue
il/elle	viendra	[vjɛ̃dra]	sera	venu/ue
nous	viendrons	[vjɛ̃drɔ̃]	serons	venus/ues
vous	viendrez	[vjɛ̃dre]	serez	venus/ues
ils/elles	viendront	[vjɛ̃drɔ̃]	seront	venus/ues

passé simple / **passé antérieur**

je	vins	[vɛ̃]	fus	venu/ue
tu	vins	[vɛ̃]	fus	venu/ue
il/elle	vint	[vɛ̃]	fut	venu/ue
nous	vînmes	[vɛ̃m]	fûmes	venus/ues
vous	vîntes	[vɛ̃t]	fûtes	venus/ues
ils/elles	vinrent	[vɛ̃r]	furent	venus/ues

SUBJONCTIF

présent

que	je	vienne	[vjɛn]
que	tu	viennes	[vjɛn]
qu'	il/elle	vienne	[vjɛn]
que	nous	venions	[v(ə)njɔ̃]
que	vous	veniez	[v(ə)nje]
qu'	ils/elles	viennent	[vjɛn]

imparfait

que	je	vinsse	[vɛ̃s]
que	tu	vinsses	[vɛ̃s]
qu'	il/elle	vînt	[vɛ̃]
que	nous	vinssions	[vɛ̃sjɔ̃]
que	vous	vinssiez	[vɛ̃sje]
qu'	ils/elles	vinssent	[vɛ̃s]

passé

que	je	sois	venu/ue
que	tu	sois	venu/ue
qu'	il/elle	soit	venu/ue
que	nous	soyons	venus/ues
que	vous	soyez	venus/ues
qu'	ils/elles	soient	venus/ues

plus-que-parfait

que	je	fusse	venu/ue
que	tu	fusses	venu/ue
qu'	il/elle	fût	venu/ue
que	nous	fussions	venus/ues
que	vous	fussiez	venus/ues
qu'	ils/elles	fussent	venus/ues

CONDITIONNEL

présent / **passé 1re forme**

je	viendrais	[vjɛ̃drɛ]	serais	venu/ue
tu	viendrais	[vjɛ̃drɛ]	serais	venu/ue
il/elle	viendrait	[vjɛ̃drɛ]	serait	venu/ue
nous	viendrions	[vjɛ̃drijɔ̃]	serions	venus/ues
vous	viendriez	[vjɛ̃drije]	seriez	venus/ues
ils/elles	viendraient	[vjɛ̃drɛ]	seraient	venus/ues

passé 2e forme

mêmes formes que le subjonctif plus-que-parfait

IMPÉRATIF

présent		passé	
viens	[vjɛ̃]	sois	venu/ue
venons	[vənɔ̃]	soyons	venus/ues
venez	[vəne]	soyez	venus/ues

Se conjuguent sur ce modèle : les dérivés de « venir » (mais *circonvenir, prévenir* et *subvenir* sont conjugués avec « avoir ») ; « tenir » et ses dérivés (*retenir, contenir*...), conjugués aussi avec « avoir ».

[fɛr]

- Attention à l'orthographe de certaines formes : on entend un **-e-** muet mais on écrit **-ai-** devant un **-s-** prononcé.
- Emploi impersonnel : *il fait chaud, il fait nuit...*

Bases :
FAI-/FAIS-
FE-
F-

INFINITIF

présent	passé
faire [fɛr]	avoir fait

PARTICIPE

présent	passé
faisant [fəzɑ̃]	fait/te, faits/tes [fɛ/ɛt] ayant fait

INDICATIF

présent			passé composé	
je	fais	[fɛ]	ai	fait
tu	fais	[fɛ]	as	fait
il/elle	fait	[fɛ]	a	fait
nous	**faisons**	[fəzɔ̃]	avons	fait
vous	faites	[fɛt]	avez	fait
ils/elles	font	[fɔ̃]	ont	fait

imparfait			plus-que-parfait	
je	**faisais**	[fəzɛ]	avais	fait
tu	**faisais**	[fəzɛ]	avais	fait
il/elle	**faisait**	[fəzɛ]	avait	fait
nous	**faisions**	[fəzjɔ̃]	avions	fait
vous	**faisiez**	[fəzje]	aviez	fait
ils/elles	**faisaient**	[fəzɛ]	avaient	fait

futur simple			futur antérieur	
je	ferai	[f(ə)re]	aurai	fait
tu	feras	[f(ə)ra]	auras	fait
il/elle	fera	[f(ə)ra]	aura	fait
nous	ferons	[f(ə)rɔ̃]	aurons	fait
vous	ferez	[f(ə)re]	aurez	fait
ils/elles	feront	[f(ə)rɔ̃]	auront	fait

passé simple			passé antérieur	
je	fis	[fi]	eus	fait
tu	fis	[fi]	eus	fait
il/elle	fit	[fi]	eut	fait
nous	fîmes	[fim]	eûmes	fait
vous	fîtes	[fit]	eûtes	fait
ils/elles	firent	[fir]	eurent	fait

SUBJONCTIF

présent			
que	je	fasse	[fas]
que	tu	fasses	[fas]
qu'	il/elle	fasse	[fas]
que	nous	fassions	[fasjɔ̃]
que	vous	fassiez	[fasje]
qu'	ils/elles	fassent	[fas]

imparfait			
que	je	fisse	[fis]
que	tu	fisses	[fis]
qu'	il/elle	fît	[fi]
que	nous	fissions	[fisjɔ̃]
que	vous	fissiez	[fisje]
qu'	ils/elles	fissent	[fis]

passé			
que	j'	aie	fait
que	tu	aies	fait
qu'	il/elle	ait	fait
que	nous	ayons	fait
que	vous	ayez	fait
qu'	ils/elles	aient	fait

plus-que-parfait			
que	j'	eusse	fait
que	tu	eusses	fait
qu'	il/elle	eût	fait
que	nous	eussions	fait
que	vous	eussiez	fait
qu'	ils/elles	eussent	fait

CONDITIONNEL

présent			passé 1re forme	
je	ferais	[f(ə)rɛ]	aurais	fait
tu	ferais	[f(ə)rɛ]	aurais	fait
il/elle	ferait	[f(ə)rɛ]	aurait	fait
nous	ferions	[fərjɔ̃]	aurions	fait
vous	feriez	[fərje]	auriez	fait
ils/elles	feraient	[f(ə)rɛ]	auraient	fait

passé 2e forme

mêmes formes que le subjonctif plus-que-parfait

IMPÉRATIF

présent		passé	
fais	[fɛ]	aie	fait
faisons	[fəzɔ̃]	ayons	fait
faites	[fɛt]	ayez	fait

Se conjuguent sur ce modèle : tous les dérivés de « faire » (*défaire, refaire, satisfaire...*). Dans les formes de ces verbes, le son [ə] est toujours prononcé.

6 METTRE

3ᴱ GROUPE

[mɛtr]

Bases :
MET-/METT-
M-

• Attention aux deux **-t-** devant voyelle et devant **-r-**.

INFINITIF

présent	passé
mettre [mɛtr]	avoir mis

PARTICIPE

présent	passé
mettant [metɑ̃]	mis/ise, mis/ises [mi/iz] ayant mis

INDICATIF

présent			passé composé	
je	mets	[mɛ]	ai	mis
tu	mets	[mɛ]	as	mis
il/elle	met	[mɛ]	a	mis
nous	**mettons**	[metɔ̃]	avons	mis
vous	**mettez**	[mete]	avez	mis
ils/elles	**mettent**	[mɛt]	ont	mis

imparfait			plus-que-parfait	
je	**mettais**	[metɛ]	avais	mis
tu	**mettais**	[metɛ]	avais	mis
il/elle	**mettait**	[metɛ]	avait	mis
nous	**mettions**	[metjɔ̃]	avions	mis
vous	**mettiez**	[metje]	aviez	mis
ils/elles	**mettaient**	[metɛ]	avaient	mis

futur simple			futur antérieur	
je	**mettrai**	[metre]	aurai	mis
tu	**mettras**	[metra]	auras	mis
il/elle	**mettra**	[metra]	aura	mis
nous	**mettrons**	[metrɔ̃]	aurons	mis
vous	**mettrez**	[metre]	aurez	mis
ils/elles	**mettront**	[metrɔ̃]	auront	mis

passé simple			passé antérieur	
je	mis	[mi]	eus	mis
tu	mis	[mi]	eus	mis
il/elle	mit	[mi]	eut	mis
nous	mîmes	[mim]	eûmes	mis
vous	mîtes	[mit]	eûtes	mis
ils/elles	mirent	[mir]	eurent	mis

SUBJONCTIF

présent			
que	je	**mette**	[mɛt]
que	tu	**mettes**	[mɛt]
qu'	il/elle	**mette**	[mɛt]
que	nous	**mettions**	[metjɔ̃]
que	vous	**mettiez**	[metje]
qu'	ils/elles	**mettent**	[mɛt]

imparfait			
que	je	misse	[mis]
que	tu	misses	[mis]
qu'	il/elle	mît	[mi]
que	nous	missions	[misjɔ̃]
que	vous	missiez	[misje]
qu'	ils/elles	missent	[mis]

passé			
que	j'	aie	mis
que	tu	aies	mis
qu'	il/elle	ait	mis
que	nous	ayons	mis
que	vous	ayez	mis
qu'	ils/elles	aient	mis

plus-que-parfait			
que	j'	eusse	mis
que	tu	eusses	mis
qu'	il/elle	eût	mis
que	nous	eussions	mis
que	vous	eussiez	mis
qu'	ils/elles	eussent	mis

CONDITIONNEL

présent			passé 1ʳᵉ forme	
je	**mettrais**	[metrɛ]	aurais	mis
tu	**mettrais**	[metrɛ]	aurais	mis
il/elle	**mettrait**	[metrɛ]	aurait	mis
nous	**mettrions**	[metrijɔ̃]	aurions	mis
vous	**mettriez**	[metrije]	auriez	mis
ils/elles	**mettraient**	[metrɛ]	auraient	mis

passé 2ᵉ forme

mêmes formes que le subjonctif plus-que-parfait

IMPÉRATIF

présent		passé	
mets	[mɛ]	aie	mis
mettons	[metɔ̃]	ayons	mis
mettez	[mete]	ayez	mis

Se conjuguent sur ce modèle : tous les dérivés de « mettre » (*admettre, compromettre, omettre, promettre, transmettre*...).

POUVOIR

[puvwar]

Bases :
POUV-
PEU-/PEUV-
POUR-
PU-
P-

- Terminaison **-x** (et non **-s**) aux deux premières personnes de l'indicatif présent.
- Deux **-r-** au futur simple et au conditionnel présent.
- Participe passé invariable.
- À la tournure interrogative, la 1re pers. de l'indicatif présent devient **puis** [pɥi] : *puis-je?* (= est-ce que je peux?).
- L'impératif présent est remplacé par le subjonctif de souhait : *puisses-tu...*

INFINITIF

présent	passé
pouvoir [puvwar]	avoir pu

PARTICIPE

présent	passé
pouvant [puvɑ̃]	**pu** [py] ayant pu

INDICATIF

présent			passé composé	
je	**peux**	[pø]	ai	pu
tu	**peux**	[pø]	as	pu
il/elle	peut	[pø]	a	pu
nous	pouvons	[puvɔ̃]	avons	pu
vous	pouvez	[puve]	avez	pu
ils/elles	peuvent	[pœv]	ont	pu

imparfait			plus-que-parfait	
je	pouvais	[puvɛ]	avais	pu
tu	pouvais	[puvɛ]	avais	pu
il/elle	pouvait	[puvɛ]	avait	pu
nous	pouvions	[puvjɔ̃]	avions	pu
vous	pouviez	[puvje]	aviez	pu
ils/elles	pouvaient	[puvɛ]	avaient	pu

futur simple			futur antérieur	
je	**pourrai**	[pure]	aurai	pu
tu	**pourras**	[pura]	auras	pu
il/elle	**pourra**	[pura]	aura	pu
nous	**pourrons**	[purɔ̃]	aurons	pu
vous	**pourrez**	[pure]	aurez	pu
ils/elles	**pourront**	[purɔ̃]	auront	pu

passé simple			passé antérieur	
je	pus	[py]	eus	pu
tu	pus	[py]	eus	pu
il/elle	put	[py]	eut	pu
nous	pûmes	[pym]	eûmes	pu
vous	pûtes	[pyt]	eûtes	pu
ils/elles	purent	[pyr]	eurent	pu

SUBJONCTIF

présent			
que	je	puisse	[pɥis]
que	tu	puisses	[pɥis]
qu'	il/elle	puisse	[pɥis]
que	nous	puissions	[pɥisjɔ̃]
que	vous	puissiez	[pɥisje]
qu'	ils/elles	puissent	[pɥis]

imparfait			
que	je	pusse	[pys]
que	tu	pusses	[pys]
qu'	il/elle	pût	[py]
que	nous	pussions	[pysjɔ̃]
que	vous	pussiez	[pysje]
qu'	ils/elles	pussent	[pys]

passé			
que	j'	aie	pu
que	tu	aies	pu
qu'	il/elle	ait	pu
que	nous	ayons	pu
que	vous	ayez	pu
qu'	ils/elles	aient	pu

plus-que-parfait			
que	j'	eusse	pu
que	tu	eusses	pu
qu'	il/elle	eût	pu
que	nous	eussions	pu
que	vous	eussiez	pu
qu'	ils/elles	eussent	pu

CONDITIONNEL

présent			passé 1re forme	
je	**pourrais**	[purɛ]	aurais	pu
tu	**pourrais**	[purɛ]	aurais	pu
il/elle	**pourrait**	[purɛ]	aurait	pu
nous	**pourrions**	[purjɔ̃]	aurions	pu
vous	**pourriez**	[purje]	auriez	pu
ils/elles	**pourraient**	[purɛ]	auraient	pu

passé 2e forme

mêmes formes que le subjonctif plus-que-parfait

IMPÉRATIF

présent	passé
inusité	*inusité*

8 VOULOIR

3ᴱ GROUPE

[vulwar]

Bases :
VOUL-
VEU-/VEUL-/VEUILL-
VOUD-

- Terminaison -**x** (et non -**s**) aux deux premières personnes de l'indicatif présent et à l'impératif présent.
- Dans les formules de politesse, on emploie « veuille, veuillez » (et non « veux, voulez ») : *veuillez m'excuser.*

INFINITIF

présent	passé
vouloir [vulwar]	avoir voulu

PARTICIPE

présent	passé
voulant [vulɑ̃]	voulu/ue, voulus/ues [vuly] ayant voulu

INDICATIF

présent

je	**veux**	[vø]	ai voulu
tu	**veux**	[vø]	as voulu
il/elle	veut	[vø]	a voulu
nous	voulons	[vulɔ̃]	avons voulu
vous	voulez	[vule]	avez voulu
ils/elles	veulent	[vœl]	ont voulu

(dernière colonne : **passé composé**)

imparfait / **plus-que-parfait**

je	voulais	[vulɛ]	avais voulu
tu	voulais	[vulɛ]	avais voulu
il/elle	voulait	[vulɛ]	avait voulu
nous	voulions	[vuljɔ̃]	avions voulu
vous	vouliez	[vulje]	aviez voulu
ils/elles	voulaient	[vulɛ]	avaient voulu

futur simple / **futur antérieur**

je	voudrai	[vudre]	aurai voulu
tu	voudras	[vudra]	auras voulu
il/elle	voudra	[vudra]	aura voulu
nous	voudrons	[vudrɔ̃]	aurons voulu
vous	voudrez	[vudre]	aurez voulu
ils/elles	voudront	[vudrɔ̃]	auront voulu

passé simple / **passé antérieur**

je	voulus	[vuly]	eus voulu
tu	voulus	[vuly]	eus voulu
il/elle	voulut	[vuly]	eut voulu
nous	voulûmes	[vulym]	eûmes voulu
vous	voulûtes	[vulyt]	eûtes voulu
ils/elles	voulurent	[vulyr]	eurent voulu

SUBJONCTIF

présent

que	je	veuille	[vœj]
que	tu	veuilles	[vœj]
qu'	il/elle	veuille	[vœj]
que	nous	voulions	[vuljɔ̃]
que	vous	vouliez	[vulje]
qu'	ils/elles	veuillent	[vœj]

imparfait

que	je	voulusse	[vulys]
que	tu	voulusses	[vulys]
qu'	il/elle	voulût	[vuly]
que	nous	voulussions	[vulysjɔ̃]
que	vous	voulussiez	[vulysje]
qu'	ils/elles	voulussent	[vulys]

passé

que	j'	aie	voulu
que	tu	aies	voulu
qu'	il/elle	ait	voulu
que	nous	ayons	voulu
que	vous	ayez	voulu
qu'	ils/elles	aient	voulu

plus-que-parfait

que	j'	eusse	voulu
que	tu	eusses	voulu
qu'	il/elle	eût	voulu
que	nous	eussions	voulu
que	vous	eussiez	voulu
qu'	ils/elles	eussent	voulu

CONDITIONNEL

présent / **passé 1ʳᵉ forme**

je	voudrais	[vudrɛ]	aurais voulu
tu	voudrais	[vudrɛ]	aurais voulu
il/elle	voudrait	[vudrɛ]	aurait voulu
nous	voudrions	[vudrijɔ̃]	aurions voulu
vous	voudriez	[vudrije]	auriez voulu
ils/elles	voudraient	[vudrɛ]	auraient voulu

passé 2ᵉ forme

mêmes formes que le subjonctif plus-que-parfait

IMPÉRATIF

présent		passé
veux/veuille	[vø/vœj]	aie voulu
voulons/veuillons	[vulɔ̃/vøjɔ̃]	ayons voulu
voulez/veuillez	[vule/vøje]	ayez voulu

[savwar]

Bases :
SAV-
SAI-
SAU-
S-
SACH-

- L'impératif présent n'a pas de rapport avec l'indicatif présent : il se construit sur la base **sach**-, à l'aide des terminaisons du 1er groupe (comme le participe présent et le subjonctif présent).

INFINITIF

présent	passé
savoir [savwar]	avoir su

PARTICIPE

présent	passé
sachant [saʃɑ̃]	su/ue, sus/ues [sy] ayant su

INDICATIF

présent			passé composé	
je	sais	[sɛ]	ai	su
tu	sais	[sɛ]	as	su
il/elle	sait	[sɛ]	a	su
nous	savons	[savɔ̃]	avons	su
vous	savez	[save]	avez	su
ils/elles	savent	[sav]	ont	su

imparfait			plus-que-parfait	
je	savais	[savɛ]	avais	su
tu	savais	[savɛ]	avais	su
il/elle	savait	[savɛ]	avait	su
nous	savions	[savjɔ̃]	avions	su
vous	saviez	[savje]	aviez	su
ils/elles	savaient	[savɛ]	avaient	su

futur simple			futur antérieur	
je	saurai	[sɔre]	aurai	su
tu	sauras	[sɔra]	auras	su
il/elle	saura	[sɔra]	aura	su
nous	saurons	[sɔrɔ̃]	aurons	su
vous	saurez	[sɔre]	aurez	su
ils/elles	sauront	[sɔrɔ̃]	auront	su

passé simple			passé antérieur	
je	sus	[sy]	eus	su
tu	sus	[sy]	eus	su
il/elle	sut	[sy]	eut	su
nous	sûmes	[sym]	eûmes	su
vous	sûtes	[syt]	eûtes	su
ils/elles	surent	[syr]	eurent	su

SUBJONCTIF

présent			
que	je	**sache**	[saʃ]
que	tu	**saches**	[saʃ]
qu'	il/elle	**sache**	[saʃ]
que	nous	**sachions**	[saʃjɔ̃]
que	vous	**sachiez**	[saʃje]
qu'	ils/elles	**sachent**	[saʃ]

imparfait			
que	je	susse	[sys]
que	tu	susses	[sys]
qu'	il/elle	sût	[sy]
que	nous	sussions	[sysjɔ̃]
que	vous	sussiez	[sysje]
qu'	ils/elles	sussent	[sys]

passé			
que	j'	aie	su
que	tu	aies	su
qu'	il/elle	ait	su
que	nous	ayons	su
que	vous	ayez	su
qu'	ils/elles	aient	su

plus-que-parfait			
que	j'	eusse	su
que	tu	eusses	su
qu'	il/elle	eût	su
que	nous	eussions	su
que	vous	eussiez	su
qu'	ils/elles	eussent	su

CONDITIONNEL

présent			passé 1re forme	
je	saurais	[sɔrɛ]	aurais	su
tu	saurais	[sɔrɛ]	aurais	su
il/elle	saurait	[sɔrɛ]	aurait	su
nous	saurions	[sɔrjɔ̃]	aurions	su
vous	sauriez	[sɔrje]	auriez	su
ils/elles	sauraient	[sɔrɛ]	auraient	su

passé 2e forme

mêmes formes que le subjonctif plus-que-parfait

IMPÉRATIF

présent		passé	
sache	[saʃ]	aie	su
sachons	[saʃɔ̃]	ayons	su
sachez	[saʃe]	ayez	su

10 DEVOIR

3^E GROUPE

[dəvwar]

Bases :
DEV-
DOI-/DOIV-
D-

- Attention à l'accent circonflexe du participe passé au masculin singulier (pas au pluriel, ni au féminin).

INFINITIF

présent	passé
devoir [dəvwar]	avoir dû

PARTICIPE

présent	passé
devant [dəvɑ̃]	**dû**/ue, dus/ues [dy] ayant dû

INDICATIF

présent

			passé composé	
je	dois	[dwa]	ai	dû
tu	dois	[dwa]	as	dû
il/elle	doit	[dwa]	a	dû
nous	devons	[d(ə)vɔ̃]	avons	dû
vous	devez	[d(ə)ve]	avez	dû
ils/elles	doivent	[dwav]	ont	dû

imparfait

			plus-que-parfait	
je	devais	[d(ə)vɛ]	avais	dû
tu	devais	[d(ə)vɛ]	avais	dû
il/elle	devait	[dəvɛ]	avait	dû
nous	devions	[dəvjɔ̃]	avions	dû
vous	deviez	[dəvje]	aviez	dû
ils/elles	devaient	[dəvɛ]	avaient	dû

futur simple

			futur antérieur	
je	devrai	[dəvre]	aurai	dû
tu	devras	[dəvra]	auras	dû
il/elle	devra	[dəvra]	aura	dû
nous	devrons	[dəvrɔ̃]	aurons	dû
vous	devrez	[dəvre]	aurez	dû
ils/elles	devront	[dəvrɔ̃]	auront	dû

passé simple

			passé antérieur	
je	dus	[dy]	eus	dû
tu	dus	[dy]	eus	dû
il/elle	dut	[dy]	eut	dû
nous	dûmes	[dym]	eûmes	dû
vous	dûtes	[dyt]	eûtes	dû
ils/elles	durent	[dyr]	eurent	dû

SUBJONCTIF

présent

que	je	doive	[dwav]
que	tu	doives	[dwav]
qu'	il/elle	doive	[dwav]
que	nous	devions	[dəvjɔ̃]
que	vous	deviez	[dəvje]
qu'	ils/elles	doivent	[dwav]

imparfait

que	je	dusse	[dys]
que	tu	dusses	[dys]
qu'	il/elle	dût	[dy]
que	nous	dussions	[dysjɔ̃]
que	vous	dussiez	[dysje]
qu'	ils/elles	dussent	[dys]

passé

que	j'	aie	dû
que	tu	aies	dû
qu'	il/elle	ait	dû
que	nous	ayons	dû
que	vous	ayez	dû
qu'	ils/elles	aient	dû

plus-que-parfait

que	j'	eusse	dû
que	tu	eusses	dû
qu'	il/elle	eût	dû
que	nous	eussions	dû
que	vous	eussiez	dû
qu'	ils/elles	eussent	dû

CONDITIONNEL

présent

			passé 1re forme	
je	devrais	[dəvrɛ]	aurais	dû
tu	devrais	[dəvrɛ]	aurais	dû
il/elle	devrait	[dəvrɛ]	aurait	dû
nous	devrions	[dəvrijɔ̃]	aurions	dû
vous	devriez	[dəvrije]	auriez	dû
ils/elles	devraient	[dəvrɛ]	auraient	dû

passé 2e forme

mêmes formes que le subjonctif plus-que-parfait

IMPÉRATIF

présent		passé	
dois	[dwa]	aie	dû
devons	[dəvɔ̃]	ayons	dû
devez	[dəve]	ayez	dû

Redevoir, seul dérivé de « devoir », suit ce modèle.

FALLOIR

[falwar]

- Participe passé invariable.
- Verbe impersonnel et défectif.

Bases :
FALL-/FAILL-
FAU-
FAUD-

INFINITIF

présent	passé
falloir [falwar]	avoir fallu

PARTICIPE

présent	passé
inusité	**fallu** [faly] ayant fallu

INDICATIF

présent			passé composé	
il	faut	[fo]	a	fallu
imparfait			**plus-que-parfait**	
il	fallait	[falɛ]	avait	fallu
futur simple			**futur antérieur**	
il	faudra	[fodra]	aura	fallu
passé simple			**passé antérieur**	
il	fallut	[faly]	eut	fallu

SUBJONCTIF

présent		
qu'il	faille	[faj]
imparfait		
qu'il	fallût	[faly]
passé		
qu'il	ait	fallu
plus-que-parfait		
qu'il	eût	fallu

CONDITIONNEL

présent			passé 1re forme	
il	faudrait	[fodrɛ]	aurait	fallu

passé 2e forme

mêmes formes que le subjonctif plus-que-parfait

IMPÉRATIF

présent	passé
inusité	*inusité*

12 AIMER

1ER GROUPE

[eme]

Base :
AIM-

- Modèle de conjugaison régulière du 1er groupe (infinitif en **-er**).
- Attention : certains verbes forment leurs temps composés avec « être » (voir « aller », tableau 3).

INFINITIF

présent	passé
aimer [eme]	avoir aimé

PARTICIPE

présent	passé
aimant [emɑ̃]	aimé/ée, aimés/ées [eme] ayant aimé

INDICATIF

présent			passé composé	
j'	aime	[ɛm]	ai	aimé
tu	aimes	[ɛm]	as	aimé
il/elle	aime	[ɛm]	a	aimé
nous	aimons	[emɔ̃]	avons	aimé
vous	aimez	[eme]	avez	aimé
ils/elles	aiment	[ɛm]	ont	aimé

imparfait			plus-que-parfait	
j'	aimais	[ɛmɛ]	avais	aimé
tu	aimais	[ɛmɛ]	avais	aimé
il/elle	aimait	[ɛmɛ]	avait	aimé
nous	aimions	[emjɔ̃]	avions	aimé
vous	aimiez	[emje]	aviez	aimé
ils/elles	aimaient	[ɛmɛ]	avaient	aimé

futur simple			futur antérieur	
j'	aimerai	[ɛm(ə)re]	aurai	aimé
tu	aimeras	[ɛm(ə)ra]	auras	aimé
il/elle	aimera	[ɛm(ə)ra]	aura	aimé
nous	aimerons	[em(ə)rɔ̃]	aurons	aimé
vous	aimerez	[em(ə)re]	aurez	aimé
ils/elles	aimeront	[ɛm(ə)rɔ̃]	auront	aimé

passé simple			passé antérieur	
j'	aimai	[eme]	eus	aimé
tu	aimas	[ema]	eus	aimé
il/elle	aima	[ema]	eut	aimé
nous	aimâmes	[emam]	eûmes	aimé
vous	aimâtes	[emat]	eûtes	aimé
ils/elles	aimèrent	[emɛr]	eurent	aimé

SUBJONCTIF

présent			
que	j'	aime	[ɛm]
que	tu	aimes	[ɛm]
qu'	il/elle	aime	[ɛm]
que	nous	aimions	[emjɔ̃]
que	vous	aimiez	[emje]
qu'	ils/elles	aiment	[ɛm]

imparfait			
que	j'	aimasse	[emas]
que	tu	aimasses	[emas]
qu'	il/elle	aimât	[ema]
que	nous	aimassions	[emasjɔ̃]
que	vous	aimassiez	[emasje]
qu'	ils/elles	aimassent	[emas]

passé			
que	j'	aie	aimé
que	tu	aies	aimé
qu'	il/elle	ait	aimé
que	nous	ayons	aimé
que	vous	ayez	aimé
qu'	ils/elles	aient	aimé

plus-que-parfait			
que	j'	eusse	aimé
que	tu	eusses	aimé
qu'	il/elle	eût	aimé
que	nous	eussions	aimé
que	vous	eussiez	aimé
qu'	ils/elles	eussent	aimé

CONDITIONNEL

présent			passé 1re forme	
j'	aimerais	[ɛm(ə)rɛ]	aurais	aimé
tu	aimerais	[ɛm(ə)rɛ]	aurais	aimé
il/elle	aimerait	[ɛm(ə)rɛ]	aurait	aimé
nous	aimerions	[emərjɔ̃]	aurions	aimé
vous	aimeriez	[emərje]	auriez	aimé
ils/elles	aimeraient	[ɛm(ə)rɛ]	auraient	aimé

passé 2e forme

mêmes formes que le subjonctif plus-que-parfait

IMPÉRATIF

présent		passé	
aime	[ɛm]	aie	aimé
aimons	[emɔ̃]	ayons	aimé
aimez	[eme]	ayez	aimé

Suivent ce modèle : tous les verbes du 1er groupe, même ceux dont la base se termine par une voyelle (*cré/er, jou/er, pu/er, salu/er*...). Voir le « Répertoire des verbes » pour le choix de l'auxiliaire de conjugaison.

[kree]

Base : CRÉ-

- Le -**é** final de la base est présent à toutes les formes. Attention à la succession des voyelles, en particulier au féminin du participe passé : **créée**, **créées**.
- Le -**é** final de la base porte toujours un accent aigu.

INFINITIF

présent	passé
créer [kree]	avoir créé

PARTICIPE

présent	passé
créant [kreɑ̃]	créé/**créée**, créés/**créées** [kree] ayant créé

INDICATIF

présent

je	crée	[krɛ]
tu	crées	[krɛ]
il/elle	crée	[krɛ]
nous	créons	[kreɔ̃]
vous	créez	[kree]
ils/elles	créent	[krɛ]

passé composé

ai	créé
as	créé
a	créé
avons	créé
avez	créé
ont	créé

imparfait

je	créais	[kreɛ]
tu	créais	[kreɛ]
il/elle	créait	[kreɛ]
nous	créions	[krejɔ̃]
vous	créiez	[kreje]
ils/elles	créaient	[kreɛ]

plus-que-parfait

avais	créé
avais	créé
avait	créé
avions	créé
aviez	créé
avaient	créé

futur simple

je	créerai	[krere]
tu	créeras	[krera]
il/elle	créera	[krera]
nous	créerons	[krerɔ̃]
vous	créerez	[krere]
ils/elles	créeront	[krerɔ̃]

futur antérieur

aurai	créé
auras	créé
aura	créé
aurons	créé
aurez	créé
auront	créé

passé simple

je	créai	[kree]
tu	créas	[krea]
il/elle	créa	[krea]
nous	créâmes	[kream]
vous	créâtes	[kreat]
ils/elles	créèrent	[kreɛr]

passé antérieur

eus	créé
eus	créé
eut	créé
eûmes	créé
eûtes	créé
eurent	créé

SUBJONCTIF

présent

que	je	crée	[krɛ]
que	tu	crées	[krɛ]
qu'	il/elle	crée	[krɛ]
que	nous	créions	[krejɔ̃]
que	vous	créiez	[kreje]
qu'	ils/elles	créent	[krɛ]

imparfait

que	je	créasse	[kreas]
que	tu	créasses	[kreas]
qu'	il/elle	créât	[krea]
que	nous	créassions	[kreasjɔ̃]
que	vous	créassiez	[kreasje]
qu'	ils/elles	créassent	[kreas]

passé

que	j'	aie	créé
que	tu	aies	créé
qu'	il/elle	ait	créé
que	nous	ayons	créé
que	vous	ayez	créé
qu'	ils/elles	aient	créé

plus-que-parfait

que	j'	eusse	créé
que	tu	eusses	créé
qu'	il/elle	eût	créé
que	nous	eussions	créé
que	vous	eussiez	créé
qu'	ils/elles	eussent	créé

CONDITIONNEL

présent

je	créerais	[krerɛ]
tu	créerais	[krerɛ]
il/elle	créerait	[krerɛ]
nous	créerions	[krerjɔ̃]
vous	créeriez	[krerje]
ils/elles	créeraient	[krerɛ]

passé 1re forme

aurais	créé
aurais	créé
aurait	créé
aurions	créé
auriez	créé
auraient	créé

passé 2e forme

mêmes formes que le subjonctif plus-que-parfait

IMPÉRATIF

présent		passé	
crée	[krɛ]	aie	créé
créons	[kreɔ̃]	ayons	créé
créez	[kree]	ayez	créé

Suivent ce modèle :
- les dérivés de « créer » (*procréer, recréer*) ;
- les rares verbes en **-éer** (*agréer, béer*...).

14 ÉTUDIER

1ER GROUPE

[etydje]

Base :
ÉTUDI-

- Le -**i** final de la base est présent à toutes les formes. Il se juxtapose au -**i**- de certaines terminaisons : quatre formes comportent donc deux -**i**- successifs.

INFINITIF

présent	passé
étudier [etydje]	avoir étudié

PARTICIPE

présent	passé
étudiant [etydjɑ̃]	étudié/ée, étudiés/ées [etydje] ayant étudié

INDICATIF

présent			passé composé	
j'	étudie	[etydi]	ai	étudié
tu	étudies	[etydi]	as	étudié
il/elle	étudie	[etydi]	a	étudié
nous	étudions	[etydjɔ̃]	avons	étudié
vous	étudiez	[etydje]	avez	étudié
ils/elles	étudient	[etydi]	ont	étudié

imparfait			plus-que-parfait	
j'	étudiais	[etydjɛ]	avais	étudié
tu	étudiais	[etydjɛ]	avais	étudié
il/elle	étudiait	[etydjɛ]	avait	étudié
nous	**étudiions**	[etydijɔ̃]	avions	étudié
vous	**étudiiez**	[etydije]	aviez	étudié
ils/elles	étudiaient	[etydjɛ]	avaient	étudié

futur simple			futur antérieur	
j'	étudierai	[etydire]	aurai	étudié
tu	étudieras	[etydira]	auras	étudié
il/elle	étudiera	[etydira]	aura	étudié
nous	étudierons	[etydirɔ̃]	aurons	étudié
vous	étudierez	[etydire]	aurez	étudié
ils/elles	étudieront	[etydirɔ̃]	auront	étudié

passé simple			passé antérieur	
j'	étudiai	[etydje]	eus	étudié
tu	étudias	[etydja]	eus	étudié
il/elle	étudia	[etydja]	eut	étudié
nous	étudiâmes	[etydjam]	eûmes	étudié
vous	étudiâtes	[etydjat]	eûtes	étudié
ils/elles	étudièrent	[etydjɛr]	eurent	étudié

SUBJONCTIF

présent			
que	j'	étudie	[etydi]
que	tu	étudies	[etydi]
qu'	il/elle	étudie	[etydi]
que	nous	**étudiions**	[etydijɔ̃]
que	vous	**étudiiez**	[etydije]
qu'	ils/elles	étudient	[etydi]

imparfait			
que	j'	étudiasse	[etydjas]
que	tu	étudiasses	[etydjas]
qu'	il/elle	étudiât	[etydja]
que	nous	étudiassions	[etydjasjɔ̃]
que	vous	étudiassiez	[etydjasje]
qu'	ils/elles	étudiassent	[etydjas]

passé			
que	j'	aie	étudié
que	tu	aies	étudié
qu'	il/elle	ait	étudié
que	nous	ayons	étudié
que	vous	ayez	étudié
qu'	ils/elles	aient	étudié

plus-que-parfait			
que	j'	eusse	étudié
que	tu	eusses	étudié
qu'	il/elle	eût	étudié
que	nous	eussions	étudié
que	vous	eussiez	étudié
qu'	ils/elles	eussent	étudié

CONDITIONNEL

présent			passé 1re forme	
j'	étudierais	[etydirɛ]	aurais	étudié
tu	étudierais	[etydirɛ]	aurais	étudié
il/elle	étudierait	[etydirɛ]	aurait	étudié
nous	étudierions	[etydirjɔ̃]	aurions	étudié
vous	étudieriez	[etydirje]	auriez	étudié
ils/elles	étudieraient	[etydirɛ]	auraient	étudié

passé 2e forme

mêmes formes que le subjonctif plus-que-parfait

IMPÉRATIF

présent		passé	
étudie	[etydi]	aie	étudié
étudions	[etydjɔ̃]	ayons	étudié
étudiez	[etydje]	ayez	étudié

Suivent ce modèle : tous les verbes en **-ier** (*apprécier, copier, lier, nier, prier...*).

DISTINGUER

1ER GROUPE

[distɛ̃ge]

Base : DISTINGU-

- Le **-u** final de la base est présent à toutes les formes, même si la terminaison commence par **-o-** ou **-a-**.

INFINITIF

présent	passé
distinguer [distɛ̃ge]	avoir distingué

PARTICIPE

présent	passé
distinguant [distɛ̃gɑ̃]	distingué/ée, distingués/ées [distɛ̃ge] ayant distingué

INDICATIF

présent

je	distingue	[-tɛ̃g]
tu	distingues	[-tɛ̃g]
il/elle	distingue	[-tɛ̃g]
nous	**distinguons**	[-tɛ̃gɔ̃]
vous	distinguez	[-tɛ̃ge]
ils/elles	distinguent	[-tɛ̃g]

passé composé

ai	distingué
as	distingué
a	distingué
avons	distingué
avez	distingué
ont	distingué

imparfait

je	**distinguais**	[-tɛ̃gɛ]
tu	**distinguais**	[-tɛ̃gɛ]
il/elle	**distinguait**	[-tɛ̃gɛ]
nous	distinguions	[-tɛ̃gjɔ̃]
vous	distinguiez	[-tɛ̃gje]
ils/elles	**distinguaient**	[-tɛ̃gɛ]

plus-que-parfait

avais	distingué
avais	distingué
avait	distingué
avions	distingué
aviez	distingué
avaient	distingué

futur simple

je	distinguerai	[-tɛ̃g(ə)re]
tu	distingueras	[-tɛ̃g(ə)ra]
il/elle	distinguera	[-tɛ̃g(ə)ra]
nous	distinguerons	[-tɛ̃g(ə)rɔ̃]
vous	distinguerez	[-tɛ̃g(ə)re]
ils/elles	distingueront	[-tɛ̃g(ə)rɔ̃]

futur antérieur

aurai	distingué
auras	distingué
aura	distingué
aurons	distingué
aurez	distingué
auront	distingué

passé simple

je	**distinguai**	[-tɛ̃ge]
tu	**distinguas**	[-tɛ̃ga]
il/elle	**distingua**	[-tɛ̃ga]
nous	**distinguâmes**	[-tɛ̃gam]
vous	**distinguâtes**	[-tɛ̃gat]
ils/elles	distinguèrent	[-tɛ̃gɛr]

passé antérieur

eus	distingué
eus	distingué
eut	distingué
eûmes	distingué
eûtes	distingué
eurent	distingué

SUBJONCTIF

présent

que	je	distingue	[-tɛ̃g]
que	tu	distingues	[-tɛ̃g]
qu'	il/elle	distingue	[-tɛ̃g]
que	nous	distinguions	[-tɛ̃gjɔ̃]
que	vous	distinguiez	[-tɛ̃gje]
qu'	ils/elles	distinguent	[-tɛ̃g]

imparfait

que	je	**distinguasse**	[-tɛ̃gas]
que	tu	**distinguasses**	[-tɛ̃gas]
qu'	il/elle	**distinguât**	[-tɛ̃ga]
que	nous	**distinguassions**	[-tɛ̃gasjɔ̃]
que	vous	**distinguassiez**	[-tɛ̃gasje]
qu'	ils/elles	**distinguassent**	[-tɛ̃gas]

passé

que	j'	aie	distingué
que	tu	aies	distingué
qu'	il/elle	ait	distingué
que	nous	ayons	distingué
que	vous	ayez	distingué
qu'	ils/elles	aient	distingué

plus-que-parfait

que	j'	eusse	distingué
que	tu	eusses	distingué
qu'	il/elle	eût	distingué
que	nous	eussions	distingué
que	vous	eussiez	distingué
qu'	ils/elles	eussent	distingué

CONDITIONNEL

présent

je	distinguerais	[-tɛ̃g(ə)rɛ]
tu	distinguerais	[-tɛ̃g(ə)rɛ]
il/elle	distinguerait	[-tɛ̃g(ə)rɛ]
nous	distinguerions	[-tɛ̃gərjɔ̃]
vous	distingueriez	[-tɛ̃gərje]
ils/elles	distingueraient	[-tɛ̃g(ə)rɛ]

passé 1re forme

aurais	distingué
aurais	distingué
aurait	distingué
aurions	distingué
auriez	distingué
auraient	distingué

passé 2e forme

mêmes formes que le subjonctif plus-que-parfait

IMPÉRATIF

présent

distingue	[-tɛ̃g]
distinguons	[-tɛ̃gɔ̃]
distinguez	[-tɛ̃ge]

passé

aie	distingué
ayons	distingué
ayez	distingué

Suivent ce modèle : tous les verbes en **-guer** (*conjuguer, naviguer*...) et tous les verbes en **-quer** (*indiquer, manquer*...), **-q-** étant toujours suivi de **-u-** en français, sauf en fin de mot.

16 MANGER

1er GROUPE

[mɑ̃ʒe]

Base :
MANG-/MANGE-

- Devant une terminaison commençant par **-o-** ou **-a-**, le **-g** final de la base est suivi d'un **-e-** pour garder le son doux [ʒ].

INFINITIF

présent	passé
manger [mɑ̃ʒe]	avoir mangé

PARTICIPE

présent	passé
mangeant [mɑ̃ʒɑ̃]	mangé/ée, mangés/ées [mɑ̃ʒe] ayant mangé

INDICATIF

présent			passé composé	
je	mange	[mɑ̃ʒ]	ai	mangé
tu	manges	[mɑ̃ʒ]	as	mangé
il/elle	mange	[mɑ̃ʒ]	a	mangé
nous	**mangeons**	[mɑ̃ʒɔ̃]	avons	mangé
vous	mangez	[mɑ̃ʒe]	avez	mangé
ils/elles	mangent	[mɑ̃ʒ]	ont	mangé

imparfait			plus-que-parfait	
je	**mangeais**	[mɑ̃ʒɛ]	avais	mangé
tu	**mangeais**	[mɑ̃ʒɛ]	avais	mangé
il/elle	**mangeait**	[mɑ̃ʒɛ]	avait	mangé
nous	mangions	[mɑ̃ʒjɔ̃]	avions	mangé
vous	mangiez	[mɑ̃ʒje]	aviez	mangé
ils/elles	**mangeaient**	[mɑ̃ʒɛ]	avaient	mangé

futur simple			futur antérieur	
je	mangerai	[mɑ̃ʒre]	aurai	mangé
tu	mangeras	[mɑ̃ʒra]	auras	mangé
il/elle	mangera	[mɑ̃ʒra]	aura	mangé
nous	mangerons	[mɑ̃ʒrɔ̃]	aurons	mangé
vous	mangerez	[mɑ̃ʒre]	aurez	mangé
ils/elles	mangeront	[mɑ̃ʒrɔ̃]	auront	mangé

passé simple			passé antérieur	
je	**mangeai**	[mɑ̃ʒe]	eus	mangé
tu	**mangeas**	[mɑ̃ʒa]	eus	mangé
il/elle	**mangea**	[mɑ̃ʒa]	eut	mangé
nous	**mangeâmes**	[mɑ̃ʒam]	eûmes	mangé
vous	**mangeâtes**	[mɑ̃ʒat]	eûtes	mangé
ils/elles	mangèrent	[mɑ̃ʒɛr]	eurent	mangé

SUBJONCTIF

présent			
que	je	mange	[mɑ̃ʒ]
que	tu	manges	[mɑ̃ʒ]
qu'	il/elle	mange	[mɑ̃ʒ]
que	nous	mangions	[mɑ̃ʒjɔ̃]
que	vous	mangiez	[mɑ̃ʒje]
qu'	ils/elles	mangent	[mɑ̃ʒ]

imparfait			
que	je	**mangeasse**	[mɑ̃ʒas]
que	tu	**mangeasses**	[mɑ̃ʒas]
qu'	il/elle	**mangeât**	[mɑ̃ʒa]
que	nous	**mangeassions**	[mɑ̃ʒasjɔ̃]
que	vous	**mangeassiez**	[mɑ̃ʒasje]
qu'	ils/elles	**mangeassent**	[mɑ̃ʒas]

passé			
que	j'	aie	mangé
que	tu	aies	mangé
qu'	il/elle	ait	mangé
que	nous	ayons	mangé
que	vous	ayez	mangé
qu'	ils/elles	aient	mangé

plus-que-parfait			
que	j'	eusse	mangé
que	tu	eusses	mangé
qu'	il/elle	eût	mangé
que	nous	eussions	mangé
que	vous	eussiez	mangé
qu'	ils/elles	eussent	mangé

CONDITIONNEL

présent			passé 1re forme	
je	mangerais	[mɑ̃ʒrɛ]	aurais	mangé
tu	mangerais	[mɑ̃ʒrɛ]	aurais	mangé
il/elle	mangerait	[mɑ̃ʒrɛ]	aurait	mangé
nous	mangerions	[mɑ̃ʒərjɔ̃]	aurions	mangé
vous	mangeriez	[mɑ̃ʒərje]	auriez	mangé
ils/elles	mangeraient	[mɑ̃ʒrɛ]	auraient	mangé

passé 2e forme

mêmes formes que le subjonctif plus-que-parfait

IMPÉRATIF

présent		passé	
mange	[mɑ̃ʒ]	aie	mangé
mangeons	[mɑ̃ʒɔ̃]	ayons	mangé
mangez	[mɑ̃ʒe]	ayez	mangé

Suivent ce modèle : tous les verbes en **-ger** (*arranger, changer, déménager, neiger, obliger, ranger, voyager*...).

PLACER 17

1ER GROUPE

[plase]

Base : PLAC-/PLAÇ-

Devant une terminaison commençant par -**o**- ou -**a**-, le -**c** final de la base prend une cédille pour garder le son doux [s].

INFINITIF

présent	passé
placer [plase]	avoir placé

PARTICIPE

présent	passé
plaçant [plasɑ̃]	placé/ée, placés/ées [plase] ayant placé

INDICATIF

présent

je	place	[plas]
tu	places	[plas]
il/elle	place	[plas]
nous	**plaçons**	[plasɔ̃]
vous	placez	[plase]
ils/elles	placent	[plas]

passé composé

ai	placé
as	placé
a	placé
avons	placé
avez	placé
ont	placé

imparfait

je	**plaçais**	[plasɛ]
tu	**plaçais**	[plasɛ]
il/elle	**plaçait**	[plasɛ]
nous	placions	[plasjɔ̃]
vous	placiez	[plasje]
ils/elles	**plaçaient**	[plasɛ]

plus-que-parfait

avais	placé
avais	placé
avait	placé
avions	placé
aviez	placé
avaient	placé

futur simple

je	placerai	[plasre]
tu	placeras	[plasra]
il/elle	placera	[plasra]
nous	placerons	[plasrɔ̃]
vous	placerez	[plasre]
ils/elles	placeront	[plasrɔ̃]

futur antérieur

aurai	placé
auras	placé
aura	placé
aurons	placé
aurez	placé
auront	placé

passé simple

je	**plaçai**	[plase]
tu	**plaças**	[plasa]
il/elle	**plaça**	[plasa]
nous	**plaçâmes**	[plasam]
vous	**plaçâtes**	[plasat]
ils/elles	placèrent	[plasɛr]

passé antérieur

eus	placé
eus	placé
eut	placé
eûmes	placé
eûtes	placé
eurent	placé

SUBJONCTIF

présent

que	je	place	[plas]
que	tu	places	[plas]
qu'	il/elle	place	[plas]
que	nous	placions	[plasjɔ̃]
que	vous	placiez	[plasje]
qu'	ils/elles	placent	[plas]

imparfait

que	je	**plaçasse**	[plasas]
que	tu	**plaçasses**	[plasas]
qu'	il/elle	**plaçât**	[plasa]
que	nous	**plaçassions**	[plasasjɔ̃]
que	vous	**plaçassiez**	[plasasje]
qu'	ils/elles	**plaçassent**	[plasas]

passé

que	j'	aie	placé
que	tu	aies	placé
qu'	il/elle	ait	placé
que	nous	ayons	placé
que	vous	ayez	placé
qu'	ils/elles	aient	placé

plus-que-parfait

que	j'	eusse	placé
que	tu	eusses	placé
qu'	il/elle	eût	placé
que	nous	eussions	placé
que	vous	eussiez	placé
qu'	ils/elles	eussent	placé

CONDITIONNEL

présent

je	placerais	[plasrɛ]
tu	placerais	[plasrɛ]
il/elle	placerait	[plasrɛ]
nous	placerions	[plasərjɔ̃]
vous	placeriez	[plasərje]
ils/elles	placeraient	[plasrɛ]

passé 1re forme

aurais	placé
aurais	placé
aurait	placé
aurions	placé
auriez	placé
auraient	placé

passé 2e forme

mêmes formes que le subjonctif plus-que-parfait

IMPÉRATIF

présent

place	[plas]
plaçons	[plasɔ̃]
placez	[plase]

passé

aie	placé
ayons	placé
ayez	placé

Suivent ce modèle : tous les verbes en **-cer** (*annoncer, avancer, coincer, commencer, prononcer, tracer...*).

18 ACQUIESCER

1ER GROUPE

[akjese]

Base :
ACQUIESC-/
ACQUIESÇ-

- Suit le modèle 17, mais attention : ne pas oublier le **-s-** qui précède toujours le **-c** (ou **-ç**) final de la base.
- Participe passé invariable.

INFINITIF

présent	passé
acquiescer [akjese]	avoir acquiescé

PARTICIPE

présent	passé
acquiesçant [akjesɑ̃]	**acquiescé** [akjese] ayant acquiescé

INDICATIF

présent			passé composé	
j'	acquiesce	[-jɛs]	ai	acquiescé
tu	acquiesces	[-jɛs]	as	acquiescé
il/elle	acquiesce	[-jɛs]	a	acquiescé
nous	**acquiesçons**	[-jesɔ̃]	avons	acquiescé
vous	acquiescez	[-jese]	avez	acquiescé
ils/elles	acquiescent	[-jɛs]	ont	acquiescé

imparfait			plus-que-parfait	
j'	**acquiesçais**	[-jesɛ]	avais	acquiescé
tu	**acquiesçais**	[-jesɛ]	avais	acquiescé
il/elle	**acquiesçait**	[-jesɛ]	avait	acquiescé
nous	acquiescions	[-jesjɔ̃]	avions	acquiescé
vous	acquiesciez	[-jesje]	aviez	acquiescé
ils/elles	**acquiesçaient**	[-jesɛ]	avaient	acquiescé

futur simple			futur antérieur	
j'	acquiescerai	[-jɛsre]	aurai	acquiescé
tu	acquiesceras	[-jɛsra]	auras	acquiescé
il/elle	acquiescera	[-jɛsra]	aura	acquiescé
nous	acquiescerons	[-jɛsrɔ̃]	aurons	acquiescé
vous	acquiescerez	[-jɛsre]	aurez	acquiescé
ils/elles	acquiesceront	[-jɛsrɔ̃]	auront	acquiescé

passé simple			passé antérieur	
j'	**acquiesçai**	[-jese]	eus	acquiescé
tu	**acquiesças**	[-jesa]	eus	acquiescé
il/elle	**acquiesça**	[-jesa]	eut	acquiescé
nous	**acquiesçâmes**	[-jesam]	eûmes	acquiescé
vous	**acquiesçâtes**	[-jesat]	eûtes	acquiescé
ils/elles	acquiescèrent	[-jesɛr]	eurent	acquiescé

SUBJONCTIF

présent			
que	j'	acquiesce	[-jɛs]
que	tu	acquiesces	[-jɛs]
qu'	il/elle	acquiesce	[-jɛs]
que	nous	acquiescions	[-jesjɔ̃]
que	vous	acquiesciez	[-jesje]
qu'	ils/elles	acquiescent	[-jɛs]

imparfait			
que	j'	**acquiesçasse**	[-jesas]
que	tu	**acquiesçasses**	[-jesas]
qu'	il/elle	**acquiesçât**	[-jesa]
que	nous	**acquiesçassions**	[-jesasjɔ̃]
que	vous	**acquiesçassiez**	[-jesasje]
qu'	ils/elles	**acquiesçassent**	[-jesas]

passé			
que	j'	aie	acquiescé
que	tu	aies	acquiescé
qu'	il/elle	ait	acquiescé
que	nous	ayons	acquiescé
que	vous	ayez	acquiescé
qu'	ils/elles	aient	acquiescé

plus-que-parfait			
que	j'	eusse	acquiescé
que	tu	eusses	acquiescé
qu'	il/elle	eût	acquiescé
que	nous	eussions	acquiescé
que	vous	eussiez	acquiescé
qu'	ils/elles	eussent	acquiescé

CONDITIONNEL

présent			passé 1re forme	
j'	acquiescerais	[-jɛsrɛ]	aurais	acquiescé
tu	acquiescerais	[-jɛsrɛ]	aurais	acquiescé
il/elle	acquiescerait	[-jɛsrɛ]	aurait	acquiescé
nous	acquiescerions	[-jesərjɔ̃]	aurions	acquiescé
vous	acquiesceriez	[-jesərje]	auriez	acquiescé
ils/elles	acquiesceraient	[-jɛsrɛ]	auraient	acquiescé

passé 2e forme

mêmes formes que le subjonctif plus-que-parfait

IMPÉRATIF

présent		passé	
acquiesce	[-jɛs]	aie	acquiescé
acquiesçons	[-jesɔ̃]	ayons	acquiescé
acquiescez	[-jese]	ayez	acquiescé

[sede]

Bases :
CÉD-
CÈD-

- Devant une terminaison qui ne comporte qu'une syllabe contenant un **-e-** muet, c'est la base **cèd-** (avec un accent grave) qui sert à construire la forme verbale : *je cède* (mais : *nous cédons*).
- Au futur simple et au conditionnel présent, **-é-** est généralement prononcé [ɛ].

INFINITIF

présent	passé
céder [sede]	avoir cédé

PARTICIPE

présent	passé
cédant [sedɑ̃]	cédé/ée, cédés/ées [sede] ayant cédé

INDICATIF

présent			passé composé	
je	**cède**	[sɛd]	ai	cédé
tu	**cèdes**	[sɛd]	as	cédé
il/elle	**cède**	[sɛd]	a	cédé
nous	cédons	[sedɔ̃]	avons	cédé
vous	cédez	[sede]	avez	cédé
ils/elles	**cèdent**	[sɛd]	ont	cédé

imparfait			plus-que-parfait	
je	cédais	[sedɛ]	avais	cédé
tu	cédais	[sedɛ]	avais	cédé
il/elle	cédait	[sedɛ]	avait	cédé
nous	cédions	[sedjɔ̃]	avions	cédé
vous	cédiez	[sedje]	aviez	cédé
ils/elles	cédaient	[sedɛ]	avaient	cédé

futur simple			futur antérieur	
je	céderai	[sɛdre]	aurai	cédé
tu	céderas	[sɛdra]	auras	cédé
il/elle	cédera	[sɛdra]	aura	cédé
nous	céderons	[sɛdrɔ̃]	aurons	cédé
vous	céderez	[sɛdre]	aurez	cédé
ils/elles	céderont	[sɛdrɔ̃]	auront	cédé

passé simple			passé antérieur	
je	cédai	[sede]	eus	cédé
tu	cédas	[seda]	eus	cédé
il/elle	céda	[seda]	eut	cédé
nous	cédâmes	[sedam]	eûmes	cédé
vous	cédâtes	[sedat]	eûtes	cédé
ils/elles	cédèrent	[sedɛr]	eurent	cédé

SUBJONCTIF

présent			
que	je	**cède**	[sɛd]
que	tu	**cèdes**	[sɛd]
qu'	il/elle	**cède**	[sɛd]
que	nous	cédions	[sedjɔ̃]
que	vous	cédiez	[sedje]
qu'	ils/elles	**cèdent**	[sɛd]

imparfait			
que	je	cédasse	[sedas]
que	tu	cédasses	[sedas]
qu'	il/elle	cédât	[seda]
que	nous	cédassions	[sedasjɔ̃]
que	vous	cédassiez	[sedasje]
qu'	ils/elles	cédassent	[sedas]

passé			
que	j'	aie	cédé
que	tu	aies	cédé
qu'	il/elle	ait	cédé
que	nous	ayons	cédé
que	vous	ayez	cédé
qu'	ils/elles	aient	cédé

plus-que-parfait			
que	j'	eusse	cédé
que	tu	eusses	cédé
qu'	il/elle	eût	cédé
que	nous	eussions	cédé
que	vous	eussiez	cédé
qu'	ils/elles	eussent	cédé

CONDITIONNEL

présent			passé 1re forme	
je	céderais	[sɛdrɛ]	aurais	cédé
tu	céderais	[sɛdrɛ]	aurais	cédé
il/elle	céderait	[sɛdrɛ]	aurait	cédé
nous	céderions	[sedərjɔ̃]	aurions	cédé
vous	céderiez	[sedərje]	auriez	cédé
ils/elles	céderaient	[sɛdrɛ]	auraient	cédé

passé 2e forme

mêmes formes que le subjonctif plus-que-parfait

IMPÉRATIF

présent		passé	
cède	[sɛd]	aie	cédé
cédons	[sedɔ̃]	ayons	cédé
cédez	[sede]	ayez	cédé

L'alternance **-é-/-è** se retrouve dans la conjugaison de tous les verbes du 1er groupe qui comportent un **-e-** avec accent aigu avant le dernier son-consonne de la base (*aérer, compléter, espérer, répéter, sécher...*).

20 PROTÉGER

1ER GROUPE

[prɔteʒe]

Bases :
PROTÉG-/PROTÉGE-
PROTÈG-

- Devant une terminaison commençant par -**o**- ou -**a**-, le -**g** final de la base est suivi d'un -**e**- pour garder le son doux [ʒ].
- Alternance -**é**-/-**è**- de la base (voir tableau 19).

INFINITIF

présent	passé
protéger [prɔteʒe]	avoir protégé

PARTICIPE

présent	passé
protégeant [prɔteʒɑ̃]	protégé/ée, protégés/ées [prɔteʒe] ayant protégé

INDICATIF

présent

je	**protège**	[-tɛʒ]
tu	**protèges**	[-tɛʒ]
il/elle	**protège**	[-tɛʒ]
nous	**protégeons**	[-teʒɔ̃]
vous	protégez	[-teʒe]
ils/elles	**protègent**	[-tɛʒ]

passé composé

ai	protégé
as	protégé
a	protégé
avons	protégé
avez	protégé
ont	protégé

imparfait

je	**protégeais**	[-teʒɛ]
tu	**protégeais**	[-teʒɛ]
il/elle	**protégeait**	[-teʒɛ]
nous	protégions	[-teʒjɔ̃]
vous	protégiez	[-teʒje]
ils/elles	**protégeaient**	[-teʒɛ]

plus-que-parfait

avais	protégé
avais	protégé
avait	protégé
avions	protégé
aviez	protégé
avaient	protégé

futur simple

je	protégerai	[-tɛʒre]
tu	protégeras	[-tɛʒra]
il/elle	protégera	[-tɛʒra]
nous	protégerons	[-tɛʒrɔ̃]
vous	protégerez	[-tɛʒre]
ils/elles	protégeront	[-tɛʒrɔ̃]

futur antérieur

aurai	protégé
auras	protégé
aura	protégé
aurons	protégé
aurez	protégé
auront	protégé

passé simple

je	**protégeai**	[-teʒe]
tu	**protégeas**	[-teʒa]
il/elle	**protégea**	[-teʒa]
nous	**protégeâmes**	[-teʒam]
vous	**protégeâtes**	[-teʒat]
ils/elles	protégèrent	[-teʒɛr]

passé antérieur

eus	protégé
eus	protégé
eut	protégé
eûmes	protégé
eûtes	protégé
eurent	protégé

SUBJONCTIF

présent

que	je	**protège**	[-tɛʒ]
que	tu	**protèges**	[-tɛʒ]
qu'	il/elle	**protège**	[-tɛʒ]
que	nous	protégions	[-teʒjɔ̃]
que	vous	protégiez	[-teʒje]
qu'	ils/elles	**protègent**	[-tɛʒ]

imparfait

que	je	**protégeasse**	[-teʒas]
que	tu	**protégeasses**	[-teʒas]
qu'	il/elle	**protégeât**	[-teʒa]
que	nous	**protégeassions**	[-teʒasjɔ̃]
que	vous	**protégeassiez**	[-teʒasje]
qu'	ils/elles	**protégeassent**	[-teʒas]

passé

que	j'	aie	protégé
que	tu	aies	protégé
qu'	il/elle	ait	protégé
que	nous	ayons	protégé
que	vous	ayez	protégé
qu'	ils/elles	aient	protégé

plus-que-parfait

que	j'	eusse	protégé
que	tu	eusses	protégé
qu'	il/elle	eût	protégé
que	nous	eussions	protégé
que	vous	eussiez	protégé
qu'	ils/elles	eussent	protégé

CONDITIONNEL

présent

je	protégerais	[-tɛʒrɛ]
tu	protégerais	[-tɛʒrɛ]
il/elle	protégerait	[-tɛʒrɛ]
nous	protégerions	[-teʒərjɔ̃]
vous	protégeriez	[-teʒərje]
ils/elles	protégeraient	[-tɛʒrɛ]

passé 1re forme

aurais	protégé
aurais	protégé
aurait	protégé
aurions	protégé
auriez	protégé
auraient	protégé

passé 2e forme

mêmes formes que le subjonctif plus-que-parfait

IMPÉRATIF

présent		passé	
protège	[-tɛʒ]	aie	protégé
protégeons	[-teʒɔ̃]	ayons	protégé
protégez	[-teʒe]	ayez	protégé

Suivent ce modèle : les verbes en -**éger** (*abréger, alléger, assiéger, siéger*...).

RAPIÉCER

[rapjese]

Bases :
RAPIÉC-/RAPIÈÇ-
RAPIÈC-

- Devant une terminaison commençant par **-o-** ou **-a-**, le **-c** final de la base prend une cédille pour garder le son doux [s].
- Alternance **-é-**/**-è-** de la base (voir tableau 19).

INFINITIF

présent	passé
rapiécer [rapjese]	avoir rapiécé

PARTICIPE

présent	passé
rapiéçant [rapjesɑ̃]	rapiécé/ée, rapiécés/ées [rapjese] ayant rapiécé

INDICATIF

présent

je	**rapièce**	[-jɛs]	ai	rapiécé
tu	**rapièces**	[-jɛs]	as	rapiécé
il/elle	**rapièce**	[-jɛs]	a	rapiécé
nous	**rapiéçons**	[-jesɔ̃]	avons	rapiécé
vous	rapiécez	[-jese]	avez	rapiécé
ils/elles	**rapiècent**	[-jɛs]	ont	rapiécé

(passé composé à droite)

imparfait / plus-que-parfait

je	**rapiéçais**	[-jesɛ]	avais	rapiécé
tu	**rapiéçais**	[-jesɛ]	avais	rapiécé
il/elle	**rapiéçait**	[-jesɛ]	avait	rapiécé
nous	rapiécions	[-jesjɔ̃]	avions	rapiécé
vous	rapiéciez	[-jesje]	aviez	rapiécé
ils/elles	**rapiéçaient**	[-jesɛ]	avaient	rapiécé

futur simple / futur antérieur

je	rapiécerai	[-jɛsre]	aurai	rapiécé
tu	rapiéceras	[-jɛsra]	auras	rapiécé
il/elle	rapiécera	[-jɛsra]	aura	rapiécé
nous	rapiécerons	[-jɛsrɔ̃]	aurons	rapiécé
vous	rapiécerez	[-jɛsre]	aurez	rapiécé
ils/elles	rapiéceront	[-jɛsrɔ̃]	auront	rapiécé

passé simple / passé antérieur

je	**rapiéçai**	[-jese]	eus	rapiécé
tu	**rapiéças**	[-jesa]	eus	rapiécé
il/elle	**rapiéça**	[-jesa]	eut	rapiécé
nous	**rapiéçâmes**	[-jesam]	eûmes	rapiécé
vous	**rapiéçâtes**	[-jesat]	eûtes	rapiécé
ils/elles	rapiécèrent	[-jesɛr]	eurent	rapiécé

SUBJONCTIF

présent

que	je	**rapièce**	[-jɛs]
que	tu	**rapièces**	[-jɛs]
qu'	il/elle	**rapièce**	[-jɛs]
que	nous	rapiécions	[-jesjɔ̃]
que	vous	rapiéciez	[-jesje]
qu'	ils/elles	**rapiècent**	[-jɛs]

imparfait

que	je	**rapiéçasse**	[-jesas]
que	tu	**rapiéçasses**	[-jesas]
qu'	il/elle	**rapiéçât**	[-jesa]
que	nous	**rapiéçassions**	[-jesasjɔ̃]
que	vous	**rapiéçassiez**	[-jesasje]
qu'	ils/elles	**rapiéçassent**	[-jesas]

passé

que	j'	aie	rapiécé
que	tu	aies	rapiécé
qu'	il/elle	ait	rapiécé
que	nous	ayons	rapiécé
que	vous	ayez	rapiécé
qu'	ils/elles	aient	rapiécé

plus-que-parfait

que	j'	eusse	rapiécé
que	tu	eusses	rapiécé
qu'	il/elle	eût	rapiécé
que	nous	eussions	rapiécé
que	vous	eussiez	rapiécé
qu'	ils/elles	eussent	rapiécé

CONDITIONNEL

présent / passé 1re forme

je	rapiécerais	[-jɛsrɛ]	aurais	rapiécé
tu	rapiécerais	[-jɛsrɛ]	aurais	rapiécé
il/elle	rapiécerait	[-jɛsrɛ]	aurait	rapiécé
nous	rapiécerions	[-jesərjɔ̃]	aurions	rapiécé
vous	rapiéceriez	[-jesərje]	auriez	rapiécé
ils/elles	rapiéceraient	[-jɛsrɛ]	auraient	rapiécé

passé 2e forme

mêmes formes que le subjonctif plus-que-parfait

IMPÉRATIF

présent		passé	
rapièce	[-jɛs]	aie	rapiécé
rapiéçons	[-jesɔ̃]	ayons	rapiécé
rapiécez	[-jese]	ayez	rapiécé

22 APPELER

1ER GROUPE

[aple]

Bases :
APPEL-
APPELL-

- C'est la base **appell-** (avec deux -**l**-) qui sert à construire les formes dont la terminaison comporte un -**e**- muet et toutes les formes du futur simple et du conditionnel présent.

INFINITIF

présent	passé
appeler [aple]	avoir appelé

PARTICIPE

présent	passé
appelant [aplɑ̃]	appelé/ée, appelés/ées [aple] ayant appelé

INDICATIF

présent			passé composé	
j'	**appelle**	[apɛl]	ai	appelé
tu	**appelles**	[apɛl]	as	appelé
il/elle	**appelle**	[apɛl]	a	appelé
nous	appelons	[aplɔ̃]	avons	appelé
vous	appelez	[aple]	avez	appelé
ils/elles	**appellent**	[apɛl]	ont	appelé
imparfait			**plus-que-parfait**	
j'	appelais	[aplɛ]	avais	appelé
tu	appelais	[aplɛ]	avais	appelé
il/elle	appelait	[aplɛ]	avait	appelé
nous	appelions	[apəljɔ̃]	avions	appelé
vous	appeliez	[apəlje]	aviez	appelé
ils/elles	appelaient	[aplɛ]	avaient	appelé
futur simple			**futur antérieur**	
j'	**appellerai**	[apɛlre]	aurai	appelé
tu	**appelleras**	[apɛlra]	auras	appelé
il/elle	**appellera**	[apɛlra]	aura	appelé
nous	**appellerons**	[apɛlrɔ̃]	aurons	appelé
vous	**appellerez**	[apɛlre]	aurez	appelé
ils/elles	**appelleront**	[apɛlrɔ̃]	auront	appelé
passé simple			**passé antérieur**	
j'	appelai	[aple]	eus	appelé
tu	appelas	[apla]	eus	appelé
il/elle	appela	[apla]	eut	appelé
nous	appelâmes	[aplam]	eûmes	appelé
vous	appelâtes	[aplat]	eûtes	appelé
ils/elles	appelèrent	[aplɛr]	eurent	appelé

SUBJONCTIF

présent			
que	j'	**appelle**	[apɛl]
que	tu	**appelles**	[apɛl]
qu'	il/elle	**appelle**	[apɛl]
que	nous	appelions	[apəljɔ̃]
que	vous	appeliez	[apəlje]
qu'	ils/elles	**appellent**	[apɛl]
imparfait			
que	j'	appelasse	[aplas]
que	tu	appelasses	[aplas]
qu'	il/elle	appelât	[apla]
que	nous	appelassions	[aplasjɔ̃]
que	vous	appelassiez	[aplasje]
qu'	ils/elles	appelassent	[aplas]
passé			
que	j'	aie	appelé
que	tu	aies	appelé
qu'	il/elle	ait	appelé
que	nous	ayons	appelé
que	vous	ayez	appelé
qu'	ils/elles	aient	appelé
plus-que-parfait			
que	j'	eusse	appelé
que	tu	eusses	appelé
qu'	il/elle	eût	appelé
que	nous	eussions	appelé
que	vous	eussiez	appelé
qu'	ils/elles	eussent	appelé

CONDITIONNEL

présent			passé 1re forme	
j'	**appellerais**	[apɛlrɛ]	aurais	appelé
tu	**appellerais**	[apɛlrɛ]	aurais	appelé
il/elle	**appellerait**	[apɛlrɛ]	aurait	appelé
nous	**appellerions**	[apelərjɔ̃]	aurions	appelé
vous	**appelleriez**	[apelərje]	auriez	appelé
ils/elles	**appelleraient**	[apɛlrɛ]	auraient	appelé

passé 2e forme

mêmes formes que le subjonctif plus-que-parfait

IMPÉRATIF

présent		passé	
appelle	[apɛl]	aie	appelé
appelons	[aplɔ̃]	ayons	appelé
appelez	[aple]	ayez	appelé

Suivent ce modèle : la majorité des verbes en **-eler** (*chanceler, épeler, rappeler*...), mais *harceler* peut aussi se conjuguer comme « geler » (tableau 24).

- Attention : même si certaines formes se prononcent avec un -**e**- comme dans « app**e**ler », les deux -**l**- de la base sont présents partout.

[-əle]

Base :
INTERPELL-

INFINITIF

présent	passé
interpeller [-əle]	avoir interpellé

PARTICIPE

présent	passé
interpellant [-əlɑ̃]	**interpellé**/ée, interpellés/ées [-əle] ayant interpellé

INDICATIF

présent			passé composé	
j'	interpelle	[-ɛl]	ai	interpellé
tu	interpelles	[-ɛl]	as	interpellé
il/elle	interpelle	[-ɛl]	a	interpellé
nous	**interpellons**	[-əlɔ̃]	avons	interpellé
vous	**interpellez**	[-əle]	avez	interpellé
ils/elles	interpellent	[-ɛl]	ont	interpellé

imparfait			plus-que-parfait	
j'	**interpellais**	[-əlɛ]	avais	interpellé
tu	**interpellais**	[-əlɛ]	avais	interpellé
il/elle	**interpellait**	[-əlɛ]	avait	interpellé
nous	**interpellions**	[-əljɔ̃]	avions	interpellé
vous	**interpelliez**	[-əlje]	aviez	interpellé
ils/elles	**interpellaient**	[-əlɛ]	avaient	interpellé

futur simple			futur antérieur	
j'	interpellerai	[-ɛlre]	aurai	interpellé
tu	interpelleras	[-ɛlra]	auras	interpellé
il/elle	interpellera	[-ɛlra]	aura	interpellé
nous	interpellerons	[-ɛlrɔ̃]	aurons	interpellé
vous	interpellerez	[-ɛlre]	aurez	interpellé
ils/elles	interpelleront	[-ɛlrɔ̃]	auront	interpellé

passé simple			passé antérieur	
j'	**interpellai**	[-əle]	eus	interpellé
tu	**interpellas**	[-əla]	eus	interpellé
il/elle	**interpella**	[-əla]	eut	interpellé
nous	**interpellâmes**	[-əlam]	eûmes	interpellé
vous	**interpellâtes**	[-əlat]	eûtes	interpellé
ils/elles	**interpellèrent**	[-əlɛr]	eurent	interpellé

SUBJONCTIF

présent			
que	j'	interpelle	[-ɛl]
que	tu	interpelles	[-ɛl]
qu'	il/elle	interpelle	[-ɛl]
que	nous	**interpellions**	[-əljɔ̃]
que	vous	**interpelliez**	[-əlje]
qu'	ils/elles	interpellent	[-ɛl]

imparfait			
que	j'	**interpellasse**	[-əlas]
que	tu	**interpellasses**	[-əlas]
qu'	il/elle	**interpellât**	[-əla]
que	nous	**interpellassions**	[-əlasjɔ̃]
que	vous	**interpellassiez**	[-əlasje]
qu'	ils/elles	**interpellassent**	[-əlas]

passé			
que	j'	aie	interpellé
que	tu	aies	interpellé
qu'	il/elle	ait	interpellé
que	nous	ayons	interpellé
que	vous	ayez	interpellé
qu'	ils/elles	aient	interpellé

plus-que-parfait			
que	j'	eusse	interpellé
que	tu	eusses	interpellé
qu'	il/elle	eût	interpellé
que	nous	eussions	interpellé
que	vous	eussiez	interpellé
qu'	ils/elles	eussent	interpellé

CONDITIONNEL

présent			passé 1re forme	
j'	interpellerais	[-ɛlrɛ]	aurais	interpellé
tu	interpellerais	[-ɛlrɛ]	aurais	interpellé
il/elle	interpellerait	[-ɛlrɛ]	aurait	interpellé
nous	interpellerions	[-ɛlərjɔ̃]	aurions	interpellé
vous	interpelleriez	[-ɛlərje]	auriez	interpellé
ils/elles	interpelleraient	[-ɛlrɛ]	auraient	interpellé

passé 2e forme

mêmes formes que le subjonctif plus-que-parfait

IMPÉRATIF

présent		passé	
interpelle	[-ɛl]	aie	interpellé
interpellons	[-əlɔ̃]	ayons	interpellé
interpellez	[-əle]	ayez	interpellé

24 GELER

1er GROUPE

[ʒəle]

Bases :
GEL-
GÈL-

- C'est la base **gèl**- (avec accent grave) qui sert à construire les formes dont la terminaison comporte un -**e**- muet et toutes les formes du futur simple et du conditionnel présent.

INFINITIF

présent	passé
geler [ʒəle]	avoir gelé

PARTICIPE

présent	passé
gelant [ʒəlɑ̃]	gelé/ée, gelés/ées [ʒəle] ayant gelé

INDICATIF

présent

je	**gèle**	[ʒɛl]
tu	**gèles**	[ʒɛl]
il/elle	**gèle**	[ʒɛl]
nous	gelons	[ʒəlɔ̃]
vous	gelez	[ʒəle]
ils/elles	**gèlent**	[ʒɛl]

passé composé

ai	gelé
as	gelé
a	gelé
avons	gelé
avez	gelé
ont	gelé

imparfait

je	gelais	[ʒəlɛ]
tu	gelais	[ʒəlɛ]
il/elle	gelait	[ʒəlɛ]
nous	gelions	[ʒəljɔ̃]
vous	geliez	[ʒəlje]
ils/elles	gelaient	[ʒəlɛ]

plus-que-parfait

avais	gelé
avais	gelé
avait	gelé
avions	gelé
aviez	gelé
avaient	gelé

futur simple

je	**gèlerai**	[ʒɛlre]
tu	**gèleras**	[ʒɛlra]
il/elle	**gèlera**	[ʒɛlra]
nous	**gèlerons**	[ʒɛlrɔ̃]
vous	**gèlerez**	[ʒɛlre]
ils/elles	**gèleront**	[ʒɛlrɔ̃]

futur antérieur

aurai	gelé
auras	gelé
aura	gelé
aurons	gelé
aurez	gelé
auront	gelé

passé simple

je	gelai	[ʒəle]
tu	gelas	[ʒəla]
il/elle	gela	[ʒəla]
nous	gelâmes	[ʒəlam]
vous	gelâtes	[ʒəlat]
ils/elles	gelèrent	[ʒəlɛr]

passé antérieur

eus	gelé
eus	gelé
eut	gelé
eûmes	gelé
eûtes	gelé
eurent	gelé

SUBJONCTIF

présent

que	je	**gèle**	[ʒɛl]
que	tu	**gèles**	[ʒɛl]
qu'	il/elle	**gèle**	[ʒɛl]
que	nous	gelions	[ʒəljɔ̃]
que	vous	geliez	[ʒəlje]
qu'	ils/elles	**gèlent**	[ʒɛl]

imparfait

que	je	gelasse	[ʒəlas]
que	tu	gelasses	[ʒəlas]
qu'	il/elle	gelât	[ʒəla]
que	nous	gelassions	[ʒəlasjɔ̃]
que	vous	gelassiez	[ʒəlasje]
qu'	ils/elles	gelassent	[ʒəlas]

passé

que	j'	aie	gelé
que	tu	aies	gelé
qu'	il/elle	ait	gelé
que	nous	ayons	gelé
que	vous	ayez	gelé
qu'	ils/elles	aient	gelé

plus-que-parfait

que	j'	eusse	gelé
que	tu	eusses	gelé
qu'	il/elle	eût	gelé
que	nous	eussions	gelé
que	vous	eussiez	gelé
qu'	ils/elles	eussent	gelé

CONDITIONNEL

présent

je	**gèlerais**	[ʒɛlrɛ]
tu	**gèlerais**	[ʒɛlrɛ]
il/elle	**gèlerait**	[ʒɛlrɛ]
nous	**gèlerions**	[ʒelərjɔ̃]
vous	**gèleriez**	[ʒelərje]
ils/elles	**gèleraient**	[ʒɛlrɛ]

passé 1re forme

aurais	gelé
aurais	gelé
aurait	gelé
aurions	gelé
auriez	gelé
auraient	gelé

passé 2e forme

mêmes formes que le subjonctif plus-que-parfait

IMPÉRATIF

présent		passé	
gèle	[ʒɛl]	aie	gelé
gelons	[ʒəlɔ̃]	ayons	gelé
gelez	[ʒəle]	ayez	gelé

Suivent ce modèle : les composés de « geler », d'autres verbes en **-eler** (*celer, déceler, ciseler, écarteler, marteler, modeler, peler*) et les verbes en **-emer**, **-ener**, **-eser**, **-ever** (*semer, mener, peser, lever*...).

[depəse]

Bases :
DÉPEC-/DÉPEÇ-
DÉPÈC-

- Devant une terminaison commençant par **-o-** ou **-a-**, le **-c** final de la base prend une cédille pour garder le son doux [s].
- Attention à l'alternance des bases **dépèc-**/**dépec-** : elle existe au présent de l'indicatif, du subjonctif et de l'impératif.

INFINITIF

présent	passé
dépecer [depəse]	avoir dépecé

PARTICIPE

présent	passé
dépeçant [depəsɑ̃]	dépecé/ée, dépecés/ées [depəse] ayant dépecé

INDICATIF

présent

je	**dépèce**	[depɛs]
tu	**dépèces**	[depɛs]
il/elle	**dépèce**	[depɛs]
nous	**dépeçons**	[depəsɔ̃]
vous	dépecez	[depəse]
ils/elles	**dépècent**	[depɛs]

passé composé

ai	dépecé
as	dépecé
a	dépecé
avons	dépecé
avez	dépecé
ont	dépecé

imparfait

je	**dépeçais**	[depəsɛ]
tu	**dépeçais**	[depəsɛ]
il/elle	**dépeçait**	[depəsɛ]
nous	dépecions	[depəsjɔ̃]
vous	dépeciez	[depəsje]
ils/elles	**dépeçaient**	[depəsɛ]

plus-que-parfait

avais	dépecé
avais	dépecé
avait	dépecé
avions	dépecé
aviez	dépecé
avaient	dépecé

futur simple

je	**dépècerai**	[depɛsre]
tu	**dépèceras**	[depɛsra]
il/elle	**dépècera**	[depɛsra]
nous	**dépècerons**	[depɛsrɔ̃]
vous	**dépècerez**	[depɛsre]
ils/elles	**dépèceront**	[depɛsrɔ̃]

futur antérieur

aurai	dépecé
auras	dépecé
aura	dépecé
aurons	dépecé
aurez	dépecé
auront	dépecé

passé simple

je	**dépeçai**	[depəse]
tu	**dépeças**	[depəsa]
il/elle	**dépeça**	[depəsa]
nous	**dépeçâmes**	[depəsam]
vous	**dépeçâtes**	[depəsat]
ils/elles	dépecèrent	[depəsɛr]

passé antérieur

eus	dépecé
eus	dépecé
eut	dépecé
eûmes	dépecé
eûtes	dépecé
eurent	dépecé

SUBJONCTIF

présent

que	je	**dépèce**	[depɛs]
que	tu	**dépèces**	[depɛs]
qu'	il/elle	**dépèce**	[depɛs]
que	nous	dépecions	[depəsjɔ̃]
que	vous	dépeciez	[depəsje]
qu'	ils/elles	**dépècent**	[depɛs]

imparfait

que	je	**dépeçasse**	[depəsas]
que	tu	**dépeçasses**	[depəsas]
qu'	il/elle	**dépeçât**	[depəsa]
que	nous	**dépeçassions**	[depəsasjɔ̃]
que	vous	**dépeçassiez**	[depəsasje]
qu'	ils/elles	**dépeçassent**	[depəsas]

passé

que	j'	aie	dépecé
que	tu	aies	dépecé
qu'	il/elle	ait	dépecé
que	nous	ayons	dépecé
que	vous	ayez	dépecé
qu'	ils/elles	aient	dépecé

plus-que-parfait

que	j'	eusse	dépecé
que	tu	eusses	dépecé
qu'	il/elle	eût	dépecé
que	nous	eussions	dépecé
que	vous	eussiez	dépecé
qu'	ils/elles	eussent	dépecé

CONDITIONNEL

présent

je	**dépècerais**	[depɛsrɛ]
tu	**dépècerais**	[depɛsrɛ]
il/elle	**dépècerait**	[depɛsrɛ]
nous	**dépècerions**	[depesərjɔ̃]
vous	**dépèceriez**	[depesərje]
ils/elles	**dépèceraient**	[depɛsrɛ]

passé 1re forme

aurais	dépecé
aurais	dépecé
aurait	dépecé
aurions	dépecé
auriez	dépecé
auraient	dépecé

passé 2e forme

mêmes formes que le subjonctif plus-que-parfait

IMPÉRATIF

présent

dépèce	[depɛs]
dépeçons	[depəsɔ̃]
dépecez	[depəse]

passé

aie	dépecé
ayons	dépecé
ayez	dépecé

26 JETER

1ER GROUPE

[ʒəte]

Bases :
JET-
JETT-

- C'est la base **jett-** (avec deux **-t-**) qui sert à construire les formes dont la terminaison commence par un **-e-**, sauf à la 2e pers. du pluriel de l'indicatif présent et de l'impératif présent.

INFINITIF

présent	passé
jeter [ʒəte]	avoir jeté

PARTICIPE

présent	passé
jetant [ʒətɑ̃]	jeté/ée, jetés/ées [ʒəte] ayant jeté

INDICATIF

présent

je	**jette**	[ʒɛt]
tu	**jettes**	[ʒɛt]
il/elle	**jette**	[ʒɛt]
nous	jetons	[ʒətɔ̃]
vous	jetez	[ʒəte]
ils/elles	**jettent**	[ʒɛt]

passé composé

ai	jeté
as	jeté
a	jeté
avons	jeté
avez	jeté
ont	jeté

imparfait

je	jetais	[ʒətɛ]
tu	jetais	[ʒətɛ]
il/elle	jetait	[ʒətɛ]
nous	jetions	[ʒətjɔ̃]
vous	jetiez	[ʒətje]
ils/elles	jetaient	[ʒətɛ]

plus-que-parfait

avais	jeté
avais	jeté
avait	jeté
avions	jeté
aviez	jeté
avaient	jeté

futur simple

je	**jetterai**	[ʒɛtre]
tu	**jetteras**	[ʒɛtra]
il/elle	**jettera**	[ʒɛtra]
nous	**jetterons**	[ʒɛtrɔ̃]
vous	**jetterez**	[ʒɛtre]
ils/elles	**jetteront**	[ʒɛtrɔ̃]

futur antérieur

aurai	jeté
auras	jeté
aura	jeté
aurons	jeté
aurez	jeté
auront	jeté

passé simple

je	jetai	[ʒəte]
tu	jetas	[ʒəta]
il/elle	jeta	[ʒəta]
nous	jetâmes	[ʒətam]
vous	jetâtes	[ʒətat]
ils/elles	jetèrent	[ʒətɛr]

passé antérieur

eus	jeté
eus	jeté
eut	jeté
eûmes	jeté
eûtes	jeté
eurent	jeté

SUBJONCTIF

présent

que	je	**jette**	[ʒɛt]
que	tu	**jettes**	[ʒɛt]
qu'	il/elle	**jette**	[ʒɛt]
que	nous	jetions	[ʒətjɔ̃]
que	vous	jetiez	[ʒətje]
qu'	ils/elles	**jettent**	[ʒɛt]

imparfait

que	je	jetasse	[ʒətas]
que	tu	jetasses	[ʒətas]
qu'	il/elle	jetât	[ʒəta]
que	nous	jetassions	[ʒətasjɔ̃]
que	vous	jetassiez	[ʒətasje]
qu'	ils/elles	jetassent	[ʒətas]

passé

que	j'	aie	jeté
que	tu	aies	jeté
qu'	il/elle	ait	jeté
que	nous	ayons	jeté
que	vous	ayez	jeté
qu'	ils/elles	aient	jeté

plus-que-parfait

que	j'	eusse	jeté
que	tu	eusses	jeté
qu'	il/elle	eût	jeté
que	nous	eussions	jeté
que	vous	eussiez	jeté
qu'	ils/elles	eussent	jeté

CONDITIONNEL

présent

je	**jetterais**	[ʒɛtrɛ]
tu	**jetterais**	[ʒɛtrɛ]
il/elle	**jetterait**	[ʒɛtrɛ]
nous	**jetterions**	[ʒetərjɔ̃]
vous	**jetteriez**	[ʒetərje]
ils/elles	**jetteraient**	[ʒɛtrɛ]

passé 1re forme

aurais	jeté
aurais	jeté
aurait	jeté
aurions	jeté
auriez	jeté
auraient	jeté

passé 2e forme

mêmes formes que le subjonctif plus-que-parfait

IMPÉRATIF

présent

jette	[ʒɛt]
jetons	[ʒətɔ̃]
jetez	[ʒəte]

passé

aie	jeté
ayons	jeté
ayez	jeté

Suivent ce modèle : la plupart des verbes en **-eter** (sauf ceux qui sont indiqués tableau 27).

ACHETER

[aʃte]

Bases :
ACHET-
ACHÈT-

- C'est la base **achèt**- (avec accent grave) qui sert à construire les formes dont la terminaison commence par un -**e**- muet.

INFINITIF

présent	passé
acheter [aʃte]	avoir acheté

PARTICIPE

présent	passé
achetant [aʃtɑ̃]	acheté/ée, achetés/ées [aʃte] ayant acheté

INDICATIF

présent

			passé composé	
j'	**achète**	[aʃɛt]	ai	acheté
tu	**achètes**	[aʃɛt]	as	acheté
il/elle	**achète**	[aʃɛt]	a	acheté
nous	achetons	[aʃtɔ̃]	avons	acheté
vous	achetez	[aʃte]	avez	acheté
ils/elles	**achètent**	[aʃɛt]	ont	acheté

imparfait

			plus-que-parfait	
j'	achetais	[aʃtɛ]	avais	acheté
tu	achetais	[aʃtɛ]	avais	acheté
il/elle	achetait	[aʃtɛ]	avait	acheté
nous	achetions	[aʃ(ə)tjɔ̃]	avions	acheté
vous	achetiez	[aʃ(ə)tje]	aviez	acheté
ils/elles	achetaient	[aʃtɛ]	avaient	acheté

futur simple

			futur antérieur	
j'	**achèterai**	[aʃɛtre]	aurai	acheté
tu	**achèteras**	[aʃɛtra]	auras	acheté
il/elle	**achètera**	[aʃɛtra]	aura	acheté
nous	**achèterons**	[aʃɛtrɔ̃]	aurons	acheté
vous	**achèterez**	[aʃɛtre]	aurez	acheté
ils/elles	**achèteront**	[aʃɛtrɔ̃]	auront	acheté

passé simple

			passé antérieur	
j'	achetai	[aʃte]	eus	acheté
tu	achetas	[aʃta]	eus	acheté
il/elle	acheta	[aʃta]	eut	acheté
nous	achetâmes	[aʃtam]	eûmes	acheté
vous	achetâtes	[aʃtat]	eûtes	acheté
ils/elles	achetèrent	[aʃtɛr]	eurent	acheté

SUBJONCTIF

présent

que	j'	**achète**	[aʃɛt]
que	tu	**achètes**	[aʃɛt]
qu'	il/elle	**achète**	[aʃɛt]
que	nous	achetions	[aʃ(ə)tjɔ̃]
que	vous	achetiez	[aʃ(ə)tje]
qu'	ils/elles	**achètent**	[aʃɛt]

imparfait

que	j'	achetasse	[aʃtas]
que	tu	achetasses	[aʃtas]
qu'	il/elle	achetât	[aʃta]
que	nous	achetassions	[aʃtasjɔ̃]
que	vous	achetassiez	[aʃtasje]
qu'	ils/elles	achetassent	[aʃtas]

passé

que	j'	aie	acheté
que	tu	aies	acheté
qu'	il/elle	ait	acheté
que	nous	ayons	acheté
que	vous	ayez	acheté
qu'	ils/elles	aient	acheté

plus-que-parfait

que	j'	eusse	acheté
que	tu	eusses	acheté
qu'	il/elle	eût	acheté
que	nous	eussions	acheté
que	vous	eussiez	acheté
qu'	ils/elles	eussent	acheté

CONDITIONNEL

présent

			passé 1re forme	
j'	**achèterais**	[aʃɛtrɛ]	aurais	acheté
tu	**achèterais**	[aʃɛtrɛ]	aurais	acheté
il/elle	**achèterait**	[aʃɛtrɛ]	aurait	acheté
nous	**achèterions**	[aʃɛtərjɔ̃]	aurions	acheté
vous	**achèteriez**	[aʃɛtərje]	auriez	acheté
ils/elles	**achèteraient**	[aʃɛtrɛ]	auraient	acheté

passé 2e forme

mêmes formes que le subjonctif plus-que-parfait

IMPÉRATIF

présent		passé	
achète	[aʃɛt]	aie	acheté
achetons	[aʃtɔ̃]	ayons	acheté
achetez	[aʃte]	ayez	acheté

Suivent ce modèle : *racheter* et quelques autres verbes en **-eter** (*bégueter, corseter, crocheter, fileter, fureter, haleter*...).

28 PAYER(1)

1ER GROUPE

[peje]

Bases :
PAY-
PAI-

- La base **pai**- sert à construire les formes dont la terminaison commence par un -**e**- muet.
- -**y**- + -**i**- aux 1re et 2e pers. du plur. à l'indicatif imparfait et au subjonctif présent.
- Ce verbe peut se conjuguer de deux façons (voir aussi tableau 29), mais celle-ci est la plus employée.

INFINITIF

présent	passé
payer [peje]	avoir payé

PARTICIPE

présent	passé
payant [pejɑ̃]	payé/ée, payés/ées [peje] ayant payé

INDICATIF

présent

je	**paie**	[pɛ]
tu	**paies**	[pɛ]
il/elle	**paie**	[pɛ]
nous	payons	[pejɔ̃]
vous	payez	[peje]
ils/elles	**paient**	[pɛ]

passé composé

ai	payé
as	payé
a	payé
avons	payé
avez	payé
ont	payé

imparfait

je	payais	[pejɛ]
tu	payais	[pejɛ]
il/elle	payait	[pejɛ]
nous	**payions**	[pejjɔ̃]
vous	**payiez**	[pejje]
ils/elles	payaient	[pejɛ]

plus-que-parfait

avais	payé
avais	payé
avait	payé
avions	payé
aviez	payé
avaient	payé

futur simple

je	**paierai**	[pere]
tu	**paieras**	[pera]
il/elle	**paiera**	[pera]
nous	**paierons**	[perɔ̃]
vous	**paierez**	[pere]
ils/elles	**paieront**	[perɔ̃]

futur antérieur

aurai	payé
auras	payé
aura	payé
aurons	payé
aurez	payé
auront	payé

passé simple

je	payai	[peje]
tu	payas	[peja]
il/elle	paya	[peja]
nous	payâmes	[pejam]
vous	payâtes	[pejat]
ils/elles	payèrent	[pejɛr]

passé antérieur

eus	payé
eus	payé
eut	payé
eûmes	payé
eûtes	payé
eurent	payé

SUBJONCTIF

présent

que	je	**paie**	[pɛ]
que	tu	**paies**	[pɛ]
qu'	il/elle	**paie**	[pɛ]
que	nous	**payions**	[pejjɔ]
que	vous	**payiez**	[pejje]
qu'	ils/elles	**paient**	[pɛ]

imparfait

que	je	payasse	[pejas]
que	tu	payasses	[pejas]
qu'	il/elle	payât	[peja]
que	nous	payassions	[pejasjɔ̃]
que	vous	payassiez	[pejasje]
qu'	ils/elles	payassent	[pejas]

passé

que	j'	aie	payé
que	tu	aies	payé
qu'	il/elle	ait	payé
que	nous	ayons	payé
que	vous	ayez	payé
qu'	ils/elles	aient	payé

plus-que-parfait

que	j'	eusse	payé
que	tu	eusses	payé
qu'	il/elle	eût	payé
que	nous	eussions	payé
que	vous	eussiez	payé
qu'	ils/elles	eussent	payé

CONDITIONNEL

présent

je	**paierais**	[perɛ]
tu	**paierais**	[perɛ]
il/elle	**paierait**	[perɛ]
nous	**paierions**	[perjɔ̃]
vous	**paieriez**	[perje]
ils/elles	**paieraient**	[perɛ]

passé 1re forme

aurais	payé
aurais	payé
aurait	payé
aurions	payé
auriez	payé
auraient	payé

passé 2e forme

mêmes formes que le subjonctif plus-que-parfait

IMPÉRATIF

présent		passé	
paie	[pɛ]	aie	payé
payons	[pejɔ̃]	ayons	payé
payez	[peje]	ayez	payé

Tous les verbes en -**ayer** peuvent être conjugués de deux façons, comme « payer » : *balayer, effrayer, essayer, rayer...*

- Le **-y-** de la base est présent à toutes les formes.
Il est suivi d'un **-i-** aux deux premières personnes du pluriel de l'indicatif imparfait et du subjonctif présent.

[peje]

Base :
PAY-

INFINITIF

présent	passé
payer [peje]	avoir payé

PARTICIPE

présent	passé
payant [pejɑ̃]	payé/ée, payés/ées [peje] ayant payé

INDICATIF

présent			passé composé	
je	paye	[pɛj]	ai	payé
tu	payes	[pɛj]	as	payé
il/elle	paye	[pɛj]	a	payé
nous	payons	[pejɔ̃]	avons	payé
vous	payez	[peje]	avez	payé
ils/elles	payent	[pɛj]	ont	payé

imparfait			plus-que-parfait	
je	payais	[pejɛ]	avais	payé
tu	payais	[pejɛ]	avais	payé
il/elle	payait	[pejɛ]	avait	payé
nous	**payions**	[pejjɔ̃]	avions	payé
vous	**payiez**	[pejje]	aviez	payé
ils/elles	payaient	[pejɛ]	avaient	payé

futur simple			futur antérieur	
je	payerai	[pɛjre]	aurai	payé
tu	payeras	[pɛjra]	auras	payé
il/elle	payera	[pɛjra]	aura	payé
nous	payerons	[pɛjrɔ̃]	aurons	payé
vous	payerez	[pɛjre]	aurez	payé
ils/elles	payeront	[pɛjrɔ̃]	auront	payé

passé simple			passé antérieur	
je	payai	[peje]	eus	payé
tu	payas	[peja]	eus	payé
il/elle	paya	[peja]	eut	payé
nous	payâmes	[pejam]	eûmes	payé
vous	payâtes	[pejat]	eûtes	payé
ils/elles	payèrent	[pejɛr]	eurent	payé

SUBJONCTIF

présent			
que	je	paye	[pɛj]
que	tu	payes	[pɛj]
qu'	il/elle	paye	[pɛj]
que	nous	**payions**	[pejjɔ̃]
que	vous	**payiez**	[pejje]
qu'	ils/elles	payent	[pɛj]

imparfait			
que	je	payasse	[pejas]
que	tu	payasses	[pejas]
qu'	il/elle	payât	[peja]
que	nous	payassions	[pejasjɔ̃]
que	vous	payassiez	[pejasje]
qu'	ils/elles	payassent	[pejas]

passé			
que	j'	aie	payé
que	tu	aies	payé
qu'	il/elle	ait	payé
que	nous	ayons	payé
que	vous	ayez	payé
qu'	ils/elles	aient	payé

plus-que-parfait			
que	j'	eusse	payé
que	tu	eusses	payé
qu'	il/elle	eût	payé
que	nous	eussions	payé
que	vous	eussiez	payé
qu'	ils/elles	eussent	payé

CONDITIONNEL

présent			passé 1re forme	
je	payerais	[pɛjrɛ]	aurais	payé
tu	payerais	[pɛjrɛ]	aurais	payé
il/elle	payerait	[pɛjrɛ]	aurait	payé
nous	payerions	[pɛjərjɔ̃]	aurions	payé
vous	payeriez	[pɛjərje]	auriez	payé
ils/elles	payeraient	[pɛjrɛ]	auraient	payé

passé 2e forme

mêmes formes que le subjonctif plus-que-parfait

IMPÉRATIF

présent		passé	
paye	[pɛj]	aie	payé
payons	[pejɔ̃]	ayons	payé
payez	[peje]	ayez	payé

Suivent ce modèle : les rares verbes en **-eyer** (*capeyer, faseyer, grasseyer, langueyer*).

30 EMPLOYER

1ER GROUPE

[ɑ̃plwaje]

Bases :
EMPLOY-
EMPLOI-

- La base **emploi-** sert obligatoirement à construire les formes dont la terminaison commence par un **-e-** muet.
- **-y-** + **-i-** aux 1re et 2e pers. du pluriel à l'indicatif imparfait et au subjonctif présent.

INFINITIF

présent	passé
employer [ɑ̃plwaje]	avoir employé

PARTICIPE

présent	passé
employant [ɑ̃plwajɑ̃]	employé/ée, employés/ées [ɑ̃plwaje] ayant employé

INDICATIF

présent			passé composé	
j'	**emploie**	[-wa]	ai	employé
tu	**emploies**	[-wa]	as	employé
il/elle	**emploie**	[-wa]	a	employé
nous	employons	[-wajɔ̃]	avons	employé
vous	employez	[-waje]	avez	employé
ils/elles	**emploient**	[-wa]	ont	employé

imparfait			plus-que-parfait	
j'	employais	[-wajɛ]	avais	employé
tu	employais	[-wajɛ]	avais	employé
il/elle	employait	[-wajɛ]	avait	employé
nous	**employions**	[-wajjɔ̃]	avions	employé
vous	**employiez**	[-wajje]	aviez	employé
ils/elles	employaient	[-wajɛ]	avaient	employé

futur simple			futur antérieur	
j'	**emploierai**	[-ware]	aurai	employé
tu	**emploieras**	[-wara]	auras	employé
il/elle	**emploiera**	[-wara]	aura	employé
nous	**emploierons**	[-warɔ̃]	aurons	employé
vous	**emploierez**	[-ware]	aurez	employé
ils/elles	**emploieront**	[-warɔ̃]	auront	employé

passé simple			passé antérieur	
j'	employai	[-waje]	eus	employé
tu	employas	[-waja]	eus	employé
il/elle	employa	[-waja]	eut	employé
nous	employâmes	[-wajam]	eûmes	employé
vous	employâtes	[-wajat]	eûtes	employé
ils/elles	employèrent	[-wajɛr]	eurent	employé

SUBJONCTIF

présent			
que	j'	**emploie**	[-wa]
que	tu	**emploies**	[-wa]
qu'	il/elle	**emploie**	[-wa]
que	nous	**employions**	[-wajjɔ̃]
que	vous	**employiez**	[-wajje]
qu'	ils/elles	**emploient**	[-wa]

imparfait			
que	j'	employasse	[-wajas]
que	tu	employasses	[-wajas]
qu'	il/elle	employât	[-waja]
que	nous	employassions	[-wajasjɔ̃]
que	vous	employassiez	[-wajasje]
qu'	ils/elles	employassent	[-wajas]

passé			
que	j'	aie	employé
que	tu	aies	employé
qu'	il/elle	ait	employé
que	nous	ayons	employé
que	vous	ayez	employé
qu'	ils/elles	aient	employé

plus-que-parfait			
que	j'	eusse	employé
que	tu	eusses	employé
qu'	il/elle	eût	employé
que	nous	eussions	employé
que	vous	eussiez	employé
qu'	ils/elles	eussent	employé

CONDITIONNEL

présent			passé 1re forme	
j'	**emploierais**	[-warɛ]	aurais	employé
tu	**emploierais**	[-warɛ]	aurais	employé
il/elle	**emploierait**	[-warɛ]	aurait	employé
nous	**emploierions**	[-warjɔ̃]	aurions	employé
vous	**emploieriez**	[-warje]	auriez	employé
ils/elles	**emploieraient**	[-warɛ]	auraient	employé

passé 2e forme

mêmes formes que le subjonctif plus-que-parfait

IMPÉRATIF

présent		passé	
emploie	[-wa]	aie	employé
employons	[-wajɔ̃]	ayons	employé
employez	[-waje]	ayez	employé

Suivent ce modèle : tous les verbes en **-oyer** (*aboyer, nettoyer, tutoyer...*) **sauf envoyer** qui est irrégulier (voir tableau 32).

[esɥije]

Bases :
ESSUY-
ESSUI-

- C'est la base **essui**- qui sert obligatoirement à construire les formes dont la terminaison commence par un -**e**- muet.
- -**y**- + -**i**- aux 1re et 2e pers. du pluriel à l'indicatif imparfait et au subjonctif présent.

INFINITIF

présent	passé
essuyer [esɥije]	avoir essuyé

PARTICIPE

présent	passé
essuyant [esɥijɑ̃]	essuyé/ée, essuyés/ées [esɥije] ayant essuyé

INDICATIF

présent			passé composé	
j'	**essuie**	[esɥi]	ai	essuyé
tu	**essuies**	[esɥi]	as	essuyé
il/elle	**essuie**	[esɥi]	a	essuyé
nous	essuyons	[esɥijɔ̃]	avons	essuyé
vous	essuyez	[esɥije]	avez	essuyé
ils/elles	**essuient**	[esɥi]	ont	essuyé

imparfait			plus-que-parfait	
j'	essuyais	[esɥijɛ]	avais	essuyé
tu	essuyais	[esɥijɛ]	avais	essuyé
il/elle	essuyait	[esɥijɛ]	avait	essuyé
nous	**essuyions**	[esɥijjɔ̃]	avions	essuyé
vous	**essuyiez**	[esɥijje]	aviez	essuyé
ils/elles	essuyaient	[esɥijɛ]	avaient	essuyé

futur simple			futur antérieur	
j'	**essuierai**	[esɥire]	aurai	essuyé
tu	**essuieras**	[esɥira]	auras	essuyé
il/elle	**essuiera**	[esɥira]	aura	essuyé
nous	**essuierons**	[esɥirɔ̃]	aurons	essuyé
vous	**essuierez**	[esɥire]	aurez	essuyé
ils/elles	**essuieront**	[esɥirɔ̃]	auront	essuyé

passé simple			passé antérieur	
j'	essuyai	[esɥije]	eus	essuyé
tu	essuyas	[esɥija]	eus	essuyé
il/elle	essuya	[esɥija]	eut	essuyé
nous	essuyâmes	[esɥijam]	eûmes	essuyé
vous	essuyâtes	[esɥijat]	eûtes	essuyé
ils/elles	essuyèrent	[esɥijɛr]	eurent	essuyé

SUBJONCTIF

présent			
que	j'	**essuie**	[esɥi]
que	tu	**essuies**	[esɥi]
qu'	il/elle	**essuie**	[esɥi]
que	nous	**essuyions**	[esɥijjɔ̃]
que	vous	**essuyiez**	[esɥijje]
qu'	ils/elles	**essuient**	[esɥi]

imparfait			
que	j'	essuyasse	[esɥijas]
que	tu	essuyasses	[esɥijas]
qu'	il/elle	essuyât	[esɥija]
que	nous	essuyassions	[esɥijasjɔ̃]
que	vous	essuyassiez	[esɥijasje]
qu'	ils/elles	essuyassent	[esɥijas]

passé			
que	j'	aie	essuyé
que	tu	aies	essuyé
qu'	il/elle	ait	essuyé
que	nous	ayons	essuyé
que	vous	ayez	essuyé
qu'	ils/elles	aient	essuyé

plus-que-parfait			
que	j'	eusse	essuyé
que	tu	eusses	essuyé
qu'	il/elle	eût	essuyé
que	nous	eussions	essuyé
que	vous	eussiez	essuyé
qu'	ils/elles	eussent	essuyé

CONDITIONNEL

présent			passé 1re forme	
j'	**essuierais**	[esɥirɛ]	aurais	essuyé
tu	**essuierais**	[esɥirɛ]	aurais	essuyé
il/elle	**essuierait**	[esɥirɛ]	aurait	essuyé
nous	**essuierions**	[esɥirjɔ̃]	aurions	essuyé
vous	**essuieriez**	[esɥirje]	auriez	essuyé
ils/elles	**essuieraient**	[esɥirɛ]	auraient	essuyé

passé 2e forme

mêmes formes que le subjonctif plus-que-parfait

IMPÉRATIF

présent		passé	
essuie	[esɥi]	aie	essuyé
essuyons	[esɥijɔ̃]	ayons	essuyé
essuyez	[esɥije]	ayez	essuyé

Suivent ce modèle : les quelques verbes en -**uyer** (*appuyer, ennuyer, désennuyer, ressuyer*).

32 ENVOYER

1ER GROUPE

[ɑ̃vwaje]

Bases :
ENVOY-
ENVOI-
ENVERR-

- L'indicatif futur et le conditionnel présent sont construits sur le modèle du verbe « voir » (tableau 51), à l'aide de la base **enverr-**.
- Aux autres formes, mêmes particularités que le verbe « employer » (tableau 30).

INFINITIF

présent	passé
envoyer [ɑ̃vwaje]	avoir envoyé

PARTICIPE

présent	passé
envoyant [ɑ̃vwajɑ̃]	envoyé/ée, envoyés/ées [ɑ̃vwaje] ayant envoyé

INDICATIF

présent

j'	envoie	[ɑ̃vwa]
tu	envoies	[ɑ̃vwa]
il/elle	envoie	[ɑ̃vwa]
nous	envoyons	[ɑ̃vwajɔ̃]
vous	envoyez	[ɑ̃vwaje]
ils/elles	envoient	[ɑ̃vwa]

passé composé

ai	envoyé
as	envoyé
a	envoyé
avons	envoyé
avez	envoyé
ont	envoyé

imparfait

j'	envoyais	[ɑ̃vwajɛ]
tu	envoyais	[ɑ̃vwajɛ]
il/elle	envoyait	[ɑ̃vwajɛ]
nous	**envoyions**	[ɑ̃vwajjɔ̃]
vous	**envoyiez**	[ɑ̃vwajje]
ils/elles	envoyaient	[ɑ̃vwajɛ]

plus-que-parfait

avais	envoyé
avais	envoyé
avait	envoyé
avions	envoyé
aviez	envoyé
avaient	envoyé

futur simple

j'	**enverrai**	[ɑ̃vere]
tu	**enverras**	[ɑ̃vera]
il/elle	**enverra**	[ɑ̃vera]
nous	**enverrons**	[ɑ̃verɔ̃]
vous	**enverrez**	[ɑ̃vere]
ils/elles	**enverront**	[ɑ̃verɔ̃]

futur antérieur

aurai	envoyé
auras	envoyé
aura	envoyé
aurons	envoyé
aurez	envoyé
auront	envoyé

passé simple

j'	envoyai	[ɑ̃vwaje]
tu	envoyas	[ɑ̃vwaja]
il/elle	envoya	[ɑ̃vwaja]
nous	envoyâmes	[ɑ̃vwajam]
vous	envoyâtes	[ɑ̃vwajat]
ils/elles	envoyèrent	[ɑ̃vwajɛr]

passé antérieur

eus	envoyé
eus	envoyé
eut	envoyé
eûmes	envoyé
eûtes	envoyé
eurent	envoyé

SUBJONCTIF

présent

que	j'	envoie	[ɑ̃vwa]
que	tu	envoies	[ɑ̃vwa]
qu'	il/elle	envoie	[ɑ̃vwa]
que	nous	**envoyions**	[ɑ̃vwajjɔ̃]
que	vous	**envoyiez**	[ɑ̃vwajje]
qu'	ils/elles	envoient	[ɑ̃vwa]

imparfait

que	j'	envoyasse	[ɑ̃vwajas]
que	tu	envoyasses	[ɑ̃vwajas]
qu'	il/elle	envoyât	[ɑ̃vwaja]
que	nous	envoyassions	[ɑ̃vwajasjɔ̃]
que	vous	envoyassiez	[ɑ̃vwajasje]
qu'	ils/elles	envoyassent	[ɑ̃vwajas]

passé

que	j'	aie	envoyé
que	tu	aies	envoyé
qu'	il/elle	ait	envoyé
que	nous	ayons	envoyé
que	vous	ayez	envoyé
qu'	ils/elles	aient	envoyé

plus-que-parfait

que	j'	eusse	envoyé
que	tu	eusses	envoyé
qu'	il/elle	eût	envoyé
que	nous	eussions	envoyé
que	vous	eussiez	envoyé
qu'	ils/elles	eussent	envoyé

CONDITIONNEL

présent

j'	**enverrais**	[ɑ̃verɛ]
tu	**enverrais**	[ɑ̃verɛ]
il/elle	**enverrait**	[ɑ̃verɛ]
nous	**enverrions**	[ɑ̃verjɔ̃]
vous	**enverriez**	[ɑ̃verje]
ils/elles	**enverraient**	[ɑ̃verɛ]

passé 1re forme

aurais	envoyé
aurais	envoyé
aurait	envoyé
aurions	envoyé
auriez	envoyé
auraient	envoyé

passé 2e forme

mêmes formes que le subjonctif plus-que-parfait

IMPÉRATIF

présent		passé	
envoie	[ɑ̃vwa]	aie	envoyé
envoyons	[ɑ̃vwajɔ̃]	ayons	envoyé
envoyez	[ɑ̃vwaje]	ayez	envoyé

Se conjugue sur ce modèle : *renvoyer*, dérivé de « envoyer ». Mais les deux dérivés *convoyer* et *dévoyer* se conjuguent comme « employer » (tableau 30).

• Deux prononciations et deux orthographes possibles pour certaines formes de ce verbe peu employé.

[arg(ɥ)e]

Bases :
ARGU-[arg]
ARGU-[argy]

INFINITIF

présent	passé
arguer [arg(ɥ)e]	avoir argué

PARTICIPE

présent	passé
arguant [arg(ɥ)ɑ̃]	argué/ée, argués/ées [arg(ɥ)e] ayant argué

INDICATIF

présent

j'	argue	[arg]	ai	argué
	arguë	[argy]		
tu	argues	[arg]	as	argué
	arguës	[argy]		
il/elle	argue	[arg]	a	argué
	arguë	[argy]		
nous	arguons	[arg(ɥ)ɔ̃]	avons	argué
vous	arguez	[arg(ɥ)e]	avez	argué
ils/elles	arguent	[arg]	ont	argué
	arguënt	[argy]		

(passé composé in the right columns)

imparfait			plus-que-parfait	
j'	arguais	[arg(ɥ)ɛ]	avais	argué
tu	arguais	[arg(ɥ)ɛ]	avais	argué
il/elle	arguait	[arg(ɥ)ɛ]	avait	argué
nous	arguions	[arg(y)jɔ̃]	avions	argué
vous	arguiez	[arg(y)je]	aviez	argué
ils/elles	arguaient	[arg(ɥ)ɛ]	avaient	argué

futur simple			futur antérieur	
j'	arguerai	[argəre]	aurai	argué
	arguërai	[argyre]		
tu	argueras	[argəra]	auras	argué
	arguëras	[argyra]		
il/elle	arguera	[argəra]	aura	argué
	arguëra	[argyra]		
nous	arguerons	[argərɔ̃]	aurons	argué
	arguërons	[argyrɔ̃]		
vous	arguerez	[argəre]	aurez	argué
	arguërez	[argyre]		
ils/elles	argueront	[argərɔ̃]	auront	argué
	arguëront	[argyrɔ̃]		

passé simple			passé antérieur	
j'	arguai	[arg(ɥ)e]	eus	argué
tu	arguas	[arg(ɥ)a]	eus	argué
il/elle	argua	[arg(ɥ)a]	eut	argué
nous	arguâmes	[arg(ɥ)am]	eûmes	argué
vous	arguâtes	[arg(ɥ)at]	eûtes	argué
ils/elles	arguèrent	[arg(ɥ)ɛr]	eurent	argué

SUBJONCTIF

présent

que	j'	argue	[arg]
		arguë	[argy]
que	tu	argues	[arg]
		arguës	[argy]
qu'	il/elle	argue	[arg]
		arguë	[argy]
que	nous	arguions	[arg(y)jɔ̃]
que	vous	arguiez	[arg(y)je]
qu'	ils/elles	arguent	[arg]
		arguënt	[argy]

imparfait

que	j'	arguasse	[arg(ɥ)as]
que	tu	arguasses	[arg(ɥ)as]
qu'	il/elle	arguât	[arg(ɥ)a]
que	nous	arguassions	[arg(ɥ)asjɔ̃]
que	vous	arguassiez	[arg(ɥ)asje]
qu'	ils/elles	arguassent	[arg(ɥ)as]

passé

que	j'	aie	argué
que	tu	aies	argué
qu'	il/elle	ait	argué
que	nous	ayons	argué
que	vous	ayez	argué
qu'	ils/elles	aient	argué

plus-que-parfait

que	j'	eusse	argué
que	tu	eusses	argué
qu'	il/elle	eût	argué
que	nous	eussions	argué
que	vous	eussiez	argué
qu'	ils/elles	eussent	argué

IMPÉRATIF

présent		passé	
argue	[arg]	aie	argué
arguë	[argy]		
arguons	[arg(ɥ)ɔ̃]	ayons	argué
arguez	[arg(ɥ)e]	ayez	argué

CONDITIONNEL

présent

j'	arguerais	[argərɛ]	nous	arguerions	[argərjɔ̃]
	arguërais	[argyrɛ]		arguërions	[argyrjɔ̃]
tu	arguerais	[argərɛ]	vous	argueriez	[argərje]
	arguërais	[argyrɛ]		arguëriez	[argyrje]
il/elle	arguerait	[argərɛ]	ils/elles	argueraient	[argərɛ]
	arguërait	[argyrɛ]		arguëraient	[argyrɛ]

passé 1re forme

j'	aurais	argué
tu	aurais	argué
il/elle	aurait	argué
nous	aurions	argué
vous	auriez	argué
ils/elles	auraient	argué

passé 2e forme : *mêmes formes que le subjonctif plus-que-parfait*

34 FINIR

2E GROUPE

[finir]

Base :
FIN-

- Modèle de conjugaison régulière du 2e groupe (infinitif en -**ir**, participe présent en -**issant**).

INFINITIF

présent	passé
finir [finir]	avoir fini

PARTICIPE

présent	passé
finissant [finisɑ̃]	fini/ie, finis/ies [fini] ayant fini

INDICATIF

présent

je	finis	[fini]
tu	finis	[fini]
il/elle	finit	[fini]
nous	finissons	[finisɔ̃]
vous	finissez	[finise]
ils/elles	finissent	[finis]

passé composé

ai	fini
as	fini
a	fini
avons	fini
avez	fini
ont	fini

imparfait

je	finissais	[finisɛ]
tu	finissais	[finisɛ]
il/elle	finissait	[finisɛ]
nous	finissions	[finisjɔ̃]
vous	finissiez	[finisje]
ils/elles	finissaient	[finisɛ]

plus-que-parfait

avais	fini
avais	fini
avait	fini
avions	fini
aviez	fini
avaient	fini

futur simple

je	finirai	[finire]
tu	finiras	[finira]
il/elle	finira	[finira]
nous	finirons	[finirɔ̃]
vous	finirez	[finire]
ils/elles	finiront	[finirɔ̃]

futur antérieur

aurai	fini
auras	fini
aura	fini
aurons	fini
aurez	fini
auront	fini

passé simple

je	finis	[fini]
tu	finis	[fini]
il/elle	finit	[fini]
nous	finîmes	[finim]
vous	finîtes	[finit]
ils/elles	finirent	[finir]

passé antérieur

eus	fini
eus	fini
eut	fini
eûmes	fini
eûtes	fini
eurent	fini

SUBJONCTIF

présent

que	je	finisse	[finis]
que	tu	finisses	[finis]
qu'	il/elle	finisse	[finis]
que	nous	finissions	[finisjɔ̃]
que	vous	finissiez	[finisje]
qu'	ils/elles	finissent	[finis]

imparfait

que	je	finisse	[finis]
que	tu	finisses	[finis]
qu'	il/elle	finît	[fini]
que	nous	finissions	[finisjɔ̃]
que	vous	finissiez	[finisje]
qu'	ils/elles	finissent	[finis]

passé

que	j'	aie	fini
que	tu	aies	fini
qu'	il/elle	ait	fini
que	nous	ayons	fini
que	vous	ayez	fini
qu'	ils/elles	aient	fini

plus-que-parfait

que	j'	eusse	fini
que	tu	eusses	fini
qu'	il/elle	eût	fini
que	nous	eussions	fini
que	vous	eussiez	fini
qu'	ils/elles	eussent	fini

CONDITIONNEL

présent

je	finirais	[finirɛ]
tu	finirais	[finirɛ]
il/elle	finirait	[finirɛ]
nous	finirions	[finirjɔ̃]
vous	finiriez	[finirje]
ils/elles	finiraient	[finirɛ]

passé 1re forme

aurais	fini
aurais	fini
aurait	fini
aurions	fini
auriez	fini
auraient	fini

passé 2e forme

mêmes formes que le subjonctif plus-que-parfait

IMPÉRATIF

présent		passé	
finis	[fini]	aie	fini
finissons	[finisɔ̃]	ayons	fini
finissez	[finise]	ayez	fini

Bénir a un 2nd p.p. : **bénit, bénite**, utilisé dans les expressions religieuses figées (*eau bénite*).
Fleurir au sens de « prospérer » forme son part. prés. et son ind. imparf. sur une 2nde base : **flor-** (*florissant, florissait*).

- Tréma partout sauf aux 3 personnes du singulier de l'indicatif présent et à la 2e pers. du singulier de l'impératif présent.
- Pas d'accent circonflexe aux 1re et 2e pers. du pluriel du passé simple et à la 3e pers. du singulier du subjonctif imparfait.

[air]

Bases :
HAÏ-
HAI-

INFINITIF

présent	passé
haïr [air]	avoir haï

PARTICIPE

présent	passé
haïssant [aisɑ̃]	haï/ïe, haïs/ïes [ai] ayant haï

INDICATIF

présent			passé composé	
je	**hais**	[ɛ]	ai	haï
tu	**hais**	[ɛ]	as	haï
il/elle	**hait**	[ɛ]	a	haï
nous	haïssons	[aisɔ̃]	avons	haï
vous	haïssez	[aise]	avez	haï
ils/elles	haïssent	[ais]	ont	haï
imparfait			**plus-que-parfait**	
je	haïssais	[aisɛ]	avais	haï
tu	haïssais	[aisɛ]	avais	haï
il/elle	haïssait	[aisɛ]	avait	haï
nous	haïssions	[aisjɔ̃]	avions	haï
vous	haïssiez	[aisje]	aviez	haï
ils/elles	haïssaient	[aisɛ]	avaient	haï
futur simple			**futur antérieur**	
je	haïrai	[aire]	aurai	haï
tu	haïras	[aira]	auras	haï
il/elle	haïra	[aira]	aura	haï
nous	haïrons	[airɔ̃]	aurons	haï
vous	haïrez	[aire]	aurez	haï
ils/elles	haïront	[airɔ̃]	auront	haï
passé simple			**passé antérieur**	
je	haïs	[ai]	eus	haï
tu	haïs	[ai]	eus	haï
il/elle	haït	[ai]	eut	haï
nous	**haïmes**	[aim]	eûmes	haï
vous	**haïtes**	[ait]	eûtes	haï
ils/elles	haïrent	[air]	eurent	haï

SUBJONCTIF

présent			
que	je	haïsse	[ais]
que	tu	haïsses	[ais]
qu'	il/elle	haïsse	[ais]
que	nous	haïssions	[aisjɔ̃]
que	vous	haïssiez	[aisje]
qu'	ils/elles	haïssent	[ais]
imparfait			
que	je	haïsse	[ais]
que	tu	haïsses	[ais]
qu'	il/elle	**haït**	[ai]
que	nous	haïssions	[aisjɔ̃]
que	vous	haïssiez	[aisje]
qu'	ils/elles	haïssent	[ais]
passé			
que	j'	aie	haï
que	tu	aies	haï
qu'	il/elle	ait	haï
que	nous	ayons	haï
que	vous	ayez	haï
qu'	ils/elles	aient	haï
plus-que-parfait			
que	j'	eusse	haï
que	tu	eusses	haï
qu'	il/elle	eût	haï
que	nous	eussions	haï
que	vous	eussiez	haï
qu'	ils/elles	eussent	haï

CONDITIONNEL

présent			passé 1re forme	
je	haïrais	[airɛ]	aurais	haï
tu	haïrais	[airɛ]	aurais	haï
il/elle	haïrait	[airɛ]	aurait	haï
nous	haïrions	[airjɔ̃]	aurions	haï
vous	haïriez	[airje]	auriez	haï
ils/elles	haïraient	[airɛ]	auraient	haï

passé 2e forme

mêmes formes que le subjonctif plus-que-parfait

IMPÉRATIF

présent		passé	
hais	[ɛ]	aie	haï
haïssons	[aisɔ̃]	ayons	haï
haïssez	[aise]	ayez	haï

S'entre-haïr suit ce modèle mais forme ses temps composés avec « être », comme tout verbe pronominal.

36 PARTIR

3E GROUPE

[partir]

Bases :
PART-
PAR-

- Les trois personnes du singulier de l'indicatif présent et la 2e pers. du singulier de l'impératif présent sont formées sur la base courte **par**-.
- Modèle de conjugaison régulière du 3e groupe (participe présent en -**ant**, infinitif autre que -**er**) pour les verbes dont les temps composés sont formés avec « être » (voir « Répertoire »).

INFINITIF

présent	passé
partir [partir]	être parti/ie/is/ies

PARTICIPE

présent	passé
partant [partɑ̃]	parti/ie, partis/ies [parti] étant parti/ie/is/ies

INDICATIF

présent			passé composé	
je	**pars**	[par]	suis	parti/ie
tu	**pars**	[par]	es	parti/ie
il/elle	**part**	[par]	est	parti/ie
nous	partons	[partɔ̃]	sommes	partis/ies
vous	partez	[parte]	êtes	partis/ies
ils/elles	partent	[part]	sont	partis/ies
imparfait			**plus-que-parfait**	
je	partais	[partɛ]	étais	parti/ie
tu	partais	[partɛ]	étais	parti/ie
il/elle	partait	[partɛ]	était	parti/ie
nous	partions	[partjɔ̃]	étions	partis/ies
vous	partiez	[partje]	étiez	partis/ies
ils/elles	partaient	[partɛ]	étaient	partis/ies
futur simple			**futur antérieur**	
je	partirai	[partire]	serai	parti/ie
tu	partiras	[partira]	seras	parti/ie
il/elle	partira	[partira]	sera	parti/ie
nous	partirons	[partirɔ̃]	serons	partis/ies
vous	partirez	[partire]	serez	partis/ies
ils/elles	partiront	[partirɔ̃]	seront	partis/ies
passé simple			**passé antérieur**	
je	partis	[parti]	fus	parti/ie
tu	partis	[parti]	fus	parti/ie
il/elle	partit	[parti]	fut	parti/ie
nous	partîmes	[partim]	fûmes	partis/ies
vous	partîtes	[partit]	fûtes	partis/ies
ils/elles	partirent	[partir]	furent	partis/ies

SUBJONCTIF

présent			
que	je	parte	[part]
que	tu	partes	[part]
qu'	il/elle	parte	[part]
que	nous	partions	[partjɔ̃]
que	vous	partiez	[partje]
qu'	ils/elles	partent	[part]
imparfait			
que	je	partisse	[partis]
que	tu	partisses	[partis]
qu'	il/elle	partît	[parti]
que	nous	partissions	[partisjɔ̃]
que	vous	partissiez	[partisje]
qu'	ils/elles	partissent	[partis]
passé			
que	je	sois	parti/ie
que	tu	sois	parti/ie
qu'	il/elle	soit	parti/ie
que	nous	soyons	partis/ies
que	vous	soyez	partis/ies
qu'	ils/elles	soient	partis/ies
plus-que-parfait			
que	je	fusse	parti/ie
que	tu	fusses	parti/ie
qu'	il/elle	fût	parti/ie
que	nous	fussions	partis/ies
que	vous	fussiez	partis/ies
qu'	ils/elles	fussent	partis/ies

CONDITIONNEL

présent			passé 1re forme	
je	partirais	[partirɛ]	serais	parti/ie
tu	partirais	[partirɛ]	serais	parti/ie
il/elle	partirait	[partirɛ]	serait	parti/ie
nous	partirions	[partirjɔ̃]	serions	partis/ies
vous	partiriez	[partirje]	seriez	partis/ies
ils/elles	partiraient	[partirɛ]	seraient	partis/ies

passé 2e forme

mêmes formes que le subjonctif plus-que-parfait

IMPÉRATIF

présent		passé	
pars	[par]	sois	parti/ie
partons	[partɔ̃]	soyons	partis/ies
partez	[parte]	soyez	partis/ies

Beaucoup de verbes en -**tir** suivent ce modèle. Mais **répartir** (= distribuer), **impartir**, **assortir** (et parfois **départir**) se conjuguent sur le modèle de « finir » (2e groupe, tableau 34).

[dɔrmir]

Bases :
DORM-
DOR-

- Participe passé invariable.
- Les trois personnes du singulier de l'indicatif présent et la 2e pers. du singulier de l'impératif présent sont formées sur la base courte **dor**-.

INFINITIF

présent	passé
dormir [dɔrmir]	avoir dormi

PARTICIPE

présent	passé
dormant [dɔrmɑ̃]	**dormi** [dɔrmi] ayant dormi

INDICATIF

présent			passé composé	
je	**dors**	[dɔr]	ai	dormi
tu	**dors**	[dɔr]	as	dormi
il/elle	**dort**	[dɔr]	a	dormi
nous	dormons	[dɔrmɔ̃]	avons	dormi
vous	dormez	[dɔrme]	avez	dormi
ils/elles	dorment	[dɔrm]	ont	dormi

imparfait			plus-que-parfait	
je	dormais	[dɔrmɛ]	avais	dormi
tu	dormais	[dɔrmɛ]	avais	dormi
il/elle	dormait	[dɔrmɛ]	avait	dormi
nous	dormions	[dɔrmjɔ̃]	avions	dormi
vous	dormiez	[dɔrmje]	aviez	dormi
ils/elles	dormaient	[dɔrmɛ]	avaient	dormi

futur simple			futur antérieur	
je	dormirai	[dɔrmire]	aurai	dormi
tu	dormiras	[dɔrmira]	auras	dormi
il/elle	dormira	[dɔrmira]	aura	dormi
nous	dormirons	[dɔrmirɔ̃]	aurons	dormi
vous	dormirez	[dɔrmire]	aurez	dormi
ils/elles	dormiront	[dɔrmirɔ̃]	auront	dormi

passé simple			passé antérieur	
je	dormis	[dɔrmi]	eus	dormi
tu	dormis	[dɔrmi]	eus	dormi
il/elle	dormit	[dɔrmi]	eut	dormi
nous	dormîmes	[dɔrmim]	eûmes	dormi
vous	dormîtes	[dɔrmit]	eûtes	dormi
ils/elles	dormirent	[dɔrmir]	eurent	dormi

SUBJONCTIF

présent			
que	je	dorme	[dɔrm]
que	tu	dormes	[dɔrm]
qu'	il/elle	dorme	[dɔrm]
que	nous	dormions	[dɔrmjɔ̃]
que	vous	dormiez	[dɔrmje]
qu'	ils/elles	dorment	[dɔrm]

imparfait			
que	je	dormisse	[dɔrmis]
que	tu	dormisses	[dɔrmis]
qu'	il/elle	dormît	[dɔrmi]
que	nous	dormissions	[dɔrmisjɔ̃]
que	vous	dormissiez	[dɔrmisje]
qu'	ils/elles	dormissent	[dɔrmis]

passé			
que	j'	aie	dormi
que	tu	aies	dormi
qu'	il/elle	ait	dormi
que	nous	ayons	dormi
que	vous	ayez	dormi
qu'	ils/elles	aient	dormi

plus-que-parfait			
que	j'	eusse	dormi
que	tu	eusses	dormi
qu'	il/elle	eût	dormi
que	nous	eussions	dormi
que	vous	eussiez	dormi
qu'	ils/elles	eussent	dormi

CONDITIONNEL

présent			passé 1re forme	
je	dormirais	[dɔrmirɛ]	aurais	dormi
tu	dormirais	[dɔrmirɛ]	aurais	dormi
il/elle	dormirait	[dɔrmirɛ]	aurait	dormi
nous	dormirions	[dɔrmirjɔ̃]	aurions	dormi
vous	dormiriez	[dɔrmirje]	auriez	dormi
ils/elles	dormiraient	[dɔrmirɛ]	auraient	dormi

passé 2e forme

mêmes formes que le subjonctif plus-que-parfait

IMPÉRATIF

présent		passé	
dors	[dɔr]	aie	dormi
dormons	[dɔrmɔ̃]	ayons	dormi
dormez	[dɔrme]	ayez	dormi

Suivent ce modèle : *endormir* et *rendormir* (qui peuvent être transitifs et ont alors un participe passé variable : *la malade qu'il a endormie*) ; *servir, desservir* et *resservir* (mais **asservir** suit le modèle « finir », tableau 34).

38 BOUILLIR

3E GROUPE

[bujir]

Bases :
BOUILL-
BOU-

- Les trois personnes du singulier de l'indicatif présent et la 2e pers. du singulier de l'impératif présent sont formées sur la base courte **bou-**.

INFINITIF

présent	passé
bouillir [bujir]	avoir bouilli

PARTICIPE

présent	passé
bouillant [bujɑ̃]	bouilli/ie, bouillis/ies [buji] ayant bouilli

INDICATIF

présent			passé composé	
je	**bous**	[bu]	ai	bouilli
tu	**bous**	[bu]	as	bouilli
il/elle	**bout**	[bu]	a	bouilli
nous	bouillons	[bujɔ̃]	avons	bouilli
vous	bouillez	[buje]	avez	bouilli
ils/elles	bouillent	[buj]	ont	bouilli

imparfait			plus-que-parfait	
je	bouillais	[bujɛ]	avais	bouilli
tu	bouillais	[bujɛ]	avais	bouilli
il/elle	bouillait	[bujɛ]	avait	bouilli
nous	bouillions	[bujjɔ̃]	avions	bouilli
vous	bouilliez	[bujje]	aviez	bouilli
ils/elles	bouillaient	[bujɛ]	avaient	bouilli

futur simple			futur antérieur	
je	bouillirai	[bujire]	aurai	bouilli
tu	bouilliras	[bujira]	auras	bouilli
il/elle	bouillira	[bujira]	aura	bouilli
nous	bouillirons	[bujirɔ̃]	aurons	bouilli
vous	bouillirez	[bujire]	aurez	bouilli
ils/elles	bouilliront	[bujirɔ̃]	auront	bouilli

passé simple			passé antérieur	
je	bouillis	[buji]	eus	bouilli
tu	bouillis	[buji]	eus	bouilli
il/elle	bouillit	[buji]	eut	bouilli
nous	bouillîmes	[bujim]	eûmes	bouilli
vous	bouillîtes	[bujit]	eûtes	bouilli
ils/elles	bouillirent	[bujir]	eurent	bouilli

SUBJONCTIF

présent			
que	je	bouille	[buj]
que	tu	bouilles	[buj]
qu'	il/elle	bouille	[buj]
que	nous	bouillions	[bujjɔ̃]
que	vous	bouilliez	[bujje]
qu'	ils/elles	bouillent	[buj]

imparfait			
que	je	bouillisse	[bujis]
que	tu	bouillisses	[bujis]
qu'	il/elle	bouillît	[buji]
que	nous	bouillissions	[bujisjɔ̃]
que	vous	bouillissiez	[bujisje]
qu'	ils/elles	bouillissent	[bujis]

passé			
que	j'	aie	bouilli
que	tu	aies	bouilli
qu'	il/elle	ait	bouilli
que	nous	ayons	bouilli
que	vous	ayez	bouilli
qu'	ils/elles	aient	bouilli

plus-que-parfait			
que	j'	eusse	bouilli
que	tu	eusses	bouilli
qu'	il/elle	eût	bouilli
que	nous	eussions	bouilli
que	vous	eussiez	bouilli
qu'	ils/elles	eussent	bouilli

CONDITIONNEL

présent			passé 1re forme	
je	bouillirais	[bujirɛ]	aurais	bouilli
tu	bouillirais	[bujirɛ]	aurais	bouilli
il/elle	bouillirait	[bujirɛ]	aurait	bouilli
nous	bouillirions	[bujirjɔ̃]	aurions	bouilli
vous	bouilliriez	[bujirje]	auriez	bouilli
ils/elles	bouilliraient	[bujirɛ]	auraient	bouilli

passé 2e forme

mêmes formes que le subjonctif plus-que-parfait

IMPÉRATIF

présent		passé	
bous	[bu]	aie	bouilli
bouillons	[bujɔ̃]	ayons	bouilli
bouillez	[buje]	ayez	bouilli

Débouillir, seul dérivé de « bouillir », suit ce modèle.

[fɥir]

Bases :
FUI-
FUY-

- C'est la base **fuy**- (avec -**y**-) qui est utilisée pour construire les formes dont la terminaison comporte une voyelle autre qu'un -**e**- muet à l'oral.
- -**y**- + -**i**- aux 1re et 2e pers. du pluriel de l'indicatif imparfait et du subjonctif présent.

INFINITIF

présent	passé
fuir [fɥir]	avoir fui

PARTICIPE

présent	passé
fuyant [fɥijɑ̃]	fui/ie, fuis/ies [fɥi] ayant fui

INDICATIF

présent			passé composé	
je	fuis	[fɥi]	ai	fui
tu	fuis	[fɥi]	as	fui
il/elle	fuit	[fɥi]	a	fui
nous	**fuyons**	[fɥijɔ̃]	avons	fui
vous	**fuyez**	[fɥije]	avez	fui
ils/elles	fuient	[fɥi]	ont	fui

imparfait			plus-que-parfait	
je	**fuyais**	[fɥijɛ]	avais	fui
tu	**fuyais**	[fɥijɛ]	avais	fui
il/elle	**fuyait**	[fɥijɛ]	avait	fui
nous	**fuyions**	[fɥijjɔ̃]	avions	fui
vous	**fuyiez**	[fɥijje]	aviez	fui
ils/elles	**fuyaient**	[fɥijɛ]	avaient	fui

futur simple			futur antérieur	
je	fuirai	[fɥire]	aurai	fui
tu	fuiras	[fɥira]	auras	fui
il/elle	fuira	[fɥira]	aura	fui
nous	fuirons	[fɥirɔ̃]	aurons	fui
vous	fuirez	[fɥire]	aurez	fui
ils/elles	fuiront	[fɥirɔ̃]	auront	fui

passé simple			passé antérieur	
je	fuis	[fɥi]	eus	fui
tu	fuis	[fɥi]	eus	fui
il/elle	fuit	[fɥi]	eut	fui
nous	fuîmes	[fɥim]	eûmes	fui
vous	fuîtes	[fɥit]	eûtes	fui
ils/elles	fuirent	[fɥir]	eurent	fui

SUBJONCTIF

présent			
que	je	fuie	[fɥi]
que	tu	fuies	[fɥi]
qu'	il/elle	fuie	[fɥi]
que	nous	**fuyions**	[fɥijjɔ̃]
que	vous	**fuyiez**	[fɥijje]
qu'	ils/elles	fuient	[fɥi]

imparfait			
que	je	fuisse	[fɥis]
que	tu	fuisses	[fɥis]
qu'	il/elle	fuît	[fɥi]
que	nous	fuissions	[fɥisjɔ̃]
que	vous	fuissiez	[fɥisje]
qu'	ils/elles	fuissent	[fɥis]

passé			
que	j'	aie	fui
que	tu	aies	fui
qu'	il/elle	ait	fui
que	nous	ayons	fui
que	vous	ayez	fui
qu'	ils/elles	aient	fui

plus-que-parfait			
que	j'	eusse	fui
que	tu	eusses	fui
qu'	il/elle	eût	fui
que	nous	eussions	fui
que	vous	eussiez	fui
qu'	ils/elles	eussent	fui

CONDITIONNEL

présent			passé 1re forme	
je	fuirais	[fɥirɛ]	aurais	fui
tu	fuirais	[fɥirɛ]	aurais	fui
il/elle	fuirait	[fɥirɛ]	aurait	fui
nous	fuirions	[fɥirjɔ̃]	aurions	fui
vous	fuiriez	[fɥirje]	auriez	fui
ils/elles	fuiraient	[fɥirɛ]	auraient	fui

passé 2e forme

mêmes formes que le subjonctif plus-que-parfait

IMPÉRATIF

présent		passé	
fuis	[fɥi]	aie	fui
fuyons	[fɥijɔ̃]	ayons	fui
fuyez	[fɥije]	ayez	fui

S'enfuir suit ce modèle mais est conjugué avec « être » comme tout verbe pronominal.

40 REVÊTIR

3E GROUPE

[rəvetir]

Base :
REVÊT-

- Une seule base, avec un accent circonflexe partout. Trois formes simples comportent donc deux accents circonflexes : la 1re et la 2e pers. du pluriel du passé simple et la 3e pers. du singulier du subjonctif imparfait.

INFINITIF

présent	passé
revêtir [rəvetir]	avoir revêtu

PARTICIPE

présent	passé
revêtant [rəvetɑ̃]	revêtu/ue, revêtus/ues [rəvety] ayant revêtu

INDICATIF

présent			passé composé	
je	revêts	[rəvɛ]	ai	revêtu
tu	revêts	[rəvɛ]	as	revêtu
il/elle	revêt	[rəvɛ]	a	revêtu
nous	revêtons	[rəvetɔ̃]	avons	revêtu
vous	revêtez	[rəvete]	avez	revêtu
ils/elles	revêtent	[rəvɛt]	ont	revêtu

imparfait			plus-que-parfait	
je	revêtais	[rəvetɛ]	avais	revêtu
tu	revêtais	[rəvetɛ]	avais	revêtu
il/elle	revêtait	[rəvetɛ]	avait	revêtu
nous	revêtions	[rəvetjɔ̃]	avions	revêtu
vous	revêtiez	[rəvetje]	aviez	revêtu
ils/elles	revêtaient	[rəvetɛ]	avaient	revêtu

futur simple			futur antérieur	
je	revêtirai	[rəvetire]	aurai	revêtu
tu	revêtiras	[rəvetira]	auras	revêtu
il/elle	revêtira	[rəvetira]	aura	revêtu
nous	revêtirons	[rəvetirɔ̃]	aurons	revêtu
vous	revêtirez	[rəvetire]	aurez	revêtu
ils/elles	revêtiront	[rəvetirɔ̃]	auront	revêtu

passé simple			passé antérieur	
je	revêtis	[rəveti]	eus	revêtu
tu	revêtis	[rəveti]	eus	revêtu
il/elle	revêtit	[rəveti]	eut	revêtu
nous	**revêtîmes**	[rəvetim]	eûmes	revêtu
vous	**revêtîtes**	[rəvetit]	eûtes	revêtu
ils/elles	revêtirent	[rəvetir]	eurent	revêtu

SUBJONCTIF

présent			
que	je	revête	[rəvɛt]
que	tu	revêtes	[rəvɛt]
qu'	il/elle	revête	[rəvɛt]
que	nous	revêtions	[rəvetjɔ̃]
que	vous	revêtiez	[rəvetje]
qu'	ils/elles	revêtent	[rəvɛt]

imparfait			
que	je	revêtisse	[rəvetis]
que	tu	revêtisses	[rəvetis]
qu'	il/elle	**revêtît**	[rəveti]
que	nous	revêtissions	[rəvetisjɔ̃]
que	vous	revêtissiez	[rəvetisje]
qu'	ils/elles	revêtissent	[rəvetis]

passé			
que	j'	aie	revêtu
que	tu	aies	revêtu
qu'	il/elle	ait	revêtu
que	nous	ayons	revêtu
que	vous	ayez	revêtu
qu'	ils/elles	aient	revêtu

plus-que-parfait			
que	j'	eusse	revêtu
que	tu	eusses	revêtu
qu'	il/elle	eût	revêtu
que	nous	eussions	revêtu
que	vous	eussiez	revêtu
qu'	ils/elles	eussent	revêtu

CONDITIONNEL

présent			passé 1re forme	
je	revêtirais	[rəvetirɛ]	aurais	revêtu
tu	revêtirais	[rəvetirɛ]	aurais	revêtu
il/elle	revêtirait	[rəvetirɛ]	aurait	revêtu
nous	revêtirions	[rəvetirjɔ̃]	aurions	revêtu
vous	revêtiriez	[rəvetirje]	auriez	revêtu
ils/elles	revêtiraient	[rəvetirɛ]	auraient	revêtu

passé 2e forme

mêmes formes que le subjonctif plus-que-parfait

IMPÉRATIF

présent		passé	
revêts	[rəvɛ]	aie	revêtu
revêtons	[rəvetɔ̃]	ayons	revêtu
revêtez	[rəvete]	ayez	revêtu

Vêtir et *dévêtir* suivent ce modèle, mais il arrive que « vêtir » soit conjugué comme un verbe du 2e groupe (tableau 34), notamment à l'ind. imparf.

COURIR 41

3E GROUPE

[kurir]

Base :
COUR-

- Une seule base, avec un **-r** final partout. Le futur simple et le conditionnel présent comportent donc deux **-r-** successifs (celui de base et celui de la terminaison), généralement prononcés.

INFINITIF

présent	passé
courir [kurir]	avoir couru

PARTICIPE

présent	passé
courant [kurɑ̃]	couru/ue, courus/ues [kury] ayant couru

INDICATIF

présent			passé composé	
je	cours	[kur]	ai	couru
tu	cours	[kur]	as	couru
il/elle	court	[kur]	a	couru
nous	courons	[kurɔ̃]	avons	couru
vous	courez	[kure]	avez	couru
ils/elles	courent	[kur]	ont	couru

imparfait			plus-que-parfait	
je	courais	[kurɛ]	avais	couru
tu	courais	[kurɛ]	avais	couru
il/elle	courait	[kurɛ]	avait	couru
nous	courions	[kurjɔ̃]	avions	couru
vous	couriez	[kurje]	aviez	couru
ils/elles	couraient	[kurɛ]	avaient	couru

futur simple			futur antérieur	
je	**courrai**	[kur(r)e]	aurai	couru
tu	**courras**	[kur(r)a]	auras	couru
il/elle	**courra**	[kur(r)a]	aura	couru
nous	**courrons**	[kur(r)ɔ̃]	aurons	couru
vous	**courrez**	[kur(r)e]	aurez	couru
ils/elles	**courront**	[kur(r)ɔ̃]	auront	couru

passé simple			passé antérieur	
je	courus	[kury]	eus	couru
tu	courus	[kury]	eus	couru
il/elle	courut	[kury]	eut	couru
nous	courûmes	[kurym]	eûmes	couru
vous	courûtes	[kuryt]	eûtes	couru
ils/elles	coururent	[kuryr]	eurent	couru

SUBJONCTIF

présent			
que	je	coure	[kur]
que	tu	coures	[kur]
qu'	il/elle	coure	[kur]
que	nous	courions	[kurjɔ̃]
que	vous	couriez	[kurje]
qu'	ils/elles	courent	[kur]

imparfait			
que	je	courusse	[kurys]
que	tu	courusses	[kurys]
qu'	il/elle	courût	[kury]
que	nous	courussions	[kurysjɔ̃]
que	vous	courussiez	[kurysje]
qu'	ils/elles	courussent	[kurys]

passé			
que	j'	aie	couru
que	tu	aies	couru
qu'	il/elle	ait	couru
que	nous	ayons	couru
que	vous	ayez	couru
qu'	ils/elles	aient	couru

plus-que-parfait			
que	j'	eusse	couru
que	tu	eusses	couru
qu'	il/elle	eût	couru
que	nous	eussions	couru
que	vous	eussiez	couru
qu'	ils/elles	eussent	couru

CONDITIONNEL

présent			passé 1re forme	
je	**courrais**	[kur(r)ɛ]	aurais	couru
tu	**courrais**	[kur(r)ɛ]	aurais	couru
il/elle	**courrait**	[kur(r)ɛ]	aurait	couru
nous	**courrions**	[kur(r)jɔ̃]	aurions	couru
vous	**courriez**	[kur(r)je]	auriez	couru
ils/elles	**courraient**	[kur(r)ɛ]	auraient	couru

passé 2e forme

mêmes formes que le subjonctif plus-que-parfait

IMPÉRATIF

présent		passé	
cours	[kur]	aie	couru
courons	[kurɔ̃]	ayons	couru
courez	[kure]	ayez	couru

Suivent ce modèle : les sept dérivés de « courir » (*accourir, concourir, discourir, encourir, parcourir, recourir, secourir*), mais **accourir** peut former ses temps composés avec « être » ou « avoir ».

42 MOURIR

3ᴱ GROUPE

[murir]

Bases :
MOUR-
MEUR-
MOR-

- Attention au futur simple et au conditionnel présent : deux -**r**- partout (celui de la base + celui de la terminaison).
- C'est la base **meur**- qui sert à construire les formes du singulier et la 3ᵉ pers. du pluriel à l'indicatif et au subjonctif présents ainsi que la 2ᵉ pers. du singulier de l'impératif présent.
- La base courte, **mor**-, permet de former uniquement le participe passé.
- Formes composées construites avec « être ».

INFINITIF

présent	passé
mourir [murir]	être mort/te, morts/tes

PARTICIPE

présent	passé
mourant [murɑ̃]	**mort**/te, morts/tes [mɔr/mɔrt] étant mort/te, morts/tes

INDICATIF

présent

je	**meurs**	[mœr]
tu	**meurs**	[mœr]
il/elle	**meurt**	[mœr]
nous	mourons	[murɔ̃]
vous	mourez	[mure]
ils/elles	**meurent**	[mœr]

passé composé

suis	mort/te
es	mort/te
est	mort/te
sommes	morts/tes
êtes	morts/tes
sont	morts/tes

imparfait

je	mourais	[murɛ]
tu	mourais	[murɛ]
il/elle	mourait	[murɛ]
nous	mourions	[murjɔ̃]
vous	mouriez	[murje]
ils/elles	mouraient	[murɛ]

plus-que-parfait

étais	mort/te
étais	mort/te
était	mort/te
étions	morts/tes
étiez	morts/tes
étaient	morts/tes

futur simple

je	**mourrai**	[mur(r)e]
tu	**mourras**	[mur(r)a]
il/elle	**mourra**	[mur(r)a]
nous	**mourrons**	[mur(r)ɔ̃]
vous	**mourrez**	[mur(r)e]
ils/elles	**mourront**	[mur(r)ɔ̃]

futur antérieur

serai	mort/te
seras	mort/te
sera	mort/te
serons	morts/tes
serez	morts/tes
seront	morts/tes

passé simple

je	mourus	[mury]
tu	mourus	[mury]
il/elle	mourut	[mury]
nous	mourûmes	[murym]
vous	mourûtes	[muryt]
ils/elles	moururent	[muryr]

passé antérieur

fus	mort/te
fus	mort/te
fut	mort/te
fûmes	morts/tes
fûtes	morts/tes
furent	morts/tes

SUBJONCTIF

présent

que	je	**meure**	[mœr]
que	tu	**meures**	[mœr]
qu'	il/elle	**meure**	[mœr]
que	nous	mourions	[murjɔ̃]
que	vous	mouriez	[murje]
qu'	ils/elles	**meurent**	[mœr]

imparfait

que	je	mourusse	[murys]
que	tu	mourusses	[murys]
qu'	il/elle	mourût	[mury]
que	nous	mourussions	[murysjɔ̃]
que	vous	mourussiez	[murysje]
qu'	ils/elles	mourussent	[murys]

passé

que	je	sois	mort/te
que	tu	sois	mort/te
qu'	il/elle	soit	mort/te
que	nous	soyons	morts/tes
que	vous	soyez	morts/tes
qu'	ils/elles	soient	morts/tes

plus-que-parfait

que	je	fusse	mort/te
que	tu	fusses	mort/te
qu'	il/elle	fût	mort/te
que	nous	fussions	morts/tes
que	vous	fussiez	morts/tes
qu'	ils/elles	fussent	morts/tes

CONDITIONNEL

présent

je	**mourrais**	[mur(r)ɛ]
tu	**mourrais**	[mur(r)ɛ]
il/elle	**mourrait**	[mur(r)ɛ]
nous	**mourrions**	[mur(r)jɔ̃]
vous	**mourriez**	[mur(r)je]
ils/elles	**mourraient**	[mur(r)ɛ]

passé 1ʳᵉ forme

serais	mort/te
serais	mort/te
serait	mort/te
serions	morts/tes
seriez	morts/tes
seraient	morts/tes

passé 2ᵉ forme

mêmes formes que le subjonctif plus-que-parfait

IMPÉRATIF

présent

meurs	[mœr]
mourons	[murɔ̃]
mourez	[mure]

passé

sois	mort/te
soyons	morts/tes
soyez	morts/tes

ACQUÉRIR 43

3E GROUPE

[akerir]

- Attention à l'accentuation : accent grave devant une terminaison comportant un -**e**- muet, pas d'accent quand la terminaison consiste en une consonne seule.
- Deux -**r**- au futur simple et au conditionnel présent.

Bases :
ACQUÉR-/ACQUER-
ACQUIER-/ACQUIÈR-
ACQU-

INFINITIF

présent	passé
acquérir [akerir]	avoir acquis

PARTICIPE

présent	passé
acquérant [akerɑ̃]	acquis/ise, acquis/ises [aki/iz] ayant acquis

INDICATIF

présent			passé composé	
j'	**acquiers**	[akjɛr]	ai	acquis
tu	**acquiers**	[akjɛr]	as	acquis
il/elle	**acquiert**	[akjɛr]	a	acquis
nous	acquérons	[akerɔ̃]	avons	acquis
vous	acquérez	[akere]	avez	acquis
ils/elles	**acquièrent**	[akjɛr]	ont	acquis

imparfait			plus-que-parfait	
j'	acquérais	[akerɛ]	avais	acquis
tu	acquérais	[akerɛ]	avais	acquis
il/elle	acquérait	[akerɛ]	avait	acquis
nous	acquérions	[akerjɔ̃]	avions	acquis
vous	acquériez	[akerje]	aviez	acquis
ils/elles	acquéraient	[akerɛ]	avaient	acquis

futur simple			futur antérieur	
j'	**acquerrai**	[aker(r)e]	aurai	acquis
tu	**acquerras**	[aker(r)a]	auras	acquis
il/elle	**acquerra**	[aker(r)a]	aura	acquis
nous	**acquerrons**	[aker(r)ɔ̃]	aurons	acquis
vous	**acquerrez**	[aker(r)e]	aurez	acquis
ils/elles	**acquerront**	[aker(r)ɔ̃]	auront	acquis

passé simple			passé antérieur	
j'	acquis	[aki]	eus	acquis
tu	acquis	[aki]	eus	acquis
il/elle	acquit	[aki]	eut	acquis
nous	acquîmes	[akim]	eûmes	acquis
vous	acquîtes	[akit]	eûtes	acquis
ils/elles	acquirent	[akir]	eurent	acquis

SUBJONCTIF

présent			
que	j'	**acquière**	[akjɛr]
que	tu	**acquières**	[akjɛr]
qu'	il/elle	**acquière**	[akjɛr]
que	nous	acquérions	[akerjɔ̃]
que	vous	acquériez	[akerje]
qu'	ils/elles	**acquièrent**	[akjɛr]

imparfait			
que	j'	acquisse	[akis]
que	tu	acquisses	[akis]
qu'	il/elle	acquît	[aki]
que	nous	acquissions	[akisjɔ̃]
que	vous	acquissiez	[akisje]
qu'	ils/elles	acquissent	[akis]

passé			
que	j'	aie	acquis
que	tu	aies	acquis
qu'	il/elle	ait	acquis
que	nous	ayons	acquis
que	vous	ayez	acquis
qu'	ils/elles	aient	acquis

plus-que-parfait			
que	j'	eusse	acquis
que	tu	eusses	acquis
qu'	il/elle	eût	acquis
que	nous	eussions	acquis
que	vous	eussiez	acquis
qu'	ils/elles	eussent	acquis

CONDITIONNEL

présent			passé 1re forme	
j'	**acquerrais**	[aker(r)ɛ]	aurais	acquis
tu	**acquerrais**	[aker(r)ɛ]	aurais	acquis
il/elle	**acquerrait**	[aker(r)ɛ]	aurait	acquis
nous	**acquerrions**	[aker(r)jɔ̃]	aurions	acquis
vous	**acquerriez**	[aker(r)je]	auriez	acquis
ils/elles	**acquerraient**	[aker(r)ɛ]	auraient	acquis

passé 2e forme

mêmes formes que le subjonctif plus-que-parfait

IMPÉRATIF

présent		passé	
acquiers	[akjɛr]	aie	acquis
acquérons	[akerɔ̃]	ayons	acquis
acquérez	[akere]	ayez	acquis

Suivent ce modèle : *conquérir, reconquérir, s'enquérir* et *requérir*, mais « s'enquérir » (pronominal) se conjugue avec « être ». Le verbe *quérir* (= chercher) n'est aujourd'hui employé qu'à l'inf. prés.

44 OUVRIR

3E GROUPE

[uvrir]

Bases :
OUVR-
OUVER-

- Les terminaisons de l'indicatif présent, du subjonctif présent et de l'impératif présent sont identiques à celles des verbes réguliers du 1er groupe (en -**er**).
- Les terminaisons du futur simple et du conditionnel présent sont celles du 2e groupe (en -**ir**, -**issant**).

INFINITIF

présent	passé
ouvrir [uvrir]	avoir ouvert

PARTICIPE

présent	passé
ouvrant [uvrɑ̃]	ouvert/te, ouverts/tes [uvɛr/ɛrt] ayant ouvert

INDICATIF

présent

			passé composé	
j'	**ouvre**	[uvr]	ai	ouvert
tu	**ouvres**	[uvr]	as	ouvert
il/elle	**ouvre**	[uvr]	a	ouvert
nous	**ouvrons**	[uvrɔ̃]	avons	ouvert
vous	**ouvrez**	[uvre]	avez	ouvert
ils/elles	**ouvrent**	[uvr]	ont	ouvert

imparfait

			plus-que-parfait	
j'	ouvrais	[uvrɛ]	avais	ouvert
tu	ouvrais	[uvrɛ]	avais	ouvert
il/elle	ouvrait	[uvrɛ]	avait	ouvert
nous	ouvrions	[uvrijɔ̃]	avions	ouvert
vous	ouvriez	[uvrije]	aviez	ouvert
ils/elles	ouvraient	[uvrɛ]	avaient	ouvert

futur simple

			futur antérieur	
j'	ouvrirai	[uvrire]	aurai	ouvert
tu	ouvriras	[uvrira]	auras	ouvert
il/elle	ouvrira	[uvrira]	aura	ouvert
nous	ouvrirons	[uvrirɔ̃]	aurons	ouvert
vous	ouvrirez	[uvrire]	aurez	ouvert
ils/elles	ouvriront	[uvrirɔ̃]	auront	ouvert

passé simple

			passé antérieur	
j'	ouvris	[uvri]	eus	ouvert
tu	ouvris	[uvri]	eus	ouvert
il/elle	ouvrit	[uvri]	eut	ouvert
nous	ouvrîmes	[uvrim]	eûmes	ouvert
vous	ouvrîtes	[uvrit]	eûtes	ouvert
ils/elles	ouvrirent	[uvrir]	eurent	ouvert

SUBJONCTIF

présent

que	j'	**ouvre**	[uvr]
que	tu	**ouvres**	[uvr]
qu'	il/elle	**ouvre**	[uvr]
que	nous	**ouvrions**	[uvrijɔ̃]
que	vous	**ouvriez**	[uvrije]
qu'	ils/elles	**ouvrent**	[uvr]

imparfait

que	j'	ouvrisse	[uvris]
que	tu	ouvrisses	[uvris]
qu'	il/elle	ouvrît	[uvri]
que	nous	ouvrissions	[uvrisjɔ̃]
que	vous	ouvrissiez	[uvrisje]
qu'	ils/elles	ouvrissent	[uvris]

passé

que	j'	aie	ouvert
que	tu	aies	ouvert
qu'	il/elle	ait	ouvert
que	nous	ayons	ouvert
que	vous	ayez	ouvert
qu'	ils/elles	aient	ouvert

plus-que-parfait

que	j'	eusse	ouvert
que	tu	eusses	ouvert
qu'	il/elle	eût	ouvert
que	nous	eussions	ouvert
que	vous	eussiez	ouvert
qu'	ils/elles	eussent	ouvert

CONDITIONNEL

présent

			passé 1re forme	
j'	ouvrirais	[uvrirɛ]	aurais	ouvert
tu	ouvrirais	[uvrirɛ]	aurais	ouvert
il/elle	ouvrirait	[uvrirɛ]	aurait	ouvert
nous	ouvririons	[uvrirjɔ̃]	aurions	ouvert
vous	ouvririez	[uvrirje]	auriez	ouvert
ils/elles	ouvriraient	[uvrirɛ]	auraient	ouvert

passé 2e forme

mêmes formes que le subjonctif plus-que-parfait

IMPÉRATIF

présent		passé	
ouvre	[uvr]	aie	ouvert
ouvrons	[uvrɔ̃]	ayons	ouvert
ouvrez	[uvre]	ayez	ouvert

Suivent ce modèle : les dérivés d'« ouvrir » (*entrouvrir, rentrouvrir, rouvrir*) ; *couvrir* et ses dérivés (*découvrir, recouvrir*) ; *offrir* et *souffrir*.

[køjir]

Base : CUEILL-

- Attention à l'orthographe de la base : pour prendre le son dur [k], le **c**- est suivi d'un -**u**- : *cueillir.*
- Le passé simple et le subjonctif imparfait sont les deux seuls temps simples qui ont les terminaisons du 3e groupe. Les autres temps simples sont formés avec les terminaisons du 1er groupe (voir tableau 12).

INFINITIF

présent	passé
cueillir [køjir]	avoir cueilli

PARTICIPE

présent	passé
cueillant [køjɑ̃]	cueilli/ie, cueillis/ies [køji] ayant cueilli

INDICATIF

présent

je	cueille	[kœj]
tu	cueilles	[kœj]
il/elle	cueille	[kœj]
nous	cueillons	[køjɔ̃]
vous	cueillez	[køje]
ils/elles	cueillent	[kœj]

passé composé

ai	cueilli
as	cueilli
a	cueilli
avons	cueilli
avez	cueilli
ont	cueilli

imparfait

je	cueillais	[køjɛ]
tu	cueillais	[køjɛ]
il/elle	cueillait	[køjɛ]
nous	cueillions	[køjjɔ̃]
vous	cueilliez	[køjje]
ils/elles	cueillaient	[køjɛ]

plus-que-parfait

avais	cueilli
avais	cueilli
avait	cueilli
avions	cueilli
aviez	cueilli
avaient	cueilli

futur simple

je	cueillerai	[kœjre]
tu	cueilleras	[kœjra]
il/elle	cueillera	[kœjra]
nous	cueillerons	[kœjrɔ̃]
vous	cueillerez	[kœjre]
ils/elles	cueilleront	[kœjrɔ̃]

futur antérieur

aurai	cueilli
auras	cueilli
aura	cueilli
aurons	cueilli
aurez	cueilli
auront	cueilli

passé simple

je	cueillis	[køji]
tu	cueillis	[køji]
il/elle	cueillit	[køji]
nous	cueillîmes	[køjim]
vous	cueillîtes	[køjit]
ils/elles	cueillirent	[køjir]

passé antérieur

eus	cueilli
eus	cueilli
eut	cueilli
eûmes	cueilli
eûtes	cueilli
eurent	cueilli

SUBJONCTIF

présent

que	je	cueille	[kœj]
que	tu	cueilles	[kœj]
qu'	il/elle	cueille	[kœj]
que	nous	cueillions	[køjjɔ̃]
que	vous	cueilliez	[køjje]
qu'	ils/elles	cueillent	[kœj]

imparfait

que	je	cueillisse	[køjis]
que	tu	cueillisses	[køjis]
qu'	il/elle	cueillît	[køji]
que	nous	cueillissions	[køjisjɔ̃]
que	vous	cueillissiez	[køjisje]
qu'	ils/elles	cueillissent	[køjis]

passé

que	j'	aie	cueilli
que	tu	aies	cueilli
qu'	il/elle	ait	cueilli
que	nous	ayons	cueilli
que	vous	ayez	cueilli
qu'	ils/elles	aient	cueilli

plus-que-parfait

que	j'	eusse	cueilli
que	tu	eusses	cueilli
qu'	il/elle	eût	cueilli
que	nous	eussions	cueilli
que	vous	eussiez	cueilli
qu'	ils/elles	eussent	cueilli

CONDITIONNEL

présent

je	cueillerais	[kœjrɛ]
tu	cueillerais	[kœjrɛ]
il/elle	cueillerait	[kœjrɛ]
nous	cueillerions	[køjərjɔ̃]
vous	cueilleriez	[køjərje]
ils/elles	cueilleraient	[kœjrɛ]

passé 1re forme

aurais	cueilli
aurais	cueilli
aurait	cueilli
aurions	cueilli
auriez	cueilli
auraient	cueilli

passé 2e forme

mêmes formes que le subjonctif plus-que-parfait

IMPÉRATIF

présent		passé	
cueille	[kœj]	aie	cueilli
cueillons	[køjɔ̃]	ayons	cueilli
cueillez	[køje]	ayez	cueilli

Accueillir et *recueillir* suivent ce modèle.

46 DÉFAILLIR

3E GROUPE

[defajir]

Base :
DÉFAILL-

- Participe passé invariable.
- Les terminaisons du présent de l'indicatif, du subjonctif et de l'impératif sont identiques à celles des verbes du 1er groupe (voir tableau 12).

INFINITIF

présent	passé
défaillir [defajir]	avoir défailli

PARTICIPE

présent	passé
défaillant [defajɑ̃]	**défailli** [defaji] ayant défailli

INDICATIF

présent			passé composé	
je	**défaille**	[-faj]	ai	défailli
tu	**défailles**	[-faj]	as	défailli
il/elle	**défaille**	[-faj]	a	défailli
nous	**défaillons**	[-fajɔ̃]	avons	défailli
vous	**défaillez**	[-faje]	avez	défailli
ils/elles	**défaillent**	[-faj]	ont	défailli

imparfait			plus-que-parfait	
je	défaillais	[-fajɛ]	avais	défailli
tu	défaillais	[-fajɛ]	avais	défailli
il/elle	défaillait	[-fajɛ]	avait	défailli
nous	défaillions	[-fajjɔ̃]	avions	défailli
vous	défailliez	[-fajje]	aviez	défailli
ils/elles	défaillaient	[-fajɛ]	avaient	défailli

futur simple			futur antérieur	
je	défaillirai	[-fajire]	aurai	défailli
tu	défailliras	[-fajira]	auras	défailli
il/elle	défaillira	[-fajira]	aura	défailli
nous	défaillirons	[-fajirɔ̃]	aurons	défailli
vous	défaillirez	[-fajire]	aurez	défailli
ils/elles	défailliront	[-fajirɔ̃]	auront	défailli

passé simple			passé antérieur	
je	défaillis	[-faji]	eus	défailli
tu	défaillis	[-faji]	eus	défailli
il/elle	défaillit	[-faji]	eut	défailli
nous	défaillîmes	[-fajim]	eûmes	défailli
vous	défaillîtes	[-fajit]	eûtes	défailli
ils/elles	défaillirent	[-fajir]	eurent	défailli

SUBJONCTIF

présent			
que	je	**défaille**	[-faj]
que	tu	**défailles**	[-faj]
qu'	il/elle	**défaille**	[-faj]
que	nous	**défaillions**	[-fajjɔ̃]
que	vous	**défailliez**	[-fajje]
qu'	ils/elles	**défaillent**	[-faj]

imparfait			
que	je	défaillisse	[-fajis]
que	tu	défaillisses	[-fajis]
qu'	il/elle	défaillît	[-faji]
que	nous	défaillissions	[-fajisjɔ̃]
que	vous	défaillissiez	[-fajisje]
qu'	ils/elles	défaillissent	[-fajis]

passé			
que	j'	aie	défailli
que	tu	aies	défailli
qu'	il/elle	ait	défailli
que	nous	ayons	défailli
que	vous	ayez	défailli
qu'	ils/elles	aient	défailli

plus-que-parfait			
que	j'	eusse	défailli
que	tu	eusses	défailli
qu'	il/elle	eût	défailli
que	nous	eussions	défailli
que	vous	eussiez	défailli
qu'	ils/elles	eussent	défailli

CONDITIONNEL

présent			passé 1re forme	
je	défaillirais	[-fajirɛ]	aurais	défailli
tu	défaillirais	[-fajirɛ]	aurais	défailli
il/elle	défaillirait	[-fajirɛ]	aurait	défailli
nous	défaillirions	[-fajirjɔ̃]	aurions	défailli
vous	défailliriez	[-fajirje]	auriez	défailli
ils/elles	défailliraient	[-fajirɛ]	auraient	défailli

passé 2e forme

mêmes formes que le subjonctif plus-que-parfait

IMPÉRATIF

présent		passé	
défaille	[-faj]	aie	défailli
défaillons	[-fajɔ̃]	ayons	défailli
défaillez	[-faje]	ayez	défailli

Assaillir et *tressaillir* suivent ce modèle. **Faillir** (employé surtout à l'inf., au passé simple et aux temps composés) a un part. passé invariable et suit le modèle de « finir » (34) au présent de l'ind., de l'impér. et du subj. ainsi qu'à l'ind. imparf.

OUÏR

[wir]

Bases :
OUÏ-
OI-/OY-
OR-

- Verbe archaïque, à deux formes, employé aujourd'hui seulement à l'infinitif présent, au participe passé et aux temps composés, par exemple dans l'expression *j'ai ouï dire que...*
(La phonétique des temps personnels n'est donc pas indiquée.)

INFINITIF

présent	passé
ouïr [wir]	avoir ouï

PARTICIPE

présent	passé
oyant [ojɑ̃]	ouï/ïe, ouïs/ïes [wi] ayant ouï

INDICATIF

présent		passé composé	
j'	ouïs/ois	ai	ouï
tu	ouïs/ois	as	ouï
il/elle	ouït/oit	a	ouï
nous	ouïssons/oyons	avons	ouï
vous	ouïssez/oyez	avez	ouï
ils/elles	ouïssent/oient	ont	ouï
imparfait		**plus-que-parfait**	
j'	ouïssais/oyais	avais	ouï
tu	ouïssais/oyais	avais	ouï
il/elle	ouïssait/oyait	avait	ouï
nous	ouïssions/oyions	avions	ouï
vous	ouïssiez/oyiez	aviez	ouï
ils/elles	ouïssaient/oyaient	avaient	ouï
futur simple		**futur antérieur**	
j'	ouïrai/orrai	aurai	ouï
tu	ouïras/orras	auras	ouï
il/elle	ouïra/orra	aura	ouï
nous	ouïrons/orrons	aurons	ouï
vous	ouïrez/orrez	aurez	ouï
ils/elles	ouïront/orront	auront	ouï
passé simple		**passé antérieur**	
j'	ouïs	eus	ouï
tu	ouïs	eus	ouï
il/elle	ouït	eut	ouï
nous	ouïmes	eûmes	ouï
vous	ouïtes	eûtes	ouï
ils/elles	ouïrent	eurent	ouï

SUBJONCTIF

présent			
que	j'	ouïsse/oie	
que	tu	ouïsses/oies	
qu'	il/elle	ouïsse/oie	
que	nous	ouïssions/oyions	
que	vous	ouïssiez/oyiez	
qu'	ils/elles	ouïssent/oient	
imparfait			
que	j'	ouïsse	
que	tu	ouïsses	
qu'	il/elle	ouït	
que	nous	ouïssions	
que	vous	ouïssiez	
qu'	ils/elles	ouïssent	
passé			
que	j'	aie	ouï
que	tu	aies	ouï
qu'	il/elle	ait	ouï
que	nous	ayons	ouï
que	vous	ayez	ouï
qu'	ils/elles	aient	ouï
plus-que-parfait			
que	j'	eusse	ouï
que	tu	eusses	ouï
qu'	il/elle	eût	ouï
que	nous	eussions	ouï
que	vous	eussiez	ouï
qu'	ils/elles	eussent	ouï

CONDITIONNEL

présent		passé 1re forme	
j'	ouïrais/orrais	aurais	ouï
tu	ouïrais/orrais	aurais	ouï
il/elle	ouïrait/orrait	aurait	ouï
nous	ouïrions/orrions	aurions	ouï
vous	ouïriez/orriez	auriez	ouï
ils/elles	ouïraient/orraient	auraient	ouï

passé 2e forme

mêmes formes que le subjonctif plus-que-parfait

IMPÉRATIF

présent	passé
ouïs/ois	aie ouï
ouïssons/oyons	ayons ouï
ouïssez/oyez	ayez ouï

48 GÉSIR

3E GROUPE

[ʒezir]

Bases : GÉS-; GI-/GÎ-; GIS-

- Attention à l'accent circonflexe de la 3e personne du singulier à l'indicatif présent; il figure aussi dans l'expression *ci-gît* (= ici gît, ici repose).
- Verbe archaïque et défectif.

INFINITIF

présent	passé
gésir [ʒezir]	*inusité*

PARTICIPE

présent	passé
gisant [ʒizɑ̃]	*inusité*

INDICATIF

présent			imparfait		
je	gis	[ʒi]	je	gisais	[ʒizɛ]
tu	gis	[ʒi]	tu	gisais	[ʒizɛ]
il/elle	**gît**	[ʒi]	il/elle	gisait	[ʒizɛ]
nous	gisons	[ʒizɔ̃]	nous	gisions	[ʒizjɔ̃]
vous	gisez	[ʒize]	vous	gisiez	[ʒizje]
ils/elles	gisent	[ʒiz]	ils/elles	gisaient	[ʒizɛ]

49 SAILLIR

3E GROUPE

[sajir] Base : SAILL-

- Participe passé invariable.
- Verbe défectif, qui signifie au sens propre « faire saillie par rapport à un plan, dépasser ».

INFINITIF

présent	passé
saillir [sajir]	avoir sailli

PARTICIPE

présent	passé
saillant [sajɑ̃]	**sailli** [saji] ayant sailli

INDICATIF

présent			passé composé	
il/elle	saille	[saj]	a	sailli
ils/elles	saillent	[saj]	ont	sailli
imparfait			**plus-que-parfait**	
il/elle	saillait	[sajɛ]	avait	sailli
ils/elles	saillaient	[sajɛ]	avaient	sailli
futur simple			**futur antérieur**	
il/elle	saillera	[sajra]	aura	sailli
ils/elles	sailleront	[sajrɔ̃]	auront	sailli
passé simple			**passé antérieur**	
il/elle	saillit	[saji]	eut	sailli
ils/elles	saillirent	[sajir]	eurent	sailli

SUBJONCTIF

présent			
qu'	il/elle	saille	[saj]
qu'	ils/elles	saillent	[saj]
imparfait			
qu'	il/elle	saillît	[saji]
qu'	ils/elles	saillissent	[sajis]
passé			
qu'	il/elle	ait	sailli
qu'	ils/elles	aient	sailli
plus-que-parfait			
qu'	il/elle	eût	sailli
qu'	ils/elles	eussent	sailli

CONDITIONNEL

présent			passé 1re forme	
il/elle	saillerait	[sajrɛ]	aurait	sailli
ils/elles	sailleraient	[sajrɛ]	auraient	sailli

passé 2e forme

mêmes formes que le subjonctif plus-que-parfait

IMPÉRATIF

présent	passé
inusité	*inusité*

Le verbe homonyme *saillir* (= s'accoupler, en parlant d'animaux) suit le modèle « finir » (tableau 34); il s'emploie surtout à l'infinitif et aux 3es personnes. Attention : *assaillir* se conjugue comme « défaillir » (tableau 46).

[rəsəvwar]

- Le -**c**- contenu dans les bases prend une cédille devant -**o**- et -**u**- pour garder le son doux [s].

Bases :
RECEV-/REÇOIV-
REÇOI-
REÇ-

INFINITIF

présent	passé
recevoir [rəsəvwar]	avoir reçu

PARTICIPE

présent	passé
recevant [rəsəvɑ̃]	**reçu/ue, reçus/ues** [rəsy] ayant reçu

INDICATIF

présent			passé composé	
je	**reçois**	[rəswa]	ai	reçu
tu	**reçois**	[rəswa]	as	reçu
il/elle	**reçoit**	[rəswa]	a	reçu
nous	recevons	[rəsəvɔ̃]	avons	reçu
vous	recevez	[rəsəve]	avez	reçu
ils/elles	**reçoivent**	[rəswav]	ont	reçu

imparfait			plus-que-parfait	
je	recevais	[rəsəvɛ]	avais	reçu
tu	recevais	[rəsəvɛ]	avais	reçu
il/elle	recevait	[rəsəvɛ]	avait	reçu
nous	recevions	[rəsəvjɔ̃]	avions	reçu
vous	receviez	[rəsəvje]	aviez	reçu
ils/elles	recevaient	[rəsəvɛ]	avaient	reçu

futur simple			futur antérieur	
je	recevrai	[rəsəvre]	aurai	reçu
tu	recevras	[rəsəvra]	auras	reçu
il/elle	recevra	[rəsəvra]	aura	reçu
nous	recevrons	[rəsəvrɔ̃]	aurons	reçu
vous	recevrez	[rəsəvre]	aurez	reçu
ils/elles	recevront	[rəsəvrɔ̃]	auront	reçu

passé simple			passé antérieur	
je	**reçus**	[rəsy]	eus	reçu
tu	**reçus**	[rəsy]	eus	reçu
il/elle	**reçut**	[rəsy]	eut	reçu
nous	**reçûmes**	[rəsym]	eûmes	reçu
vous	**reçûtes**	[rəsyt]	eûtes	reçu
ils/elles	**reçurent**	[rəsyr]	eurent	reçu

SUBJONCTIF

présent			
que	je	**reçoive**	[rəswav]
que	tu	**reçoives**	[rəswav]
qu'	il/elle	**reçoive**	[rəswav]
que	nous	recevions	[rəsəvjɔ̃]
que	vous	receviez	[rəsəvje]
qu'	ils/elles	**reçoivent**	[rəswav]

imparfait			
que	je	**reçusse**	[rəsys]
que	tu	**reçusses**	[rəsys]
qu'	il/elle	**reçût**	[rəsy]
que	nous	**reçussions**	[rəsysjɔ̃]
que	vous	**reçussiez**	[rəsysje]
qu'	ils/elles	**reçussent**	[rəsys]

passé			
que	j'	aie	reçu
que	tu	aies	reçu
qu'	il/elle	ait	reçu
que	nous	ayons	reçu
que	vous	ayez	reçu
qu'	ils/elles	aient	reçu

plus-que-parfait			
que	j'	eusse	reçu
que	tu	eusses	reçu
qu'	il/elle	eût	reçu
que	nous	eussions	reçu
que	vous	eussiez	reçu
qu'	ils/elles	eussent	reçu

CONDITIONNEL

présent			passé 1re forme	
je	recevrais	[rəsəvrɛ]	aurais	reçu
tu	recevrais	[rəsəvrɛ]	aurais	reçu
il/elle	recevrait	[rəsəvrɛ]	aurait	reçu
nous	recevrions	[rəsəvrijɔ̃]	aurions	reçu
vous	recevriez	[rəsəvrije]	auriez	reçu
ils/elles	recevraient	[rəsəvrɛ]	auraient	reçu

passé 2e forme

mêmes formes que le subjonctif plus-que-parfait

IMPÉRATIF

présent		passé	
reçois	[rəswa]	aie	reçu
recevons	[rəsəvɔ̃]	ayons	reçu
recevez	[rəsəve]	ayez	reçu

Apercevoir, concevoir, décevoir, entr'apercevoir et *percevoir* suivent ce modèle.

51 VOIR

3E GROUPE

[vwar]

Bases :
VOI-
VOY-
VER-
V-

- Futur simple et conditionnel présent formés sur la base **ver-** : le **-r** final de la base et le **r-** initial des terminaisons se juxtaposent (**-rr-**).
- **-y-** + **-i-** aux deux premières personnes du pluriel de l'indicatif imparfait et du subjonctif présent.

INFINITIF

présent	passé
voir [vwar]	avoir vu

PARTICIPE

présent	passé
voyant [vwajɑ̃]	vu/ue, vus/ues [vy] ayant vu

INDICATIF

présent

je	vois	[vwa]
tu	vois	[vwa]
il/elle	voit	[vwa]
nous	voyons	[vwajɔ̃]
vous	voyez	[vwaje]
ils/elles	voient	[vwa]

passé composé

ai	vu
as	vu
a	vu
avons	vu
avez	vu
ont	vu

imparfait

je	voyais	[vwajɛ]
tu	voyais	[vwajɛ]
il/elle	voyait	[vwajɛ]
nous	**voyions**	[vwajjɔ̃]
vous	**voyiez**	[vwajje]
ils/elles	voyaient	[vwajɛ]

plus-que-parfait

avais	vu
avais	vu
avait	vu
avions	vu
aviez	vu
avaient	vu

futur simple

je	**verrai**	[vere]
tu	**verras**	[vera]
il/elle	**verra**	[vera]
nous	**verrons**	[verɔ̃]
vous	**verrez**	[vere]
ils/elles	**verront**	[verɔ̃]

futur antérieur

aurai	vu
auras	vu
aura	vu
aurons	vu
aurez	vu
auront	vu

passé simple

je	vis	[vi]
tu	vis	[vi]
il/elle	vit	[vi]
nous	vîmes	[vim]
vous	vîtes	[vit]
ils/elles	virent	[vir]

passé antérieur

eus	vu
eus	vu
eut	vu
eûmes	vu
eûtes	vu
eurent	vu

SUBJONCTIF

présent

que	je	voie	[vwa]
que	tu	voies	[vwa]
qu'	il/elle	voie	[vwa]
que	nous	**voyions**	[vwajjɔ̃]
que	vous	**voyiez**	[vwajje]
qu'	ils/elles	voient	[vwa]

imparfait

que	je	visse	[vis]
que	tu	visses	[vis]
qu'	il/elle	vît	[vi]
que	nous	vissions	[visjɔ̃]
que	vous	vissiez	[visje]
qu'	ils/elles	vissent	[vis]

passé

que	j'	aie	vu
que	tu	aies	vu
qu'	il/elle	ait	vu
que	nous	ayons	vu
que	vous	ayez	vu
qu'	ils/elles	aient	vu

plus-que-parfait

que	j'	eusse	vu
que	tu	eusses	vu
qu'	il/elle	eût	vu
que	nous	eussions	vu
que	vous	eussiez	vu
qu'	ils/elles	eussent	vu

CONDITIONNEL

présent

je	**verrais**	[verɛ]
tu	**verrais**	[verɛ]
il/elle	**verrait**	[verɛ]
nous	**verrions**	[verjɔ̃]
vous	**verriez**	[verje]
ils/elles	**verraient**	[verɛ]

passé 1re forme

aurais	vu
aurais	vu
aurait	vu
aurions	vu
auriez	vu
auraient	vu

passé 2e forme

mêmes formes que le subjonctif plus-que-parfait

IMPÉRATIF

présent

vois	[vwa]
voyons	[vwajɔ̃]
voyez	[vwaje]

passé

aie	vu
ayons	vu
ayez	vu

Entrevoir et *revoir* suivent ce modèle.

[prevwar]

Bases :
PRÉVOI-
PRÉVOY-
PRÉV-

- **-y-** + **-i-** aux deux premières personnes du pluriel de l'indicatif imparfait et du subjonctif présent.
- Futur simple et conditionnel présent formés de manière régulière : base **prévoi-** + terminaisons.

INFINITIF

présent	passé
prévoir [prevwar]	avoir prévu

PARTICIPE

présent	passé
prévoyant [prevwajɑ̃]	prévu/ue, prévus/ues [prevy] ayant prévu

INDICATIF

présent

je	prévois	[prevwa]	ai	prévu
tu	prévois	[prevwa]	as	prévu
il/elle	prévoit	[prevwa]	a	prévu
nous	prévoyons	[prevwajɔ̃]	avons	prévu
vous	prévoyez	[prevwaje]	avez	prévu
ils/elles	prévoient	[prevwa]	ont	prévu

(passé composé in right columns)

imparfait / plus-que-parfait

je	prévoyais	[prevwajɛ]	avais	prévu
tu	prévoyais	[prevwajɛ]	avais	prévu
il/elle	prévoyait	[prevwajɛ]	avait	prévu
nous	**prévoyions**	[prevwajjɔ̃]	avions	prévu
vous	**prévoyiez**	[prevwajje]	aviez	prévu
ils/elles	prévoyaient	[prevwajɛ]	avaient	prévu

futur simple / futur antérieur

je	prévoirai	[prevware]	aurai	prévu
tu	prévoiras	[prevwara]	auras	prévu
il/elle	prévoira	[prevwara]	aura	prévu
nous	prévoirons	[prevwarɔ̃]	aurons	prévu
vous	prévoirez	[prevware]	aurez	prévu
ils/elles	prévoiront	[prevwarɔ̃]	auront	prévu

passé simple / passé antérieur

je	prévis	[previ]	eus	prévu
tu	prévis	[previ]	eus	prévu
il/elle	prévit	[previ]	eut	prévu
nous	prévîmes	[previm]	eûmes	prévu
vous	prévîtes	[previt]	eûtes	prévu
ils/elles	prévirent	[previr]	eurent	prévu

SUBJONCTIF

présent

que	je	prévoie	[prevwa]
que	tu	prévoies	[prevwa]
qu'	il/elle	prévoie	[prevwa]
que	nous	**prévoyions**	[prevwajjɔ̃]
que	vous	**prévoyiez**	[prevwajje]
qu'	ils/elles	prévoient	[prevwa]

imparfait

que	je	prévisse	[previs]
que	tu	prévisses	[previs]
qu'	il/elle	prévît	[previ]
que	nous	prévissions	[previsjɔ̃]
que	vous	prévissiez	[previsje]
qu'	ils/elles	prévissent	[previs]

passé

que	j'	aie	prévu
que	tu	aies	prévu
qu'	il/elle	ait	prévu
que	nous	ayons	prévu
que	vous	ayez	prévu
qu'	ils/elles	aient	prévu

plus-que-parfait

que	j'	eusse	prévu
que	tu	eusses	prévu
qu'	il/elle	eût	prévu
que	nous	eussions	prévu
que	vous	eussiez	prévu
qu'	ils/elles	eussent	prévu

CONDITIONNEL

présent / passé 1re forme

je	prévoirais	[prevwarɛ]	aurais	prévu
tu	prévoirais	[prevwarɛ]	aurais	prévu
il/elle	prévoirait	[prevwarɛ]	aurait	prévu
nous	prévoirions	[prevwarjɔ̃]	aurions	prévu
vous	prévoiriez	[prevwarje]	auriez	prévu
ils/elles	prévoiraient	[prevwarɛ]	auraient	prévu

passé 2e forme

mêmes formes que le subjonctif plus-que-parfait

IMPÉRATIF

présent		passé	
prévois	[prevwa]	aie	prévu
prévoyons	[prevwajɔ̃]	ayons	prévu
prévoyez	[prevwaje]	ayez	prévu

53 POURVOIR

3E GROUPE

[purvwar]

Bases :
POURVOI-
POURVOY-
POURV-

- Une seule différence de conjugaison par rapport à « prévoir » :
ce sont les terminaisons en -**u**- (et non en -**i**-) qui servent à former le passé simple et le subjonctif imparfait.

INFINITIF

présent	passé
pourvoir [purvwar]	avoir pourvu

PARTICIPE

présent	passé
pourvoyant [purvwajɑ̃]	pourvu/ue, pourvus/ues [purvy] ayant pourvu

INDICATIF

présent			passé composé	
je	pourvois	[purvwa]	ai	pourvu
tu	pourvois	[purvwa]	as	pourvu
il/elle	pourvoit	[purvwa]	a	pourvu
nous	pourvoyons	[purvwajɔ̃]	avons	pourvu
vous	pourvoyez	[purvwaje]	avez	pourvu
ils/elles	pourvoient	[purvwa]	ont	pourvu

imparfait			plus-que-parfait	
je	pourvoyais	[purvwajɛ]	avais	pourvu
tu	pourvoyais	[purvwajɛ]	avais	pourvu
il/elle	pourvoyait	[purvwajɛ]	avait	pourvu
nous	**pourvoyions**	[purvwajjɔ̃]	avions	pourvu
vous	**pourvoyiez**	[purvwajje]	aviez	pourvu
ils/elles	pourvoyaient	[purvwajɛ]	avaient	pourvu

futur simple			futur antérieur	
je	pourvoirai	[purvware]	aurai	pourvu
tu	pourvoiras	[purvwara]	auras	pourvu
il/elle	pourvoira	[purvwara]	aura	pourvu
nous	pourvoirons	[purvwarɔ̃]	aurons	pourvu
vous	pourvoirez	[purvware]	aurez	pourvu
ils/elles	pourvoiront	[purvwarɔ̃]	auront	pourvu

passé simple			passé antérieur	
je	**pourvus**	[purvy]	eus	pourvu
tu	**pourvus**	[purvy]	eus	pourvu
il/elle	**pourvut**	[purvy]	eut	pourvu
nous	**pourvûmes**	[purvym]	eûmes	pourvu
vous	**pourvûtes**	[purvyt]	eûtes	pourvu
ils/elles	**pourvurent**	[purvyr]	eurent	pourvu

SUBJONCTIF

présent			
que	je	pourvoie	[purvwa]
que	tu	pourvoies	[purvwa]
qu'	il/elle	pourvoie	[purvwa]
que	nous	**pourvoyions**	[purvwajjɔ̃]
que	vous	**pourvoyiez**	[purvwajje]
qu'	ils/elles	pourvoient	[purvwa]

imparfait			
que	je	**pourvusse**	[purvys]
que	tu	**pourvusses**	[purvys]
qu'	il/elle	**pourvût**	[purvy]
que	nous	**pourvussions**	[purvysjɔ̃]
que	vous	**pourvussiez**	[purvysje]
qu'	ils/elles	**pourvussent**	[purvys]

passé			
que	j'	aie	pourvu
que	tu	aies	pourvu
qu'	il/elle	ait	pourvu
que	nous	ayons	pourvu
que	vous	ayez	pourvu
qu'	ils/elles	aient	pourvu

plus-que-parfait			
que	j'	eusse	pourvu
que	tu	eusses	pourvu
qu'	il/elle	eût	pourvu
que	nous	eussions	pourvu
que	vous	eussiez	pourvu
qu'	ils/elles	eussent	pourvu

CONDITIONNEL

présent			passé 1re forme	
je	pourvoirais	[purvwarɛ]	aurais	pourvu
tu	pourvoirais	[purvwarɛ]	aurais	pourvu
il/elle	pourvoirait	[purvwarɛ]	aurait	pourvu
nous	pourvoirions	[purvwarjɔ̃]	aurions	pourvu
vous	pourvoiriez	[purvwarje]	auriez	pourvu
ils/elles	pourvoiraient	[purvwarɛ]	auraient	pourvu

passé 2e forme

mêmes formes que le subjonctif plus-que-parfait

IMPÉRATIF

présent		passé	
pourvois	[purvwa]	aie	pourvu
pourvoyons	[purvwajɔ̃]	ayons	pourvu
pourvoyez	[purvwaje]	ayez	pourvu

[emuvwar]

Bases :
ÉMOUV-
ÉMEU-
ÉM-

- Alternance des deux bases longues pour les formes du présent à l'indicatif, au subjonctif et à l'impératif.
- Passé simple et subjonctif imparfait construits avec les terminaisons en -**u**-.

INFINITIF

présent	passé
émouvoir [emuvwar]	avoir ému

PARTICIPE

présent	passé
émouvant [emuvɑ̃]	**ému**/ue, émus/ues [emy] ayant ému

INDICATIF

présent

j'	**émeus**	[emø]	ai	ému
tu	**émeus**	[emø]	as	ému
il/elle	**émeut**	[emø]	a	ému
nous	**émouvons**	[emuvɔ̃]	avons	ému
vous	**émouvez**	[emuve]	avez	ému
ils/elles	**émeuvent**	[emœv]	ont	ému

(colonnes de droite : passé composé)

imparfait / **plus-que-parfait**

j'	émouvais	[emuvɛ]	avais	ému
tu	émouvais	[emuvɛ]	avais	ému
il/elle	émouvait	[emuvɛ]	avait	ému
nous	émouvions	[emuvjɔ̃]	avions	ému
vous	émouviez	[emuvje]	aviez	ému
ils/elles	émouvaient	[emuvɛ]	avaient	ému

futur simple / **futur antérieur**

j'	émouvrai	[emuvre]	aurai	ému
tu	émouvras	[emuvra]	auras	ému
il/elle	émouvra	[emuvra]	aura	ému
nous	émouvrons	[emuvrɔ̃]	aurons	ému
vous	émouvrez	[emuvre]	aurez	ému
ils/elles	émouvront	[emuvrɔ̃]	auront	ému

passé simple / **passé antérieur**

j'	**émus**	[emy]	eus	ému
tu	**émus**	[emy]	eus	ému
il/elle	**émut**	[emy]	eut	ému
nous	**émûmes**	[emym]	eûmes	ému
vous	**émûtes**	[emyt]	eûtes	ému
ils/elles	**émurent**	[emyr]	eurent	ému

SUBJONCTIF

présent

que	j'	**émeuve**	[emœv]
que	tu	**émeuves**	[emœv]
qu'	il/elle	**émeuve**	[emœv]
que	nous	**émouvions**	[emuvjɔ̃]
que	vous	**émouviez**	[emuvje]
qu'	ils/elles	**émeuvent**	[emœv]

imparfait

que	j'	**émusse**	[emys]
que	tu	**émusses**	[emys]
qu'	il/elle	**émût**	[emy]
que	nous	**émussions**	[emysjɔ̃]
que	vous	**émussiez**	[emysje]
qu'	ils/elles	**émussent**	[emys]

passé

que	j'	aie	ému
que	tu	aies	ému
qu'	il/elle	ait	ému
que	nous	ayons	ému
que	vous	ayez	ému
qu'	ils/elles	aient	ému

plus-que-parfait

que	j'	eusse	ému
que	tu	eusses	ému
qu'	il/elle	eût	ému
que	nous	eussions	ému
que	vous	eussiez	ému
qu'	ils/elles	eussent	ému

CONDITIONNEL

présent / **passé 1re forme**

j'	émouvrais	[emuvrɛ]	aurais	ému
tu	émouvrais	[emuvrɛ]	aurais	ému
il/elle	émouvrait	[emuvrɛ]	aurait	ému
nous	émouvrions	[emuvrijɔ̃]	aurions	ému
vous	émouvriez	[emuvrije]	auriez	ému
ils/elles	émouvraient	[emuvrɛ]	auraient	ému

passé 2e forme

mêmes formes que le subjonctif plus-que-parfait

IMPÉRATIF

présent		passé	
émeus	[emø]	aie	ému
émouvons	[emuvɔ̃]	ayons	ému
émouvez	[emuve]	ayez	ému

Promouvoir suit exactement ce modèle. **(Se) mouvoir** prend un accent circonflexe au participe passé masculin singulier : *mû*.

55 VALOIR

3ᴱ GROUPE

[valwar]

Bases :
VAL-
VAU-
VAUD-
VAILL-

- Terminaison -**x** (et non -**s**) aux deux premières personnes de l'indicatif présent et à la 2e pers. du singulier de l'impératif présent.
- La base **vaud**- sert à former le futur simple et le conditionnel présent.
- La base **vaill**- se trouve seulement au subjonctif présent.

INFINITIF

présent	passé
valoir [valwar]	avoir valu

PARTICIPE

présent	passé
valant [valɑ̃]	valu/ue, valus/values [valy] ayant valu

INDICATIF

présent			passé composé	
je	**vaux**	[vo]	ai	valu
tu	**vaux**	[vo]	as	valu
il/elle	vaut	[vo]	a	valu
nous	valons	[valɔ̃]	avons	valu
vous	valez	[vale]	avez	valu
ils/elles	valent	[val]	ont	valu
imparfait			**plus-que-parfait**	
je	valais	[valɛ]	avais	valu
tu	valais	[valɛ]	avais	valu
il/elle	valait	[valɛ]	avait	valu
nous	valions	[valjɔ̃]	avions	valu
vous	valiez	[valje]	aviez	valu
ils/elles	valaient	[valɛ]	avaient	valu
futur simple			**futur antérieur**	
je	vaudrai	[vodre]	aurai	valu
tu	vaudras	[vodra]	auras	valu
il/elle	vaudra	[vodra]	aura	valu
nous	vaudrons	[vodrɔ̃]	aurons	valu
vous	vaudrez	[vodre]	aurez	valu
ils/elles	vaudront	[vodrɔ̃]	auront	valu
passé simple			**passé antérieur**	
je	valus	[valy]	eus	valu
tu	valus	[valy]	eus	valu
il/elle	valut	[valy]	eut	valu
nous	valûmes	[valym]	eûmes	valu
vous	valûtes	[valyt]	eûtes	valu
ils/elles	valurent	[valyr]	eurent	valu

SUBJONCTIF

présent			
que	je	**vaille**	[vaj]
que	tu	**vailles**	[vaj]
qu'	il/elle	**vaille**	[vaj]
que	nous	valions	[valjɔ̃]
que	vous	valiez	[valje]
qu'	ils/elles	**vaillent**	[vaj]
imparfait			
que	je	valusse	[valys]
que	tu	valusses	[valys]
qu'	il/elle	valût	[valy]
que	nous	valussions	[valysjɔ̃]
que	vous	valussiez	[valysje]
qu'	ils/elles	valussent	[valys]
passé			
que	j'	aie	valu
que	tu	aies	valu
qu'	il/elle	ait	valu
que	nous	ayons	valu
que	vous	ayez	valu
qu'	ils/elles	aient	valu
plus-que-parfait			
que	j'	eusse	valu
que	tu	eusses	valu
qu'	il/elle	eût	valu
que	nous	eussions	valu
que	vous	eussiez	valu
qu'	ils/elles	eussent	valu

CONDITIONNEL

présent			passé 1re forme	
je	vaudrais	[vodrɛ]	aurais	valu
tu	vaudrais	[vodrɛ]	aurais	valu
il/elle	vaudrait	[vodrɛ]	aurait	valu
nous	vaudrions	[vodrijɔ̃]	aurions	valu
vous	vaudriez	[vodrije]	auriez	valu
ils/elles	vaudraient	[vodrɛ]	auraient	valu

passé 2e forme

mêmes formes que le subjonctif plus-que-parfait

IMPÉRATIF

présent		passé	
vaux	[vo]	aie	valu
valons	[valɔ̃]	ayons	valu
valez	[vale]	ayez	valu

Équivaloir et *revaloir* (défectif) suivent ce modèle, mais le participe passé d'« équivaloir » est invariable.

PRÉVALOIR 56

3E GROUPE

[prevalwar]

Bases :
PRÉVAL-
PRÉVAU-
PRÉVAUD-

- La seule différence par rapport à « valoir » est au subjonctif présent : toutes les formes sont construites sur la base **préval**-.

INFINITIF

présent	passé
prévaloir [-valwar]	avoir prévalu

PARTICIPE

présent	passé
prévalant [-valɑ̃]	prévalu/ue, prévalus/ues [-valy] ayant prévalu

INDICATIF

présent			passé composé	
je	**prévaux**	[-vo]	ai	prévalu
tu	**prévaux**	[-vo]	as	prévalu
il/elle	prévaut	[-vo]	a	prévalu
nous	prévalons	[-valɔ̃]	avons	prévalu
vous	prévalez	[-vale]	avez	prévalu
ils/elles	prévalent	[-val]	ont	prévalu

imparfait			plus-que-parfait	
je	prévalais	[-valɛ]	avais	prévalu
tu	prévalais	[-valɛ]	avais	prévalu
il/elle	prévalait	[-valɛ]	avait	prévalu
nous	prévalions	[-valjɔ̃]	avions	prévalu
vous	prévaliez	[-valje]	aviez	prévalu
ils/elles	prévalaient	[-valɛ]	avaient	prévalu

futur simple			futur antérieur	
je	prévaudrai	[-vodre]	aurai	prévalu
tu	prévaudras	[-vodra]	auras	prévalu
il/elle	prévaudra	[-vodra]	aura	prévalu
nous	prévaudrons	[-vodrɔ̃]	aurons	prévalu
vous	prévaudrez	[-vodre]	aurez	prévalu
ils/elles	prévaudront	[-vodrɔ̃]	auront	prévalu

passé simple			passé antérieur	
je	prévalus	[-valy]	eus	prévalu
tu	prévalus	[-valy]	eus	prévalu
il/elle	prévalut	[-valy]	eut	prévalu
nous	prévalûmes	[-valym]	eûmes	prévalu
vous	prévalûtes	[-valyt]	eûtes	prévalu
ils/elles	prévalurent	[-valyr]	eurent	prévalu

SUBJONCTIF

présent			
que	je	**prévale**	[-val]
que	tu	**prévales**	[-val]
qu'	il/elle	**prévale**	[-val]
que	nous	**prévalions**	[-valjɔ̃]
que	vous	**prévaliez**	[-valje]
qu'	ils/elles	**prévalent**	[-val]

imparfait			
que	je	prévalusse	[-valys]
que	tu	prévalusses	[-valys]
qu'	il/elle	prévalût	[-valy]
que	nous	prévalussions	[-valysjɔ̃]
que	vous	prévalussiez	[-valysje]
qu'	ils/elles	prévalussent	[-valys]

passé			
que	j'	aie	prévalu
que	tu	aies	prévalu
qu'	il/elle	ait	prévalu
que	nous	ayons	prévalu
que	vous	ayez	prévalu
qu'	ils/elles	aient	prévalu

plus-que-parfait			
que	j'	eusse	prévalu
que	tu	eusses	prévalu
qu'	il/elle	eût	prévalu
que	nous	eussions	prévalu
que	vous	eussiez	prévalu
qu'	ils/elles	eussent	prévalu

CONDITIONNEL

présent			passé 1re forme	
je	prévaudrais	[-vodrɛ]	aurais	prévalu
tu	prévaudrais	[-vodrɛ]	aurais	prévalu
il/elle	prévaudrait	[-vodrɛ]	aurait	prévalu
nous	prévaudrions	[-vodrijɔ̃]	aurions	prévalu
vous	prévaudriez	[-vodrije]	auriez	prévalu
ils/elles	prévaudraient	[-vodrɛ]	auraient	prévalu

passé 2e forme

mêmes formes que le subjonctif plus-que-parfait

IMPÉRATIF

présent		passé	
prévaux	[-vo]	aie	prévalu
prévalons	[-valɔ̃]	ayons	prévalu
prévalez	[-vale]	ayez	prévalu

57 S'ASSEOIR(1)

3E GROUPE

[aswar]

Bases :
ASSE-/ASS-
ASSIED-
ASSEY-
ASSIÉ-

- Deux conjugaisons pour ce verbe : celle-ci est la plus employée à la voix pronominale.
- Attention au -**e**- muet de l'infinitif présent : *s'asseoir.*
- -**y**- + -**i**- aux 1re et 2e personnes du pluriel de l'indicatif imparfait et du subjonctif présent.

INFINITIF

présent	passé
s'asseoir [aswar]	s'être assis/ise is/ises

PARTICIPE

présent	passé
s'asseyant [asejɑ̃]	assis/ise, assis/ises [asi/iz] étant assis/ise/is/ises

INDICATIF

présent

je m'	assieds	[asje]
tu t'	assieds	[asje]
il/elle s'	assied	[asje]
nous nous	asseyons	[asejɔ̃]
vous vous	asseyez	[aseje]
ils/elles s'	asseyent	[asɛj]

passé composé

suis	assis/ise
es	assis/ise
est	assis/ise
sommes	assis/ises
êtes	assis/ises
sont	assis/ises

imparfait

je m'	asseyais	[asɛjɛ]
tu t'	asseyais	[asɛjɛ]
il/elle s'	asseyait	[asɛjɛ]
nous nous	**asseyions**	[asejjɔ̃]
vous vous	**asseyiez**	[asejje]
ils/elles s'	asseyaient	[asɛjɛ]

plus-que-parfait

étais	assis/ise
étais	assis/ise
était	assis/ise
étions	assis/ises
étiez	assis/ises
étaient	assis/ises

futur simple

je m'	assiérai	[asjere]
tu t'	assiéras	[asjera]
il/elle s'	assiéra	[asjera]
nous nous	assiérons	[asjerɔ̃]
vous vous	assiérez	[asjere]
ils/elles s'	assiéront	[asjerɔ̃]

futur antérieur

serai	assis/ise
seras	assis/ise
sera	assis/ise
serons	assis/ises
serez	assis/ises
seront	assis/ises

passé simple

je m'	assis	[asi]
tu t'	assis	[asi]
il/elle s'	assit	[asi]
nous nous	assîmes	[asim]
vous vous	assîtes	[asit]
ils/elles s'	assirent	[asir]

passé antérieur

fus	assis/ise
fus	assis/ise
fut	assis/ise
fûmes	assis/ises
fûtes	assis/ises
furent	assis/ises

SUBJONCTIF

présent

que	je m'	asseye	[asɛj]
que	tu t'	asseyes	[asɛj]
qu'	il/elle s'	asseye	[asɛj]
que	nous nous	**asseyions**	[asejjɔ̃]
que	vous vous	**asseyiez**	[asejje]
qu'	ils/elles s'	asseyent	[asɛj]

imparfait

que	je m'	assisse	[asis]
que	tu t'	assisses	[asis]
qu'	il/elle s'	assît	[asi]
que	nous nous	assissions	[asisjɔ̃]
que	vous vous	assissiez	[asisje]
qu'	ils/elles s'	assissent	[asis]

passé

que	je me	sois	assis/ise
que	tu te	sois	assis/ise
qu'	il/elle se	soit	assis/ise
que	nous nous	soyons	assis/ises
que	vous vous	soyez	assis/ises
qu'	ils/elles se	soient	assis/ises

plus-que-parfait

que	je me	fusse	assis/ise
que	tu te	fusses	assis/ise
qu'	il/elle se	fût	assis/ise
que	nous nous	fussions	assis/ises
que	vous vous	fussiez	assis/ises
qu'	ils/elles se	fussent	assis/ises

CONDITIONNEL

présent

je m'	assiérais	[asjerɛ]
tu t'	assiérais	[asjerɛ]
il/elle s'	assiérait	[asjerɛ]
nous nous	assiérions	[asjerjɔ̃]
vous vous	assiériez	[asjerje]
ils/elles s'	assiéraient	[asjerɛ]

passé 1re forme

serais	assis/ise
serais	assis/ise
serait	assis/ise
serions	assis/ises
seriez	assis/ises
seraient	assis/ises

passé 2e forme

mêmes formes que le subjonctif plus-que-parfait

IMPÉRATIF

présent		passé
assieds-toi	[asje]	*inusité*
asseyons-nous	[asejɔ̃]	
asseyez-vous	[aseje]	

Se rasseoir suit ce modèle. *Asseoir* aussi, mais il forme ses temps composés avec « avoir ».

- -**y**- + -**i**- aux 1re et 2e personnes du pluriel de l'indicatif imparfait et du subjonctif présent.

[aswar]

Bases :
ASSE-/ASS-
ASSOI-
ASSOY-

INFINITIF

présent	passé
s'asseoir [aswar]	s'être assis/ise is/ises

PARTICIPE

présent	passé
s'assoyant [aswajɑ̃]	assis/ise, assis/ises [asi/iz] étant assis/ise/is/ises

INDICATIF

présent			passé composé	
je m'	assois	[aswa]	suis	assis/ise
tu t'	assois	[aswa]	es	assis/ise
il/elle s'	assoit	[aswa]	est	assis/ise
nous nous	assoyons	[aswajɔ̃]	sommes	assis/ises
vous vous	assoyez	[aswaje]	êtes	assis/ises
ils/elles s'	assoient	[aswa]	sont	assis/ises

imparfait			plus-que-parfait	
je m'	assoyais	[aswajɛ]	étais	assis/ise
tu t'	assoyais	[aswajɛ]	étais	assis/ise
il/elle s'	assoyait	[aswajɛ]	était	assis/ise
nous nous	**assoyions**	[aswajjɔ̃]	étions	assis/ises
vous vous	**assoyiez**	[aswajje]	étiez	assis/ises
ils/elles s'	assoyaient	[aswajɛ]	étaient	assis/ises

futur simple			futur antérieur	
je m'	assoirai	[asware]	serai	assis/ise
tu t'	assoiras	[aswara]	seras	assis/ise
il/elle s'	assoira	[aswara]	sera	assis/ise
nous nous	assoirons	[aswarɔ̃]	serons	assis/ises
vous vous	assoirez	[asware]	serez	assis/ises
ils/elles s'	assoiront	[aswarɔ̃]	seront	assis/ises

passé simple			passé antérieur	
je m'	assis	[asi]	fus	assis/ise
tu t'	assis	[asi]	fus	assis/ise
il/elle s'	assit	[asi]	fut	assis/ise
nous nous	assîmes	[asim]	fûmes	assis/ises
vous vous	assîtes	[asit]	fûtes	assis/ises
ils/elles s'	assirent	[asir]	furent	assis/ises

SUBJONCTIF

présent			
que	je m'	assoie	[aswa]
que	tu t'	assoies	[aswa]
qu'	il/elle s'	assoie	[aswa]
que	nous nous	**assoyions**	[aswajjɔ̃]
que	vous vous	**assoyiez**	[aswajje]
qu'	ils/elles s'	assoient	[aswa]

imparfait			
que	je m'	assisse	[asis]
que	tu t'	assisses	[asis]
qu'	il/elle s'	assît	[asi]
que	nous nous	assissions	[asisjɔ̃]
que	vous vous	assissiez	[asisje]
qu'	ils/elles s'	assissent	[asis]

passé			
que	je me	sois	assis/ise
que	tu te	sois	assis/ise
qu'	il/elle se	soit	assis/ise
que	nous nous	soyons	assis/ises
que	vous vous	soyez	assis/ises
qu'	ils/elles se	soient	assis/ises

plus-que-parfait			
que	je me	fusse	assis/ise
que	tu te	fusses	assis/ise
qu'	il/elle se	fût	assis/ise
que	nous nous	fussions	assis/ises
que	vous vous	fussiez	assis/ises
qu'	ils/elles se	fussent	assis/ises

CONDITIONNEL

présent			passé 1re forme	
je m'	assoirais	[aswarɛ]	serais	assis/ise
tu t'	assoirais	[aswarɛ]	serais	assis/ise
il/elle s'	assoirait	[aswarɛ]	serait	assis/ise
nous nous	assoirions	[aswarjɔ̃]	serions	assis/ises
vous vous	assoiriez	[aswarje]	seriez	assis/ises
ils/elles s'	assoiraient	[aswarɛ]	seraient	assis/ises

passé 2e forme

mêmes formes que le subjonctif plus-que-parfait

IMPÉRATIF

présent		passé
assois-toi	[aswa]	*inusité*
assoyons-nous	[aswajɔ̃]	
assoyez-vous	[aswaje]	

Rasseoir suit ce modèle mais forme ses temps composés avec « avoir ».

59 SURSEOIR

3E GROUPE

[syrswar]

Bases :
SURSEOI-
SURSOI-
SURSOY-
SURS-

- Attention à l'orthographe de la base à l'infinitif et aux temps formés à partir de celui-ci (futur simple et conditionnel présent : **surseoi**-, avec -**e**- muet devant -**o**-). C'est la seule différence avec le tableau 58.
- -**y**- + -**i**- aux deux premières personnes du pluriel de l'indicatif imparfait et du subjonctif présent.
- Participe passé invariable.

INFINITIF

présent	passé
surseoir [syrswar]	avoir sursis

PARTICIPE

présent	passé
sursoyant [syrswajɑ̃]	sursis [syrsi] ayant sursis

INDICATIF

présent			passé composé	
je	sursois	[syrswa]	ai	sursis
tu	sursois	[syrswa]	as	sursis
il/elle	sursoit	[syrswa]	a	sursis
nous	sursoyons	[syrswajɔ̃]	avons	sursis
vous	sursoyez	[syrswaje]	avez	sursis
ils/elles	sursoient	[syrswa]	ont	sursis

imparfait			plus-que-parfait	
je	sursoyais	[syrswajɛ]	avais	sursis
tu	sursoyais	[syrswajɛ]	avais	sursis
il/elle	sursoyait	[syrswajɛ]	avait	sursis
nous	**sursoyions**	[syrswajjɔ̃]	avions	sursis
vous	**sursoyiez**	[syrswajje]	aviez	sursis
ils/elles	sursoyaient	[syrswajɛ]	avaient	sursis

futur simple			futur antérieur	
je	**surseoirai**	[syrsware]	aurai	sursis
tu	**surseoiras**	[syrswara]	auras	sursis
il/elle	**surseoira**	[syrswara]	aura	sursis
nous	**surseoirons**	[syrswarɔ̃]	aurons	sursis
vous	**surseoirez**	[syrsware]	aurez	sursis
ils/elles	**surseoiront**	[syrswarɔ̃]	auront	sursis

passé simple			passé antérieur	
je	sursis	[syrsi]	eus	sursis
tu	sursis	[syrsi]	eus	sursis
il/elle	sursit	[syrsi]	eut	sursis
nous	sursîmes	[syrsim]	eûmes	sursis
vous	sursîtes	[syrsit]	eûtes	sursis
ils/elles	sursirent	[syrsir]	eurent	sursis

SUBJONCTIF

présent			
que	je	sursoie	[syrswa]
que	tu	sursoies	[syrswa]
qu'	il/elle	sursoie	[syrswa]
que	nous	**sursoyions**	[syrswajjɔ̃]
que	vous	**sursoyiez**	[syrswajje]
qu'	ils/elles	sursoient	[syrswa]

imparfait			
que	je	sursisse	[syrsis]
que	tu	sursisses	[syrsis]
qu'	il/elle	sursît	[syrsi]
que	nous	sursissions	[syrsisjɔ̃]
que	vous	sursissiez	[syrsisje]
qu'	ils/elles	sursissent	[syrsis]

passé			
que	j'	aie	sursis
que	tu	aies	sursis
qu'	il/elle	ait	sursis
que	nous	ayons	sursis
que	vous	ayez	sursis
qu'	ils/elles	aient	sursis

plus-que-parfait			
que	j'	eusse	sursis
que	tu	eusses	sursis
qu'	il/elle	eût	sursis
que	nous	eussions	sursis
que	vous	eussiez	sursis
qu'	ils/elles	eussent	sursis

CONDITIONNEL

présent			passé 1re forme	
je	**surseoirais**	[syrswarɛ]	aurais	sursis
tu	**surseoirais**	[syrswarɛ]	aurais	sursis
il/elle	**surseoirait**	[syrswarɛ]	aurait	sursis
nous	**surseoirions**	[syrswarjɔ̃]	aurions	sursis
vous	**surseoiriez**	[syrswarje]	auriez	sursis
ils/elles	**surseoiraient**	[syrswarɛ]	auraient	sursis

passé 2e forme

mêmes formes que le subjonctif plus-que-parfait

IMPÉRATIF

présent		passé	
sursois	[syrswa]	aie	sursis
sursoyons	[syrswajɔ̃]	ayons	sursis
sursoyez	[syrswaje]	ayez	sursis

SEOIR 60

3E GROUPE

[swar]

Bases :
SEOI-
SIED-/SIÉ-
SEY-
SÉ-

- Ce verbe (qui signifie « convenir ») est archaïque et défectif. La plupart de ses formes se retrouvent dans « asseoir » (tableau 57).
- En langage juridique, on emploie *séant* (= siégeant) et *sis, sise, sises* (participe passé passif signifiant « qui est [sont] situé/ée/[és/ées] »).

INFINITIF

présent	passé
seoir [swar]	*inusité*

PARTICIPE

présent	passé
seyant [sejɑ̃] séant [seɑ̃]	*inusité*

INDICATIF

présent		
il/elle	sied	[sje]
ils/elles	siéent	[sje]
imparfait		
il/elle	seyait	[sejɛ]
ils/elles	seyaient	[sejɛ]
futur simple		
il/elle	siéra	[sjera]
ils/elles	siéront	[sjerɔ̃]

CONDITIONNEL

présent		
il/elle	siérait	[sjerɛ]
ils/elles	siéraient	[sjerɛ]

SUBJONCTIF

présent			
qu'	il/elle	siée	[sje]
qu'	ils/elles	siéent	[sje]

Messeoir (= ne pas convenir) suit ce modèle mais a un seul participe présent : *messéant*.

PLEUVOIR 61

3E GROUPE

[pløvwar]

Bases :
PLEUV-
PLEU-
PL-

- Participe passé invariable.
- Au sens figuré, ce verbe se conjugue à la 3e personne du pluriel : *les bonnes nouvelles pleuvaient*.
- Verbe impersonnel et défectif.

INFINITIF

présent	passé
pleuvoir [pløvwar]	avoir plu

PARTICIPE

présent	passé
pleuvant [pløvɑ̃]	**plu** [ply] ayant plu

INDICATIF

présent			passé composé	
il	pleut	[plø]	a	plu
imparfait			**plus-que-parfait**	
il	pleuvait	[pløvɛ]	avait	plu
futur simple			**futur antérieur**	
il	pleuvra	[pløvra]	aura	plu
passé simple			**passé antérieur**	
il	plut	[ply]	eut	plu

SUBJONCTIF

présent			
qu'	il	pleuve	[plœv]
imparfait			
qu'	il	plût	[ply]
passé			
qu'	il	ait	plu
plus-que-parfait			
qu'	il	eût	plu

CONDITIONNEL

présent			passé 1re forme	
il	pleuvrait	[pløvrɛ]	aurait	plu

passé 2e forme
mêmes formes que le subjonctif plus-que-parfait

IMPÉRATIF

présent	passé
inusité	*inusité*

Le dérivé *repleuvoir* suit ce modèle.

62 CHOIR

3E GROUPE

[ʃwar]

Bases : CHOI- ; CH- ; CHER-

- Verbe défectif (= «tomber») qui forme ses temps composés avec «être» (parfois «avoir»).
- Formes encore employées : celles qui comportent une seule syllabe et le conditionnel présent (*je choirais*).
- Les temps construits sur la base **cher-** sont archaïques : ... *et la bobinette cherra* (Charles Perrault, *le Petit Chaperon rouge*).

INFINITIF

présent	passé
choir [ʃwar]	être chu/ue/us/ues

PARTICIPE

présent	passé
inusité	chu/ue, chus/ues [ʃy] étant chu/ue/us/ues

INDICATIF

présent

je	chois	[ʃwa]
tu	chois	[ʃwa]
il/elle	choit	[ʃwa]
nous	*inusité*	
vous	—	
ils/elles	choient	[ʃwa]

passé composé

suis	chu/ue
es	chu/ue
est	chu/ue
sommes	chus/ues
êtes	chus/ues
sont	chus/ues

imparfait

inusité

plus-que-parfait

j'	étais	chu/ue
tu	étais	chu/ue
il	était	chu/ue
nous	étions	chus/ues
vous	étiez	chus/ues
ils/elles	étaient	chus/ues

futur simple

je	choirai	[ʃware]
	cherrai	[ʃerre]
tu	choiras	[ʃwara]
	cherras	[ʃerra]
il/elle	choira	[ʃwara]
	cherra	[ʃerra]
nous	choirons	[ʃwarɔ̃]
	cherrons	[ʃerrɔ̃]
vous	choirez	[ʃware]
	cherrez	[ʃerre]
ils/elles	choiront	[ʃwarɔ̃]
	cherront	[ʃerrɔ̃]

futur antérieur

serai	chu/ue
seras	chu/ue
sera	chu/ue
serons	chus/ues
serez	chus/ues
seront	chus/ues

passé simple

je	chus	[ʃy]
tu	chus	[ʃy]
il/elle	chut	[ʃy]
nous	chûmes	[ʃym]
vous	chûtes	[ʃyt]
ils/elles	churent	[ʃyr]

passé antérieur

fus	chu/ue
fus	chu/ue
fut	chu/ue
fûmes	chus/ues
fûtes	chus/ues
furent	chus/ues

SUBJONCTIF

présent

inusité

imparfait

inusité
—
qu' il/elle chût [ʃy]
inusité
—
—

passé

que	je	sois	chu/ue
que	tu	sois	chu/ue
qu'	il/elle	soit	chu/ue
que	nous	soyons	chus/ues
que	vous	soyez	chus/ues
qu'	ils/elles	soient	chus/ues

plus-que-parfait

que	je	fusse	chu/ue
que	tu	fusses	chu/ue
qu'	il/elle	fût	chu/ue
que	nous	fussions	chus/ues
que	vous	fussiez	chus/ues
qu'	ils/elles	fussent	chus/ues

IMPÉRATIF

présent	passé
inusité	*inusité*

CONDITIONNEL

présent

je	choirais	[ʃwarɛ]	nous	choirions	[ʃwarjɔ̃]
	cherrais	[ʃerrɛ]		cherrions	[ʃerrjɔ̃]
tu	choirais	[ʃwarɛ]	vous	choiriez	[ʃwarje]
	cherrais	[ʃerrɛ]		cherriez	[ʃerrje]
il/elle	choirait	[ʃwarɛ]	ils/elles	choiraient	[ʃwarɛ]
	cherrait	[ʃerrɛ]		cherraient	[ʃerrɛ]

passé 1re forme

je	serais	chu/ue
tu	serais	chu/ue
il/elle	serait	chu/ue
nous	serions	chus/ues
vous	seriez	chus/ues
ils/elles	seraient	chus/ues

passé 2e forme : *mêmes formes que le subjonctif plus-que-parfait*

[eʃwar]

Bases :
ÉCHOI-
ÉCH-
ÉCHE-/ÉCHER-

- Verbe défectif qui forme ses temps composés avec « être » ou « avoir ».
- Les formes construites sur les bases **éche-** et **écher-** sont archaïques (langage juridique), sauf le participe présent, très employé dans l'expression : *le cas échéant* (= si le cas se présente).

INFINITIF

présent	passé
échoir [eʃwar]	être échu/ue/us/ues

PARTICIPE

présent	passé
échéant [eʃeɑ̃]	échu/ue, échus/ues [eʃy] étant échu/ue/us/ues

INDICATIF

présent			passé composé	
il/elle	échoit	[eʃwa]	est	échu/ue
ils/elles	échoient	[eʃwa]	sont	échus/ues

imparfait			plus-que-parfait	
il/elle	échoyait	[eʃwajɛ]	était	échu/ue
ils/elles	échoyaient	[eʃwajɛ]	étaient	échus/ues

futur simple			futur antérieur	
il/elle	échoira	[eʃwara]	sera	échu/ue
	écherra	[eʃera]		
ils/elles	échoiront	[eʃwarɔ̃]	seront	échus/ues
	écherront	[eʃerɔ̃]		

passé simple			passé antérieur	
il/elle	échut	[eʃy]	fut	échu/ue
ils/elles	échurent	[eʃyr]	furent	échus/ues

SUBJONCTIF

présent			
qu'	il/elle	échoie	[eʃwa]
qu'	ils/elles	échoient	[eʃwa]

imparfait			
qu'	il/elle	échût	[eʃy]
qu'	ils/elles	échussent	[eʃys]

passé			
qu'	il/elle	soit	échu/ue
qu'	ils/elles	soient	échus/ues

plus-que-parfait			
qu'	il/elle	fût	échu/ue
qu'	ils/elles	fussent	échus/ues

CONDITIONNEL

présent			passé 1re forme	
il/elle	échoirait	[eʃwarɛ]	serait	échu/ue
	écherrait	[eʃerɛ]		
ils/elles	échoiraient	[eʃwarɛ]	seraient	échus/ues
	écherraient	[eʃerɛ]		

passé 2e forme

mêmes formes que le subjonctif plus-que-parfait

IMPÉRATIF

présent	passé
inusité	*inusité*

64 DÉCHOIR

3E GROUPE

[deʃwar]

Bases :
DÉCHOI-
DÉCH-

- Verbe défectif qui peut former ses temps composés avec « avoir » ou « être », selon le sens.
- Attention aux deux premières personnes du pluriel du subjonctif présent : **-y-** + **-i-**.

INFINITIF

présent	passé
déchoir [deʃwar]	avoir déchu

PARTICIPE

présent	passé
inusité	déchu/ue, déchus/ues [deʃy] ayant déchu

INDICATIF

présent

je	déchois	[deʃwa]
tu	déchois	[deʃwa]
il/elle	déchoit	[deʃwa]
nous	déchoyons	[deʃwajɔ̃]
vous	déchoyez	[deʃwaje]
ils/elles	déchoient	[deʃwa]

passé composé

ai	déchu
as	déchu
a	déchu
avons	déchu
avez	déchu
ont	déchu

imparfait

inusité

plus-que-parfait

j'	avais	déchu
tu	avais	déchu
il/elle	avait	déchu
nous	avions	déchu
vous	aviez	déchu
ils/elles	avaient	déchu

futur simple

je	déchoirai	[deʃware]
tu	déchoiras	[deʃwara]
il/elle	déchoira	[deʃwara]
nous	déchoirons	[deʃwarɔ̃]
vous	déchoirez	[deʃware]
ils/elles	déchoiront	[deʃwarɔ̃]

futur antérieur

aurai	déchu
auras	déchu
aura	déchu
aurons	déchu
aurez	déchu
auront	déchu

passé simple

je	déchus	[deʃy]
tu	déchus	[deʃy]
il/elle	déchut	[deʃy]
nous	déchûmes	[deʃym]
vous	déchûtes	[deʃyt]
ils/elles	déchurent	[deʃyr]

passé antérieur

eus	déchu
eus	déchu
eut	déchu
eûmes	déchu
eûtes	déchu
eurent	déchu

SUBJONCTIF

présent

que	je	déchoie	[deʃwa]
que	tu	déchoies	[deʃwa]
qu'	il/elle	déchoie	[deʃwa]
que	nous	**déchoyions**	[deʃwajjɔ̃]
que	vous	**déchoyiez**	[deʃwajje]
qu'	ils/elles	déchoient	[deʃwa]

imparfait

que	je	déchusse	[deʃys]
que	tu	déchusses	[deʃys]
qu'	il/elle	déchût	[deʃy]
que	nous	déchussions	[deʃysjɔ̃]
que	vous	déchussiez	[deʃysje]
qu'	ils/elles	déchussent	[deʃys]

passé

que	j'	aie	déchu
que	tu	aies	déchu
qu'	il/elle	ait	déchu
que	nous	ayons	déchu
que	vous	ayez	déchu
qu'	ils/elles	aient	déchu

plus-que-parfait

que	j'	eusse	déchu
que	tu	eusses	déchu
qu'	il/elle	eût	déchu
que	nous	eussions	déchu
que	vous	eussiez	déchu
qu'	ils/elles	eussent	déchu

CONDITIONNEL

présent

je	déchoirais	[deʃwarɛ]
tu	déchoirais	[deʃwarɛ]
il/elle	déchoirait	[deʃwarɛ]
nous	déchoirions	[deʃwarjɔ̃]
vous	déchoiriez	[deʃwarje]
ils/elles	déchoiraient	[deʃwarɛ]

passé 1re forme

aurais	déchu
aurais	déchu
aurait	déchu
aurions	déchu
auriez	déchu
auraient	déchu

passé 2e forme

mêmes formes que le subjonctif plus-que-parfait

IMPÉRATIF

présent	passé
inusité	*inusité*

- La 3ᵉ personne du singulier de l'indicatif présent n'a pas de terminaison. Cette forme reproduit la base sans changement : *elle rend*.

[rɑ̃dr]

Base :
REND-

INFINITIF

présent	passé
rendre [rɑ̃dr]	avoir rendu

PARTICIPE

présent	passé
rendant [rɑ̃dɑ̃]	rendu/ue, rendus/ues [rɑ̃dy] ayant rendu

INDICATIF

présent			passé composé	
je	rends	[rɑ̃]	ai	rendu
tu	rends	[rɑ̃]	as	rendu
il/elle	**rend**	[rɑ̃]	a	rendu
nous	rendons	[rɑ̃dɔ̃]	avons	rendu
vous	rendez	[rɑ̃de]	avez	rendu
ils/elles	rendent	[rɑ̃d]	ont	rendu
imparfait			**plus-que-parfait**	
je	rendais	[rɑ̃dɛ]	avais	rendu
tu	rendais	[rɑ̃dɛ]	avais	rendu
il/elle	rendait	[rɑ̃dɛ]	avait	rendu
nous	rendions	[rɑ̃djɔ̃]	avions	rendu
vous	rendiez	[rɑ̃dje]	aviez	rendu
ils/elles	rendaient	[rɑ̃dɛ]	avaient	rendu
futur simple			**futur antérieur**	
je	rendrai	[rɑ̃dre]	aurai	rendu
tu	rendras	[rɑ̃dra]	auras	rendu
il/elle	rendra	[rɑ̃dra]	aura	rendu
nous	rendrons	[rɑ̃drɔ̃]	aurons	rendu
vous	rendrez	[rɑ̃dre]	aurez	rendu
ils/elles	rendront	[rɑ̃drɔ̃]	auront	rendu
passé simple			**passé antérieur**	
je	rendis	[rɑ̃di]	eus	rendu
tu	rendis	[rɑ̃di]	eus	rendu
il/elle	rendit	[rɑ̃di]	eut	rendu
nous	rendîmes	[rɑ̃dim]	eûmes	rendu
vous	rendîtes	[rɑ̃dit]	eûtes	rendu
ils/elles	rendirent	[rɑ̃dir]	eurent	rendu

SUBJONCTIF

présent			
que	je	rende	[rɑ̃d]
que	tu	rendes	[rɑ̃d]
qu'	il/elle	rende	[rɑ̃d]
que	nous	rendions	[rɑ̃djɔ̃]
que	vous	rendiez	[rɑ̃dje]
qu'	ils/elles	rendent	[rɑ̃d]
imparfait			
que	je	rendisse	[rɑ̃dis]
que	tu	rendisses	[rɑ̃dis]
qu'	il/elle	rendît	[rɑ̃di]
que	nous	rendissions	[rɑ̃disjɔ̃]
que	vous	rendissiez	[rɑ̃disje]
qu'	ils/elles	rendissent	[rɑ̃dis]
passé			
que	j'	aie	rendu
que	tu	aies	rendu
qu'	il/elle	ait	rendu
que	nous	ayons	rendu
que	vous	ayez	rendu
qu'	ils/elles	aient	rendu
plus-que-parfait			
que	j'	eusse	rendu
que	tu	eusses	rendu
qu'	il/elle	eût	rendu
que	nous	eussions	rendu
que	vous	eussiez	rendu
qu'	ils/elles	eussent	rendu

CONDITIONNEL

présent			passé 1ʳᵉ forme	
je	rendrais	[rɑ̃drɛ]	aurais	rendu
tu	rendrais	[rɑ̃drɛ]	aurais	rendu
il/elle	rendrait	[rɑ̃drɛ]	aurait	rendu
nous	rendrions	[rɑ̃drijɔ̃]	aurions	rendu
vous	rendriez	[rɑ̃drije]	auriez	rendu
ils/elles	rendraient	[rɑ̃drɛ]	auraient	rendu

passé 2ᵉ forme

mêmes formes que le subjonctif plus-que-parfait

IMPÉRATIF

présent		passé	
rends	[rɑ̃]	aie	rendu
rendons	[rɑ̃dɔ̃]	ayons	rendu
rendez	[rɑ̃de]	ayez	rendu

Suivent ce modèle : les verbes en **-endre** sauf « prendre » (*défendre, fendre* ainsi que *descendre, pendre, tendre, vendre* et leurs dérivés) ; les verbes en **-ondre**, **-erdre**, **-ordre** (*fondre, pondre, répondre, tondre, perdre, mordre, tordre* et leurs dérivés).

66 RÉPANDRE

3ᴱ GROUPE

[repɑ̃dr]

Base :
RÉPAND-

- Pas de terminaison à la 3e personne du singulier de l'indicatif présent : *elle répand.*
- Attention : s'il se conjugue comme la plupart des verbes en **-endre**, « répandre » est un verbe en **-andre**. Le **-a-** de la base est présent partout.

INFINITIF

présent	passé
répandre [repɑ̃dr]	avoir répandu

PARTICIPE

présent	passé
répandant [repɑ̃dɑ̃]	répandu/ue, répandus/ues [repɑ̃dy] ayant répandu

INDICATIF

présent

je	répands	[-pɑ̃]
tu	répands	[-pɑ̃]
il/elle	**répand**	[-pɑ̃]
nous	répandons	[-pɑ̃dɔ̃]
vous	répandez	[-pɑ̃de]
ils/elles	répandent	[-pɑ̃d]

passé composé

ai	répandu
as	répandu
a	répandu
avons	répandu
avez	répandu
ont	répandu

imparfait

je	répandais	[-pɑ̃dɛ]
tu	répandais	[-pɑ̃dɛ]
il/elle	répandait	[-pɑ̃dɛ]
nous	répandions	[-pɑ̃djɔ̃]
vous	répandiez	[-pɑ̃dje]
ils/elles	répandaient	[-pɑ̃dɛ]

plus-que-parfait

avais	répandu
avais	répandu
avait	répandu
avions	répandu
aviez	répandu
avaient	répandu

futur simple

je	répandrai	[-pɑ̃dre]
tu	répandras	[-pɑ̃dra]
il/elle	répandra	[-pɑ̃dra]
nous	répandrons	[-pɑ̃drɔ̃]
vous	répandrez	[-pɑ̃dre]
ils/elles	répandront	[-pɑ̃drɔ̃]

futur antérieur

aurai	répandu
auras	répandu
aura	répandu
aurons	répandu
aurez	répandu
auront	répandu

passé simple

je	répandis	[-pɑ̃di]
tu	répandis	[-pɑ̃di]
il/elle	répandit	[-pɑ̃di]
nous	répandîmes	[-pɑ̃dim]
vous	répandîtes	[-pɑ̃dit]
ils/elles	répandirent	[-pɑ̃dir]

passé antérieur

eus	répandu
eus	répandu
eut	répandu
eûmes	répandu
eûtes	répandu
eurent	répandu

SUBJONCTIF

présent

que	je	répande	[-pɑ̃d]
que	tu	répandes	[-pɑ̃d]
qu'	il/elle	répande	[-pɑ̃d]
que	nous	répandions	[-pɑ̃djɔ̃]
que	vous	répandiez	[-pɑ̃dje]
qu'	ils/elles	répandent	[-pɑ̃d]

imparfait

que	je	répandisse	[-pɑ̃dis]
que	tu	répandisses	[-pɑ̃dis]
qu'	il/elle	répandît	[-pɑ̃di]
que	nous	répandissions	[-pɑ̃disjɔ̃]
que	vous	répandissiez	[-pɑ̃disje]
qu'	ils/elles	répandissent	[-pɑ̃dis]

passé

que	j'	aie	répandu
que	tu	aies	répandu
qu'	il/elle	ait	répandu
que	nous	ayons	répandu
que	vous	ayez	répandu
qu'	ils/elles	aient	répandu

plus-que-parfait

que	j'	eusse	répandu
que	tu	eusses	répandu
qu'	il/elle	eût	répandu
que	nous	eussions	répandu
que	vous	eussiez	répandu
qu'	ils/elles	eussent	répandu

CONDITIONNEL

présent

je	répandrais	[-pɑ̃drɛ]
tu	répandrais	[-pɑ̃drɛ]
il/elle	répandrait	[-pɑ̃drɛ]
nous	répandrions	[-pɑ̃drijɔ̃]
vous	répandriez	[-pɑ̃drije]
ils/elles	répandraient	[-pɑ̃drɛ]

passé 1re forme

aurais	répandu
aurais	répandu
aurait	répandu
aurions	répandu
auriez	répandu
auraient	répandu

passé 2e forme

mêmes formes que le subjonctif plus-que-parfait

IMPÉRATIF

présent

répands	[-pɑ̃]
répandons	[-pɑ̃dɔ̃]
répandez	[-pɑ̃de]

passé

aie	répandu
ayons	répandu
ayez	répandu

Épandre suit ce modèle.

PRENDRE

3E GROUPE

[prɑ̃dr]

Bases :
PREND-
PREN-
PRENN-
PR-

- Pas de terminaison à la 3e personne du singulier de l'indicatif présent : *il prend.*
- La base **prenn**- sert à former la 3e pers. du pluriel de l'indicatif présent et quatre personnes du subjonctif présent. Celles-ci... prennent donc deux -**n**-.

INFINITIF

présent	passé
prendre [prɑ̃dr]	avoir pris

PARTICIPE

présent	passé
prenant [prənɑ̃]	pris/ise, pris/ises [pri/iz] ayant pris

INDICATIF

présent			passé composé	
je	prends	[prɑ̃]	ai	pris
tu	prends	[prɑ̃]	as	pris
il/elle	**prend**	[prɑ̃]	a	pris
nous	prenons	[prənɔ̃]	avons	pris
vous	prenez	[prəne]	avez	pris
ils/elles	**prennent**	[prɛn]	ont	pris

imparfait			plus-que-parfait	
je	prenais	[prənɛ]	avais	pris
tu	prenais	[prənɛ]	avais	pris
il/elle	prenait	[prənɛ]	avait	pris
nous	prenions	[prənjɔ̃]	avions	pris
vous	preniez	[prənje]	aviez	pris
ils/elles	prenaient	[prənɛ]	avaient	pris

futur simple			futur antérieur	
je	prendrai	[prɑ̃dre]	aurai	pris
tu	prendras	[prɑ̃dra]	auras	pris
il/elle	prendra	[prɑ̃dra]	aura	pris
nous	prendrons	[prɑ̃drɔ̃]	aurons	pris
vous	prendrez	[prɑ̃dre]	aurez	pris
ils/elles	prendront	[prɑ̃drɔ̃]	auront	pris

passé simple			passé antérieur	
je	pris	[pri]	eus	pris
tu	pris	[pri]	eus	pris
il/elle	prit	[pri]	eut	pris
nous	prîmes	[prim]	eûmes	pris
vous	prîtes	[prit]	eûtes	pris
ils/elles	prirent	[prir]	eurent	pris

SUBJONCTIF

présent			
que	je	**prenne**	[prɛn]
que	tu	**prennes**	[prɛn]
qu'	il/elle	**prenne**	[prɛn]
que	nous	prenions	[prənjɔ̃]
que	vous	preniez	[prənje]
qu'	ils/elles	**prennent**	[prɛn]

imparfait			
que	je	prisse	[pris]
que	tu	prisses	[pris]
qu'	il/elle	prît	[pri]
que	nous	prissions	[prisjɔ̃]
que	vous	prissiez	[prisje]
qu'	ils/elles	prissent	[pris]

passé			
que	j'	aie	pris
que	tu	aies	pris
qu'	il/elle	ait	pris
que	nous	ayons	pris
que	vous	ayez	pris
qu'	ils/elles	aient	pris

plus-que-parfait			
que	j'	eusse	pris
que	tu	eusses	pris
qu'	il/elle	eût	pris
que	nous	eussions	pris
que	vous	eussiez	pris
qu'	ils/elles	eussent	pris

CONDITIONNEL

présent			passé 1re forme	
je	prendrais	[prɑ̃drɛ]	aurais	pris
tu	prendrais	[prɑ̃drɛ]	aurais	pris
il/elle	prendrait	[prɑ̃drɛ]	aurait	pris
nous	prendrions	[prɑ̃drijɔ̃]	aurions	pris
vous	prendriez	[prɑ̃drije]	auriez	pris
ils/elles	prendraient	[prɑ̃drɛ]	auraient	pris

passé 2e forme

mêmes formes que le subjonctif plus-que-parfait

IMPÉRATIF

présent		passé	
prends	[prɑ̃]	aie	pris
prenons	[prənɔ̃]	ayons	pris
prenez	[prəne]	ayez	pris

Tous les dérivés de « prendre » suivent ce modèle : *apprendre, comprendre, surprendre...*

68 CRAINDRE

3E GROUPE

[krɛ̃dr]

Bases :
CRAIND-
CRAIN-
CRAIGN-

- Le -**a**- contenu dans les bases est présent partout, même s'il est prononcé d'autres manières : [ɛ̃], [e] ou [ɛ].
- La base courte **crain**- sert à construire les formes du singulier du présent de l'indicatif et de l'impératif, ainsi que le participe passé.

INFINITIF

présent	passé
craindre [krɛ̃dr]	avoir craint

PARTICIPE

présent	passé
craignant [kreɲɑ̃]	**craint**/te, craints/tes [krɛ̃/ɛ̃t] ayant craint

INDICATIF

présent

je	**crains**	[krɛ̃]
tu	**crains**	[krɛ̃]
il/elle	**craint**	[krɛ̃]
nous	craignons	[kreɲɔ̃]
vous	craignez	[kreɲe]
ils/elles	craignent	[krɛɲ]

passé composé

ai	craint
as	craint
a	craint
avons	craint
avez	craint
ont	craint

imparfait

je	craignais	[kreɲɛ]
tu	craignais	[kreɲɛ]
il/elle	craignait	[kreɲɛ]
nous	craignions	[kreɲjɔ̃]
vous	craigniez	[kreɲje]
ils/elles	craignaient	[kreɲɛ]

plus-que-parfait

avais	craint
avais	craint
avait	craint
avions	craint
aviez	craint
avaient	craint

futur simple

je	craindrai	[krɛ̃dre]
tu	craindras	[krɛ̃dra]
il/elle	craindra	[krɛ̃dra]
nous	craindrons	[krɛ̃drɔ̃]
vous	craindrez	[krɛ̃dre]
ils/elles	craindront	[krɛ̃drɔ̃]

futur antérieur

aurai	craint
auras	craint
aura	craint
aurons	craint
aurez	craint
auront	craint

passé simple

je	craignis	[kreɲi]
tu	craignis	[kreɲi]
il/elle	craignit	[kreɲi]
nous	craignîmes	[kreɲim]
vous	craignîtes	[kreɲit]
ils/elles	craignirent	[kreɲir]

passé antérieur

eus	craint
eus	craint
eut	craint
eûmes	craint
eûtes	craint
eurent	craint

SUBJONCTIF

présent

que	je	craigne	[krɛɲ]
que	tu	craignes	[krɛɲ]
qu'	il/elle	craigne	[krɛɲ]
que	nous	craignions	[kreɲjɔ̃]
que	vous	craigniez	[kreɲje]
qu'	ils/elles	craignent	[krɛɲ]

imparfait

que	je	craignisse	[kreɲis]
que	tu	craignisses	[kreɲis]
qu'	il/elle	craignît	[kreɲi]
que	nous	craignissions	[kreɲisjɔ̃]
que	vous	craignissiez	[kreɲisje]
qu'	ils/elles	craignissent	[kreɲis]

passé

que	j'	aie	craint
que	tu	aies	craint
qu'	il/elle	ait	craint
que	nous	ayons	craint
que	vous	ayez	craint
qu'	ils/elles	aient	craint

plus-que-parfait

que	j'	eusse	craint
que	tu	eusses	craint
qu'	il/elle	eût	craint
que	nous	eussions	craint
que	vous	eussiez	craint
qu'	ils/elles	eussent	craint

CONDITIONNEL

présent

je	craindrais	[krɛ̃drɛ]
tu	craindrais	[krɛ̃drɛ]
il/elle	craindrait	[krɛ̃drɛ]
nous	craindrions	[krɛ̃drijɔ̃]
vous	craindriez	[krɛ̃drije]
ils/elles	craindraient	[krɛ̃drɛ]

passé 1re forme

aurais	craint
aurais	craint
aurait	craint
aurions	craint
auriez	craint
auraient	craint

passé 2e forme

mêmes formes que le subjonctif plus-que-parfait

IMPÉRATIF

présent		passé	
crains	[krɛ̃]	aie	craint
craignons	[kreɲɔ̃]	ayons	craint
craignez	[kreɲe]	ayez	craint

Contraindre et *plaindre* suivent ce modèle.

[pɛ̃dr]

Bases :
PEIND-
PEIN-
PEIGN-

- Le -**e**- contenu dans les bases est présent partout, même s'il est prononcé d'autres manières : [ɛ̃], [e] ou [ɛ].
- La base courte **pein**- sert à construire les formes du singulier du présent de l'indicatif et de l'impératif, ainsi que le participe passé.

INFINITIF

présent	passé
peindre [pɛ̃dr]	avoir peint

PARTICIPE

présent	passé
peignant [peɲɑ̃]	**peint**/te, peints/tes [pɛ̃/ɛ̃t] ayant peint

INDICATIF

présent

			passé composé	
je	**peins**	[pɛ̃]	ai	peint
tu	**peins**	[pɛ̃]	as	peint
il/elle	**peint**	[pɛ̃]	a	peint
nous	peignons	[peɲɔ̃]	avons	peint
vous	peignez	[peɲe]	avez	peint
ils/elles	peignent	[pɛɲ]	ont	peint

imparfait

			plus-que-parfait	
je	peignais	[peɲɛ]	avais	peint
tu	peignais	[peɲɛ]	avais	peint
il/elle	peignait	[peɲɛ]	avait	peint
nous	peignions	[peɲjɔ̃]	avions	peint
vous	peigniez	[peɲje]	aviez	peint
ils/elles	peignaient	[peɲɛ]	avaient	peint

futur simple

			futur antérieur	
je	peindrai	[pɛ̃dre]	aurai	peint
tu	peindras	[pɛ̃dra]	auras	peint
il/elle	peindra	[pɛ̃dra]	aura	peint
nous	peindrons	[pɛ̃drɔ̃]	aurons	peint
vous	peindrez	[pɛ̃dre]	aurez	peint
ils/elles	peindront	[pɛ̃drɔ̃]	auront	peint

passé simple

			passé antérieur	
je	peignis	[peɲi]	eus	peint
tu	peignis	[peɲi]	eus	peint
il/elle	peignit	[peɲi]	eut	peint
nous	peignîmes	[peɲim]	eûmes	peint
vous	peignîtes	[peɲit]	eûtes	peint
ils/elles	peignirent	[peɲir]	eurent	peint

SUBJONCTIF

présent

que	je	peigne	[pɛɲ]
que	tu	peignes	[pɛɲ]
qu'	il/elle	peigne	[pɛɲ]
que	nous	peignions	[peɲjɔ̃]
que	vous	peigniez	[peɲje]
qu'	ils/elles	peignent	[pɛɲ]

imparfait

que	je	peignisse	[peɲis]
que	tu	peignisses	[peɲis]
qu'	il/elle	peignît	[peɲi]
que	nous	peignissions	[peɲisjɔ̃]
que	vous	peignissiez	[peɲisje]
qu'	ils/elles	peignissent	[peɲis]

passé

que	j'	aie	peint
que	tu	aies	peint
qu'	il/elle	ait	peint
que	nous	ayons	peint
que	vous	ayez	peint
qu'	ils/elles	aient	peint

plus-que-parfait

que	j'	eusse	peint
que	tu	eusses	peint
qu'	il/elle	eût	peint
que	nous	eussions	peint
que	vous	eussiez	peint
qu'	ils/elles	eussent	peint

CONDITIONNEL

présent

			passé 1re forme	
je	peindrais	[pɛ̃drɛ]	aurais	peint
tu	peindrais	[pɛ̃drɛ]	aurais	peint
il/elle	peindrait	[pɛ̃drɛ]	aurait	peint
nous	peindrions	[pɛ̃drijɔ̃]	aurions	peint
vous	peindriez	[pɛ̃drije]	auriez	peint
ils/elles	peindraient	[pɛ̃drɛ]	auraient	peint

passé 2e forme

mêmes formes que le subjonctif plus-que-parfait

IMPÉRATIF

présent		passé	
peins	[pɛ̃]	aie	peint
peignons	[peɲɔ̃]	ayons	peint
peignez	[peɲe]	ayez	peint

Tous les verbes en **-eindre** suivent ce modèle : les dérivés de « peindre », *atteindre, ceindre, éteindre, étreindre, feindre, geindre, teindre...*

70 JOINDRE

3E GROUPE

[ʒwɛ̃dr]

Bases :
JOIND-
JOIN-
JOIGN-

- La base courte **join**- sert à construire les formes du singulier du présent de l'indicatif et de l'impératif, ainsi que le participe passé.
- La seule différence de conjugaison entre ce modèle et ceux des tableaux 68 et 69 est la voyelle **-o-** de la base.

INFINITIF

présent	passé
joindre [ʒwɛ̃dr]	avoir joint

PARTICIPE

présent	passé
joignant [ʒwaɲɑ̃]	**joint**/te, joints/tes [ʒwɛ̃/ɛ̃t] ayant joint

INDICATIF

présent			passé composé	
je	**joins**	[ʒwɛ̃]	ai	joint
tu	**joins**	[ʒwɛ̃]	as	joint
il/elle	**joint**	[ʒwɛ̃]	a	joint
nous	joignons	[ʒwaɲɔ̃]	avons	joint
vous	joignez	[ʒwaɲe]	avez	joint
ils/elles	joignent	[ʒwaɲ]	ont	joint

imparfait			plus-que-parfait	
je	joignais	[ʒwaɲɛ]	avais	joint
tu	joignais	[ʒwaɲɛ]	avais	joint
il/elle	joignait	[ʒwaɲɛ]	avait	joint
nous	joignions	[ʒwaɲjɔ̃]	avions	joint
vous	joigniez	[ʒwaɲje]	aviez	joint
ils/elles	joignaient	[ʒwaɲɛ]	avaient	joint

futur simple			futur antérieur	
je	joindrai	[ʒwɛ̃dre]	aurai	joint
tu	joindras	[ʒwɛ̃dra]	auras	joint
il/elle	joindra	[ʒwɛ̃dra]	aura	joint
nous	joindrons	[ʒwɛ̃drɔ̃]	aurons	joint
vous	joindrez	[ʒwɛ̃dre]	aurez	joint
ils/elles	joindront	[ʒwɛ̃drɔ̃]	auront	joint

passé simple			passé antérieur	
je	joignis	[ʒwaɲi]	eus	joint
tu	joignis	[ʒwaɲi]	eus	joint
il/elle	joignit	[ʒwaɲi]	eut	joint
nous	joignîmes	[ʒwaɲim]	eûmes	joint
vous	joignîtes	[ʒwaɲit]	eûtes	joint
ils/elles	joignirent	[ʒwaɲir]	eurent	joint

SUBJONCTIF

présent			
que	je	joigne	[ʒwaɲ]
que	tu	joignes	[ʒwaɲ]
qu'	il/elle	joigne	[ʒwaɲ]
que	nous	joignions	[ʒwaɲjɔ̃]
que	vous	joigniez	[ʒwaɲje]
qu'	ils/elles	joignent	[ʒwaɲ]

imparfait			
que	je	joignisse	[ʒwaɲis]
que	tu	joignisses	[ʒwaɲis]
qu'	il/elle	joignît	[ʒwaɲi]
que	nous	joignissions	[ʒwaɲisjɔ̃]
que	vous	joignissiez	[ʒwaɲisje]
qu'	ils/elles	joignissent	[ʒwaɲis]

passé			
que	j'	aie	joint
que	tu	aies	joint
qu'	il/elle	ait	joint
que	nous	ayons	joint
que	vous	ayez	joint
qu'	ils/elles	aient	joint

plus-que-parfait			
que	j'	eusse	joint
que	tu	eusses	joint
qu'	il/elle	eût	joint
que	nous	eussions	joint
que	vous	eussiez	joint
qu'	ils/elles	eussent	joint

CONDITIONNEL

présent			passé 1re forme	
je	joindrais	[ʒwɛ̃drɛ]	aurais	joint
tu	joindrais	[ʒwɛ̃drɛ]	aurais	joint
il/elle	joindrait	[ʒwɛ̃drɛ]	aurait	joint
nous	joindrions	[ʒwɛ̃drijɔ̃]	aurions	joint
vous	joindriez	[ʒwɛ̃drije]	auriez	joint
ils/elles	joindraient	[ʒwɛ̃drɛ]	auraient	joint

passé 2e forme

mêmes formes que le subjonctif plus-que-parfait

IMPÉRATIF

présent		passé	
joins	[ʒwɛ̃]	aie	joint
joignons	[ʒwaɲɔ̃]	ayons	joint
joignez	[ʒwaɲe]	ayez	joint

Tous les verbes en **-oindre** suivent ce modèle : *oindre* (= frotter d'huile, verbe archaïque et d'emploi rare), *poindre* (verbe archaïque et défectif) et les dérivés de « joindre » : *adjoindre, enjoindre, rejoindre...*

[rɔ̃pr]

Base :
ROMP-

- Le **-p** final de la base est présent partout, même quand il n'est pas prononcé (contrairement à ce qui se passe tableaux 65, 66 et 67, le **-t** de la 3e pers. du singulier à l'indicatif présent est maintenu).

INFINITIF

présent	passé
rompre [rɔ̃pr]	avoir rompu

PARTICIPE

présent	passé
rompant [rɔ̃pɑ̃]	rompu/ue, rompus/ues [rɔ̃py] ayant rompu

INDICATIF

présent			passé composé	
je	**romps**	[rɔ̃]	ai	rompu
tu	**romps**	[rɔ̃]	as	rompu
il/elle	**rompt**	[rɔ̃]	a	rompu
nous	rompons	[rɔ̃pɔ̃]	avons	rompu
vous	rompez	[rɔ̃pe]	avez	rompu
ils/elles	rompent	[rɔ̃p]	ont	rompu

imparfait			plus-que-parfait	
je	rompais	[rɔ̃pɛ]	avais	rompu
tu	rompais	[rɔ̃pɛ]	avais	rompu
il/elle	rompait	[rɔ̃pɛ]	avait	rompu
nous	rompions	[rɔ̃pjɔ̃]	avions	rompu
vous	rompiez	[rɔ̃pje]	aviez	rompu
ils/elles	rompaient	[rɔ̃pɛ]	avaient	rompu

futur simple			futur antérieur	
je	romprai	[rɔ̃pre]	aurai	rompu
tu	rompras	[rɔ̃pra]	auras	rompu
il/elle	rompra	[rɔ̃pra]	aura	rompu
nous	romprons	[rɔ̃prɔ̃]	aurons	rompu
vous	romprez	[rɔ̃pre]	aurez	rompu
ils/elles	rompront	[rɔ̃prɔ̃]	auront	rompu

passé simple			passé antérieur	
je	rompis	[rɔ̃pi]	eus	rompu
tu	rompis	[rɔ̃pi]	eus	rompu
il/elle	rompit	[rɔ̃pi]	eut	rompu
nous	rompîmes	[rɔ̃pim]	eûmes	rompu
vous	rompîtes	[rɔ̃pit]	eûtes	rompu
ils/elles	rompirent	[rɔ̃pir]	eurent	rompu

SUBJONCTIF

présent			
que	je	rompe	[rɔ̃p]
que	tu	rompes	[rɔ̃p]
qu'	il/elle	rompe	[rɔ̃p]
que	nous	rompions	[rɔ̃pjɔ̃]
que	vous	rompiez	[rɔ̃pje]
qu'	ils/elles	rompent	[rɔ̃p]

imparfait			
que	je	rompisse	[rɔ̃pis]
que	tu	rompisses	[rɔ̃pis]
qu'	il/elle	rompît	[rɔ̃pi]
que	nous	rompissions	[rɔ̃pisjɔ̃]
que	vous	rompissiez	[rɔ̃pisje]
qu'	ils/elles	rompissent	[rɔ̃pis]

passé			
que	j'	aie	rompu
que	tu	aies	rompu
qu'	il/elle	ait	rompu
que	nous	ayons	rompu
que	vous	ayez	rompu
qu'	ils/elles	aient	rompu

plus-que-parfait			
que	j'	eusse	rompu
que	tu	eusses	rompu
qu'	il/elle	eût	rompu
que	nous	eussions	rompu
que	vous	eussiez	rompu
qu'	ils/elles	eussent	rompu

CONDITIONNEL

présent			passé 1re forme	
je	romprais	[rɔ̃prɛ]	aurais	rompu
tu	romprais	[rɔ̃prɛ]	aurais	rompu
il/elle	romprait	[rɔ̃prɛ]	aurait	rompu
nous	romprions	[rɔ̃prijɔ̃]	aurions	rompu
vous	rompriez	[rɔ̃prije]	auriez	rompu
ils/elles	rompraient	[rɔ̃prɛ]	auraient	rompu

passé 2e forme

mêmes formes que le subjonctif plus-que-parfait

IMPÉRATIF

présent		passé	
romps	[rɔ̃]	aie	rompu
rompons	[rɔ̃pɔ̃]	ayons	rompu
rompez	[rɔ̃pe]	ayez	rompu

Corrompre et *interrompre* suivent ce modèle.

72 VAINCRE

3ᴱ GROUPE

[vɛ̃kr]

Bases :
VAINC-
VAINQU-

- Pas de terminaison à la 3e personne du singulier de l'indicatif présent (comme « rendre », tableau 65).
- La base longue **vainqu**- est utilisée pour construire toutes les formes dont la terminaison commence par une voyelle, sauf le participe passé en -**u**.

INFINITIF

présent	passé
vaincre [vɛ̃kr]	avoir vaincu

PARTICIPE

présent	passé
vainquant [vɛ̃kɑ̃]	**vaincu**/ue, vaincus/ues [vɛ̃ky] ayant vaincu

INDICATIF

présent			passé composé	
je	vaincs	[vɛ̃]	ai	vaincu
tu	vaincs	[vɛ̃]	as	vaincu
il/elle	**vainc**	[vɛ̃]	a	vaincu
nous	vainquons	[vɛ̃kɔ̃]	avons	vaincu
vous	vainquez	[vɛ̃ke]	avez	vaincu
ils/elles	vainquent	[vɛ̃k]	ont	vaincu

imparfait			plus-que-parfait	
je	vainquais	[vɛ̃kɛ]	avais	vaincu
tu	vainquais	[vɛ̃kɛ]	avais	vaincu
il/elle	vainquait	[vɛ̃kɛ]	avait	vaincu
nous	vainquions	[vɛ̃kjɔ̃]	avions	vaincu
vous	vainquiez	[vɛ̃kje]	aviez	vaincu
ils/elles	vainquaient	[vɛ̃kɛ]	avaient	vaincu

futur simple			futur antérieur	
je	vaincrai	[vɛ̃kre]	aurai	vaincu
tu	vaincras	[vɛ̃kra]	auras	vaincu
il/elle	vaincra	[vɛ̃kra]	aura	vaincu
nous	vaincrons	[vɛ̃krɔ̃]	aurons	vaincu
vous	vaincrez	[vɛ̃kre]	aurez	vaincu
ils/elles	vaincront	[vɛ̃krɔ̃]	auront	vaincu

passé simple			passé antérieur	
je	vainquis	[vɛ̃ki]	eus	vaincu
tu	vainquis	[vɛ̃ki]	eus	vaincu
il/elle	vainquit	[vɛ̃ki]	eut	vaincu
nous	vainquîmes	[vɛ̃kim]	eûmes	vaincu
vous	vainquîtes	[vɛ̃kit]	eûtes	vaincu
ils/elles	vainquirent	[vɛ̃kir]	eurent	vaincu

SUBJONCTIF

présent			
que	je	vainque	[vɛ̃k]
que	tu	vainques	[vɛ̃k]
qu'	il/elle	vainque	[vɛ̃k]
que	nous	vainquions	[vɛ̃kjɔ̃]
que	vous	vainquiez	[vɛ̃kje]
qu'	ils/elles	vainquent	[vɛ̃k]

imparfait			
que	je	vainquisse	[vɛ̃kis]
que	tu	vainquisses	[vɛ̃kis]
qu'	il/elle	vainquît	[vɛ̃ki]
que	nous	vainquissions	[vɛ̃kisjɔ̃]
que	vous	vainquissiez	[vɛ̃kisje]
qu'	ils/elles	vainquissent	[vɛ̃kis]

passé			
que	j'	aie	vaincu
que	tu	aies	vaincu
qu'	il/elle	ait	vaincu
que	nous	ayons	vaincu
que	vous	ayez	vaincu
qu'	ils/elles	aient	vaincu

plus-que-parfait			
que	j'	eusse	vaincu
que	tu	eusses	vaincu
qu'	il/elle	eût	vaincu
que	nous	eussions	vaincu
que	vous	eussiez	vaincu
qu'	ils/elles	eussent	vaincu

CONDITIONNEL

présent			passé 1re forme	
je	vaincrais	[vɛ̃krɛ]	aurais	vaincu
tu	vaincrais	[vɛ̃krɛ]	aurais	vaincu
il/elle	vaincrait	[vɛ̃krɛ]	aurait	vaincu
nous	vaincrions	[vɛ̃krijɔ̃]	aurions	vaincu
vous	vaincriez	[vɛ̃krije]	auriez	vaincu
ils/elles	vaincraient	[vɛ̃krɛ]	auraient	vaincu

passé 2e forme

mêmes formes que le subjonctif plus-que-parfait

IMPÉRATIF

présent		passé	
vaincs	[vɛ̃]	aie	vaincu
vainquons	[vɛ̃kɔ̃]	ayons	vaincu
vainquez	[vɛ̃ke]	ayez	vaincu

Convaincre suit ce modèle.

C'est la base courte **bat**- qui sert à construire les formes du singulier du présent de l'indicatif et de l'impératif. Toutes les autres formes prennent deux -**t**- (base longue).

[batr]

Bases :
BATT-
BAT-

INFINITIF

présent	passé
battre [batr]	avoir battu

PARTICIPE

présent	passé
battant [batɑ̃]	battu/ue, battus/ues [baty] ayant battu

INDICATIF

présent			passé composé	
je	**bats**	[ba]	ai	battu
tu	**bats**	[ba]	as	battu
il/elle	**bat**	[ba]	a	battu
nous	battons	[batɔ̃]	avons	battu
vous	battez	[bate]	avez	battu
ils/elles	battent	[bat]	ont	battu

imparfait			plus-que-parfait	
je	battais	[batɛ]	avais	battu
tu	battais	[batɛ]	avais	battu
il/elle	battait	[batɛ]	avait	battu
nous	battions	[batjɔ̃]	avions	battu
vous	battiez	[batje]	aviez	battu
ils/elles	battaient	[batɛ]	avaient	battu

futur simple			futur antérieur	
je	battrai	[batre]	aurai	battu
tu	battras	[batra]	auras	battu
il/elle	battra	[batra]	aura	battu
nous	battrons	[batrɔ̃]	aurons	battu
vous	battrez	[batre]	aurez	battu
ils/elles	battront	[batrɔ̃]	auront	battu

passé simple			passé antérieur	
je	battis	[bati]	eus	battu
tu	battis	[bati]	eus	battu
il/elle	battit	[bati]	eut	battu
nous	battîmes	[batim]	eûmes	battu
vous	battîtes	[batit]	eûtes	battu
ils/elles	battirent	[batir]	eurent	battu

SUBJONCTIF

présent			
que	je	batte	[bat]
que	tu	battes	[bat]
qu'	il/elle	batte	[bat]
que	nous	battions	[batjɔ̃]
que	vous	battiez	[batje]
qu'	ils/elles	battent	[bat]

imparfait			
que	je	battisse	[batis]
que	tu	battisses	[batis]
qu'	il/elle	battît	[bati]
que	nous	battissions	[batisjɔ̃]
que	vous	battissiez	[batisje]
qu'	ils/elles	battissent	[batis]

passé			
que	j'	aie	battu
que	tu	aies	battu
qu'	il/elle	ait	battu
que	nous	ayons	battu
que	vous	ayez	battu
qu'	ils/elles	aient	battu

plus-que-parfait			
que	j'	eusse	battu
que	tu	eusses	battu
qu'	il/elle	eût	battu
que	nous	eussions	battu
que	vous	eussiez	battu
qu'	ils/elles	eussent	battu

CONDITIONNEL

présent			passé 1re forme	
je	battrais	[batrɛ]	aurais	battu
tu	battrais	[batrɛ]	aurais	battu
il/elle	battrait	[batrɛ]	aurait	battu
nous	battrions	[batrijɔ̃]	aurions	battu
vous	battriez	[batrije]	auriez	battu
ils/elles	battraient	[batrɛ]	auraient	battu

passé 2e forme

mêmes formes que le subjonctif plus-que-parfait

IMPÉRATIF

présent		passé	
bats	[ba]	aie	battu
battons	[batɔ̃]	ayons	battu
battez	[bate]	ayez	battu

Les dérivés de « battre » suivent ce modèle : *abattre, combattre, débattre, (s')ébattre, embattre, rabattre, rebattre.*

74 CONNAÎTRE

3E GROUPE

[kɔnɛtr]

Bases :
CONNAÎT-
CONNAI-
CONNAISS-
CONN-

- Toujours un accent circonflexe sur le **-i-** qui est suivi d'un **-t-** (et sur le **-u-** du subjonctif imparfait à la 3e pers. du singulier).
- Les deux **-n-** des bases sont présents partout.

INFINITIF

présent	passé
connaître [kɔnɛtr]	avoir connu

PARTICIPE

présent	passé
connaissant [kɔnesɑ̃]	connu/ue, connus/ues [kɔny] ayant connu

INDICATIF

présent			passé composé	
je	connais	[kɔnɛ]	ai	connu
tu	connais	[kɔnɛ]	as	connu
il/elle	**connaît**	[kɔnɛ]	a	connu
nous	connaissons	[kɔnesɔ̃]	avons	connu
vous	connaissez	[kɔnese]	avez	connu
ils/elles	connaissent	[kɔnɛs]	ont	connu
imparfait			**plus-que-parfait**	
je	connaissais	[kɔnesɛ]	avais	connu
tu	connaissais	[kɔnesɛ]	avais	connu
il/elle	connaissait	[kɔnesɛ]	avait	connu
nous	connaissions	[kɔnesjɔ̃]	avions	connu
vous	connaissiez	[kɔnesje]	aviez	connu
ils/elles	connaissaient	[kɔnesɛ]	avaient	connu
futur simple			**futur antérieur**	
je	**connaîtrai**	[kɔnetre]	aurai	connu
tu	**connaîtras**	[kɔnetra]	auras	connu
il/elle	**connaîtra**	[kɔnetra]	aura	connu
nous	**connaîtrons**	[kɔnetrɔ̃]	aurons	connu
vous	**connaîtrez**	[kɔnetre]	aurez	connu
ils/elles	**connaîtront**	[kɔnetrɔ̃]	auront	connu
passé simple			**passé antérieur**	
je	connus	[kɔny]	eus	connu
tu	connus	[kɔny]	eus	connu
il/elle	connut	[kɔny]	eut	connu
nous	connûmes	[kɔnym]	eûmes	connu
vous	connûtes	[kɔnyt]	eûtes	connu
ils/elles	connurent	[kɔnyr]	eurent	connu

SUBJONCTIF

présent			
que	je	connaisse	[kɔnɛs]
que	tu	connaisses	[kɔnɛs]
qu'	il/elle	connaisse	[kɔnɛs]
que	nous	connaissions	[kɔnesjɔ̃]
que	vous	connaissiez	[kɔnesje]
qu'	ils/elles	connaissent	[kɔnɛs]
imparfait			
que	je	connusse	[kɔnys]
que	tu	connusses	[kɔnys]
qu'	il/elle	connût	[kɔny]
que	nous	connussions	[kɔnysjɔ̃]
que	vous	connussiez	[kɔnysje]
qu'	ils/elles	connussent	[kɔnys]
passé			
que	j'	aie	connu
que	tu	aies	connu
qu'	il/elle	ait	connu
que	nous	ayons	connu
que	vous	ayez	connu
qu'	ils/elles	aient	connu
plus-que-parfait			
que	j'	eusse	connu
que	tu	eusses	connu
qu'	il/elle	eût	connu
que	nous	eussions	connu
que	vous	eussiez	connu
qu'	ils/elles	eussent	connu

CONDITIONNEL

présent			passé 1re forme	
je	**connaîtrais**	[kɔnetrɛ]	aurais	connu
tu	**connaîtrais**	[kɔnetrɛ]	aurais	connu
il/elle	**connaîtrait**	[kɔnetrɛ]	aurait	connu
nous	**connaîtrions**	[kɔnetrijɔ̃]	aurions	connu
vous	**connaîtriez**	[kɔnetrije]	auriez	connu
ils/elles	**connaîtraient**	[kɔnetrɛ]	auraient	connu

passé 2e forme

mêmes formes que le subjonctif plus-que-parfait

IMPÉRATIF

présent		passé	
connais	[kɔnɛ]	aie	connu
connaissons	[kɔnesɔ̃]	ayons	connu
connaissez	[kɔnese]	ayez	connu

Suivent ce modèle : les dérivés de « connaître » (*méconnaître* et *reconnaître*) ; *paraître* et ses dérivés (*apparaître, comparaître, disparaître, réapparaître, recomparaître, reparaître, transparaître*) ; *repaître* et *se repaître* (tableau 100), *paître* (défectif)

- Toujours un accent circonflexe sur le -**i**- qui est suivi d'un -**t**-.
- Les différences avec « connaître » : une quatrième base, **naqu**-, qui sert à construire les formes du passé simple et du subjonctif imparfait à l'aide des terminaisons en -**i**- (et non en -**u**-) ; le participe passé irrégulier (*né*).
- Temps composés formés avec « être ».

[nɛtr]

Bases :
NAÎT-
NAI-
NAISS-
NAQU-

INFINITIF

présent	passé
naître [nɛtr]	être né/ée/és/ées

PARTICIPE

présent	passé
naissant [nesɑ̃]	né/née, nés/nées [ne] étant né/ée, nés/ées

INDICATIF

présent			passé composé	
je	nais	[nɛ]	suis	né/ée
tu	nais	[nɛ]	es	né/ée
il/elle	**naît**	[nɛ]	est	né/ée
nous	naissons	[nesɔ̃]	sommes	nés/ées
vous	naissez	[nese]	êtes	nés/ées
ils/elles	naissent	[nɛs]	sont	nés/ées

imparfait			plus-que-parfait	
je	naissais	[nesɛ]	étais	né/ée
tu	naissais	[nesɛ]	étais	né/ée
il/elle	naissait	[nesɛ]	était	né/ée
nous	naissions	[nesjɔ̃]	étions	nés/ées
vous	naissiez	[nesje]	étiez	nés/ées
ils/elles	naissaient	[nesɛ]	étaient	nés/ées

futur simple			futur antérieur	
je	**naîtrai**	[netre]	serai	né/ée
tu	**naîtras**	[netra]	seras	né/ée
il/elle	**naîtra**	[netra]	sera	né/ée
nous	**naîtrons**	[netrɔ̃]	serons	nés/ées
vous	**naîtrez**	[netre]	serez	nés/ées
ils/elles	**naîtront**	[netrɔ̃]	seront	nés/ées

passé simple			passé antérieur	
je	naquis	[naki]	fus	né/ée
tu	naquis	[naki]	fus	né/ée
il/elle	naquit	[naki]	fut	né/ée
nous	naquîmes	[nakim]	fûmes	nés/ées
vous	naquîtes	[nakit]	fûtes	nés/ées
ils/elles	naquirent	[nakir]	furent	nés/ées

SUBJONCTIF

présent			
que	je	naisse	[nɛs]
que	tu	naisses	[nɛs]
qu'	il/elle	naisse	[nɛs]
que	nous	naissions	[nesjɔ̃]
que	vous	naissiez	[nesje]
qu'	ils/elles	naissent	[nɛs]

imparfait			
que	je	naquisse	[nakis]
que	tu	naquisses	[nakis]
qu'	il/elle	naquît	[naki]
que	nous	naquissions	[nakisjɔ̃]
que	vous	naquissiez	[nakisje]
qu'	ils/elles	naquissent	[nakis]

passé			
que	je	sois	né/ée
que	tu	sois	né/ée
qu'	il/elle	soit	né/ée
que	nous	soyons	nés/ées
que	vous	soyez	nés/ées
qu'	ils/elles	soient	nés/ées

plus-que-parfait			
que	je	fusse	né/ée
que	tu	fusses	né/ée
qu'	il/elle	fût	né/ée
que	nous	fussions	nés/ées
que	vous	fussiez	nés/ées
qu'	ils/elles	fussent	nés/ées

CONDITIONNEL

présent			passé 1re forme	
je	**naîtrais**	[netrɛ]	serais	né/ée
tu	**naîtrais**	[netrɛ]	serais	né/ée
il/elle	**naîtrait**	[netrɛ]	serait	né/ée
nous	**naîtrions**	[netrijɔ̃]	serions	nés/ées
vous	**naîtriez**	[netrije]	seriez	nés/ées
ils/elles	**naîtraient**	[netrɛ]	seraient	nés/ées

passé 2e forme

mêmes formes que le subjonctif plus-que-parfait

IMPÉRATIF

présent		passé	
nais	[nɛ]	sois	né/ée
naissons	[nesɔ̃]	soyons	nés/ées
naissez	[nese]	soyez	nés/ées

Renaître suit ce modèle mais n'a pas de participe passé, donc pas de temps composés.

76 DIRE

3E GROUPE

[dir]

Bases :
DI-
DIS-
D-

- Pas d'accent circonflexe sur **-i-** devant **-t-**, sauf quand le **-î-** appartient à la terminaison (subjonctif imparfait).
- Les 2es personnes du pluriel du présent de l'indicatif et de l'impératif sont irrégulières (*vous dites*).

INFINITIF

présent	passé
dire [dir]	avoir dit

PARTICIPE

présent	passé
disant [dizɑ̃]	**dit**/ite, dits/ites [di/it] ayant dit

INDICATIF

présent			passé composé	
je	dis	[di]	ai	dit
tu	dis	[di]	as	dit
il/elle	**dit**	[di]	a	dit
nous	disons	[dizɔ̃]	avons	dit
vous	**dites**	[dit]	avez	dit
ils/elles	disent	[diz]	ont	dit
imparfait			**plus-que-parfait**	
je	disais	[dizɛ]	avais	dit
tu	disais	[dizɛ]	avais	dit
il/elle	disait	[dizɛ]	avait	dit
nous	disions	[dizjɔ̃]	avions	dit
vous	disiez	[dizje]	aviez	dit
ils/elles	disaient	[dizɛ]	avaient	dit
futur simple			**futur antérieur**	
je	dirai	[dire]	aurai	dit
tu	diras	[dira]	auras	dit
il/elle	dira	[dira]	aura	dit
nous	dirons	[dirɔ̃]	aurons	dit
vous	direz	[dire]	aurez	dit
ils/elles	diront	[dirɔ̃]	auront	dit
passé simple			**passé antérieur**	
je	dis	[di]	eus	dit
tu	dis	[di]	eus	dit
il/elle	dit	[di]	eut	dit
nous	dîmes	[dim]	eûmes	dit
vous	dîtes	[dit]	eûtes	dit
ils/elles	dirent	[dir]	eurent	dit

SUBJONCTIF

présent			
que	je	dise	[diz]
que	tu	dises	[diz]
qu'	il/elle	dise	[diz]
que	nous	disions	[dizjɔ̃]
que	vous	disiez	[dizje]
qu'	ils/elles	disent	[diz]
imparfait			
que	je	disse	[dis]
que	tu	disses	[dis]
qu'	il/elle	**dît**	[di]
que	nous	dissions	[disjɔ̃]
que	vous	dissiez	[disje]
qu'	ils/elles	dissent	[dis]
passé			
que	j'	aie	dit
que	tu	aies	dit
qu'	il/elle	ait	dit
que	nous	ayons	dit
que	vous	ayez	dit
qu'	ils/elles	aient	dit
plus-que-parfait			
que	j'	eusse	dit
que	tu	eusses	dit
qu'	il/elle	eût	dit
que	nous	eussions	dit
que	vous	eussiez	dit
qu'	ils/elles	eussent	dit

CONDITIONNEL

présent			passé 1re forme	
je	dirais	[dirɛ]	aurais	dit
tu	dirais	[dirɛ]	aurais	dit
il/elle	dirait	[dirɛ]	aurait	dit
nous	dirions	[dirjɔ̃]	aurions	dit
vous	diriez	[dirje]	auriez	dit
ils/elles	diraient	[dirɛ]	auraient	dit

passé 2e forme

mêmes formes que le subjonctif plus-que-parfait

IMPÉRATIF

présent		passé	
dis	[di]	aie	dit
disons	[dizɔ̃]	ayons	dit
dites	[dit]	ayez	dit

Redire est le seul dérivé de « dire » qui suit exactement ce modèle. *Contredire, dédire, interdire, médire, prédire* ont leurs 2es pers. du plur. du présent de l'indicatif et de l'impératif en **-isez** : *vous contredisez, vous interdisez.*

[modir]

Bases :
MAUDI-
MAUD-

- Seules les terminaisons de l'infinitif (-**re**) et du participe passé (-**it**) appartiennent au 3e groupe. Toutes les autres sont celles du 2e groupe (« finir », tableau 34).
- « Maudire » est le seul dérivé de « dire » qui se conjugue ainsi.

INFINITIF

présent	passé
maudire [modir]	avoir maudit

PARTICIPE

présent	passé
maudissant [modisɑ̃]	**maudit**/te, maudits/tes [modi/it] ayant maudit

INDICATIF

présent

je	maudis	[modi]	ai	maudit
tu	maudis	[modi]	as	maudit
il/elle	maudit	[modi]	a	maudit
nous	maudissons	[modisɔ̃]	avons	maudit
vous	maudissez	[modise]	avez	maudit
ils/elles	maudissent	[modis]	ont	maudit

(colonnes de droite : passé composé)

imparfait / **plus-que-parfait**

je	maudissais	[modisɛ]	avais	maudit
tu	maudissais	[modisɛ]	avais	maudit
il/elle	maudissait	[modisɛ]	avait	maudit
nous	maudissions	[modisjɔ̃]	avions	maudit
vous	maudissiez	[modisje]	aviez	maudit
ils/elles	maudissaient	[modisɛ]	avaient	maudit

futur simple / **futur antérieur**

je	maudirai	[modire]	aurai	maudit
tu	maudiras	[modira]	auras	maudit
il/elle	maudira	[modira]	aura	maudit
nous	maudirons	[modirɔ̃]	aurons	maudit
vous	maudirez	[modire]	aurez	maudit
ils/elles	maudiront	[modirɔ̃]	auront	maudit

passé simple / **passé antérieur**

je	maudis	[modi]	eus	maudit
tu	maudis	[modi]	eus	maudit
il/elle	maudit	[modi]	eut	maudit
nous	maudîmes	[modim]	eûmes	maudit
vous	maudîtes	[modit]	eûtes	maudit
ils/elles	maudirent	[modir]	eurent	maudit

SUBJONCTIF

présent

que	je	maudisse	[modis]
que	tu	maudisses	[modis]
qu'	il/elle	maudisse	[modis]
que	nous	maudissions	[modisjɔ̃]
que	vous	maudissiez	[modisje]
qu'	ils/elles	maudissent	[modis]

imparfait

que	je	maudisse	[modis]
que	tu	maudisses	[modis]
qu'	il/elle	maudît	[modi]
que	nous	maudissions	[modisjɔ̃]
que	vous	maudissiez	[modisje]
qu'	ils/elles	maudissent	[modis]

passé

que	j'	aie	maudit
que	tu	aies	maudit
qu'	il/elle	ait	maudit
que	nous	ayons	maudit
que	vous	ayez	maudit
qu'	ils/elles	aient	maudit

plus-que-parfait

que	j'	eusse	maudit
que	tu	eusses	maudit
qu'	il/elle	eût	maudit
que	nous	eussions	maudit
que	vous	eussiez	maudit
qu'	ils/elles	eussent	maudit

CONDITIONNEL

présent / **passé 1re forme**

je	maudirais	[modirɛ]	aurais	maudit
tu	maudirais	[modirɛ]	aurais	maudit
il/elle	maudirait	[modirɛ]	aurait	maudit
nous	maudirions	[modirjɔ̃]	aurions	maudit
vous	maudiriez	[modirje]	auriez	maudit
ils/elles	maudiraient	[modirɛ]	auraient	maudit

passé 2e forme

mêmes formes que le subjonctif plus-que-parfait

IMPÉRATIF

présent		passé	
maudis	[modi]	aie	maudit
maudissons	[modisɔ̃]	ayons	maudit
maudissez	[modise]	ayez	maudit

78 ÉCRIRE

3E GROUPE

[ekrir]

Bases :
ÉCRI-
ÉCRIV-

- Participe passé en -**it** (comme « dire », tableau 76).
- C'est la base longue **écriv**- qui sert à construire le participe présent, les pluriels du présent de l'indicatif et de l'impératif, les indicatifs imparfait et passé simple, et le subjonctif présent et imparfait.

INFINITIF

présent	passé
écrire [ekrir]	avoir écrit

PARTICIPE

présent	passé
écrivant [ekrivɑ̃]	**écrit**/te, écrits/tes [ekri/it] ayant écrit

INDICATIF

présent

j'	écris	[ekri]
tu	écris	[ekri]
il/elle	écrit	[ekri]
nous	écrivons	[ekrivɔ̃]
vous	écrivez	[ekrive]
ils/elles	écrivent	[ekriv]

passé composé

ai	écrit
as	écrit
a	écrit
avons	écrit
avez	écrit
ont	écrit

imparfait

j'	écrivais	[ekrivɛ]
tu	écrivais	[ekrivɛ]
il/elle	écrivait	[ekrivɛ]
nous	écrivions	[ekrivjɔ̃]
vous	écriviez	[ekrivje]
ils/elles	écrivaient	[ekrivɛ]

plus-que-parfait

avais	écrit
avais	écrit
avait	écrit
avions	écrit
aviez	écrit
avaient	écrit

futur simple

j'	écrirai	[ekrire]
tu	écriras	[ekrira]
il/elle	écrira	[ekrira]
nous	écrirons	[ekrirɔ̃]
vous	écrirez	[ekrire]
ils/elles	écriront	[ekrirɔ̃]

futur antérieur

aurai	écrit
auras	écrit
aura	écrit
aurons	écrit
aurez	écrit
auront	écrit

passé simple

j'	écrivis	[ekrivi]
tu	écrivis	[ekrivi]
il/elle	écrivit	[ekrivi]
nous	écrivîmes	[ekrivim]
vous	écrivîtes	[ekrivit]
ils/elles	écrivirent	[ekrivir]

passé antérieur

eus	écrit
eus	écrit
eut	écrit
eûmes	écrit
eûtes	écrit
eurent	écrit

SUBJONCTIF

présent

que	j'	écrive	[ekriv]
que	tu	écrives	[ekriv]
qu'	il/elle	écrive	[ekriv]
que	nous	écrivions	[ekrivjɔ̃]
que	vous	écriviez	[ekrivje]
qu'	ils/elles	écrivent	[ekriv]

imparfait

que	j'	écrivisse	[ekrivis]
que	tu	écrivisses	[ekrivis]
qu'	il/elle	écrivît	[ekrivi]
que	nous	écrivissions	[ekrivisjɔ̃]
que	vous	écrivissiez	[ekrivisje]
qu'	ils/elles	écrivissent	[ekrivis]

passé

que	j'	aie	écrit
que	tu	aies	écrit
qu'	il/elle	ait	écrit
que	nous	ayons	écrit
que	vous	ayez	écrit
qu'	ils/elles	aient	écrit

plus-que-parfait

que	j'	eusse	écrit
que	tu	eusses	écrit
qu'	il/elle	eût	écrit
que	nous	eussions	écrit
que	vous	eussiez	écrit
qu'	ils/elles	eussent	écrit

CONDITIONNEL

présent

j'	écrirais	[ekrirɛ]
tu	écrirais	[ekrirɛ]
il/elle	écrirait	[ekrirɛ]
nous	écririons	[ekrirjɔ̃]
vous	écririez	[ekrirje]
ils/elles	écriraient	[ekrirɛ]

passé 1re forme

aurais	écrit
aurais	écrit
aurait	écrit
aurions	écrit
auriez	écrit
auraient	écrit

passé 2e forme

mêmes formes que le subjonctif plus-que-parfait

IMPÉRATIF

présent		passé	
écris	[ekri]	aie	écrit
écrivons	[ekrivɔ̃]	ayons	écrit
écrivez	[ekrive]	ayez	écrit

Tous les dérivés d'« écrire » suivent ce modèle : *décrire, récrire,* et aussi *circonscrire, (ré)inscrire, prescrire, proscrire, souscrire, (re)transcrire.*

[lir]

- La base la plus courte, **l**-, sert à construire le participe passé, le passé simple et le subjonctif imparfait, tous en -**u**- (contrairement à « écrire »).

Bases :
LI-
LIS-
L-

INFINITIF

présent	passé
lire [lir]	avoir lu

PARTICIPE

présent	passé
lisant [lizɑ̃]	**lu**/ue, lus/ues [ly] ayant lu

INDICATIF

présent			passé composé	
je	lis	[li]	ai	lu
tu	lis	[li]	as	lu
il/elle	lit	[li]	a	lu
nous	lisons	[lizɔ̃]	avons	lu
vous	lisez	[lize]	avez	lu
ils/elles	lisent	[liz]	ont	lu

imparfait			plus-que-parfait	
je	lisais	[lizɛ]	avais	lu
tu	lisais	[lizɛ]	avais	lu
il/elle	lisait	[lizɛ]	avait	lu
nous	lisions	[lizjɔ̃]	avions	lu
vous	lisiez	[lizje]	aviez	lu
ils/elles	lisaient	[lizɛ]	avaient	lu

futur simple			futur antérieur	
je	lirai	[lire]	aurai	lu
tu	liras	[lira]	auras	lu
il/elle	lira	[lira]	aura	lu
nous	lirons	[lirɔ̃]	aurons	lu
vous	lirez	[lire]	aurez	lu
ils/elles	liront	[lirɔ̃]	auront	lu

passé simple			passé antérieur	
je	**lus**	[ly]	eus	lu
tu	**lus**	[ly]	eus	lu
il/elle	**lut**	[ly]	eut	lu
nous	**lûmes**	[lym]	eûmes	lu
vous	**lûtes**	[lyt]	eûtes	lu
ils/elles	**lurent**	[lyr]	eurent	lu

SUBJONCTIF

présent			
que	je	lise	[liz]
que	tu	lises	[liz]
qu'	il/elle	lise	[liz]
que	nous	lisions	[lizjɔ̃]
que	vous	lisiez	[lizje]
qu'	ils/elles	lisent	[liz]

imparfait			
que	je	**lusse**	[lys]
que	tu	**lusses**	[lys]
qu'	il/elle	**lût**	[ly]
que	nous	**lussions**	[lysjɔ̃]
que	vous	**lussiez**	[lysje]
qu'	ils/elles	**lussent**	[lys]

passé			
que	j'	aie	lu
que	tu	aies	lu
qu'	il/elle	ait	lu
que	nous	ayons	lu
que	vous	ayez	lu
qu'	ils/elles	aient	lu

plus-que-parfait			
que	j'	eusse	lu
que	tu	eusses	lu
qu'	il/elle	eût	lu
que	nous	eussions	lu
que	vous	eussiez	lu
qu'	ils/elles	eussent	lu

CONDITIONNEL

présent			passé 1re forme	
je	lirais	[lirɛ]	aurais	lu
tu	lirais	[lirɛ]	aurais	lu
il/elle	lirait	[lirɛ]	aurait	lu
nous	lirions	[lirjɔ̃]	aurions	lu
vous	liriez	[lirje]	auriez	lu
ils/elles	liraient	[lirɛ]	auraient	lu

passé 2e forme
mêmes formes que le subjonctif plus-que-parfait

IMPÉRATIF

présent		passé	
lis	[li]	aie	lu
lisons	[lizɔ̃]	ayons	lu
lisez	[lize]	ayez	lu

Relire, élire et *réélire* suivent ce modèle.

80 RIRE

3E GROUPE

[rir]

Bases :
RI-
R-

- Deux -**i**- à la 1re et à la 2e personne du pluriel de l'indicatif imparfait et du subjonctif présent.
- Participe passé invariable (-**i**) même dans l'emploi pronominal.
- Devant une voyelle, le -**i**- de la base se prononce mouillé : *(nous) rions* comporte deux syllabes, comme *(nous) pillons*.

INFINITIF

présent	passé
rire [rir]	avoir ri

PARTICIPE

présent	passé
riant [rijɑ̃]	**ri** [ri] ayant ri

INDICATIF

présent			passé composé	
je	ris	[ri]	ai	ri
tu	ris	[ri]	as	ri
il/elle	rit	[ri]	a	ri
nous	rions	[rijɔ̃]	avons	ri
vous	riez	[rije]	avez	ri
ils/elles	rient	[ri]	ont	ri

imparfait			plus-que-parfait	
je	riais	[rijɛ]	avais	ri
tu	riais	[rijɛ]	avais	ri
il/elle	riait	[rijɛ]	avait	ri
nous	**riions**	[rijjɔ̃]	avions	ri
vous	**riiez**	[rijje]	aviez	ri
ils/elles	riaient	[rijɛ]	avaient	ri

futur simple			futur antérieur	
je	rirai	[rire]	aurai	ri
tu	riras	[rira]	auras	ri
il/elle	rira	[rira]	aura	ri
nous	rirons	[rirɔ̃]	aurons	ri
vous	rirez	[rire]	aurez	ri
ils/elles	riront	[rirɔ̃]	auront	ri

passé simple			passé antérieur	
je	ris	[ri]	eus	ri
tu	ris	[ri]	eus	ri
il/elle	rit	[ri]	eut	ri
nous	rîmes	[rim]	eûmes	ri
vous	rîtes	[rit]	eûtes	ri
ils/elles	rirent	[rir]	eurent	ri

SUBJONCTIF

présent			
que	je	rie	[ri]
que	tu	ries	[ri]
qu'	il/elle	rie	[ri]
que	nous	**riions**	[rijjɔ̃]
que	vous	**riiez**	[rijje]
qu'	ils/elles	rient	[ri]

imparfait			
que	je	risse	[ris]
que	tu	risses	[ris]
qu'	il/elle	rît	[ri]
que	nous	rissions	[risjɔ̃]
que	vous	rissiez	[risje]
qu'	ils/elles	rissent	[ris]

passé			
que	j'	aie	ri
que	tu	aies	ri
qu'	il/elle	ait	ri
que	nous	ayons	ri
que	vous	ayez	ri
qu'	ils/elles	aient	ri

plus-que-parfait			
que	j'	eusse	ri
que	tu	eusses	ri
qu'	il/elle	eût	ri
que	nous	eussions	ri
que	vous	eussiez	ri
qu'	ils/elles	eussent	ri

CONDITIONNEL

présent			passé 1re forme	
je	rirais	[rirɛ]	aurais	ri
tu	rirais	[rirɛ]	aurais	ri
il/elle	rirait	[rirɛ]	aurait	ri
nous	ririons	[rirjɔ̃]	aurions	ri
vous	ririez	[rirje]	auriez	ri
ils/elles	riraient	[rirɛ]	auraient	ri

passé 2e forme

mêmes formes que le subjonctif plus-que-parfait

IMPÉRATIF

présent		passé	
ris	[ri]	aie	ri
rions	[rijɔ̃]	ayons	ri
riez	[rije]	ayez	ri

Sourire suit ce modèle.

- Deux -**f**- partout.
- Participe passé toujours invariable (-**i**).

[syfir]

Bases :
SUFFI-
SUFFIS-
SUFF-

INFINITIF

présent	passé
suffire [syfir]	avoir suffi

PARTICIPE

présent	passé
suffisant [syfizɑ̃]	**suffi** [syfi] ayant suffi

INDICATIF

présent			passé composé	
je	suffis	[syfi]	ai	suffi
tu	suffis	[syfi]	as	suffi
il/elle	suffit	[syfi]	a	suffi
nous	suffisons	[syfizɔ̃]	avons	suffi
vous	suffisez	[syfize]	avez	suffi
ils/elles	suffisent	[syfiz]	ont	suffi

imparfait			plus-que-parfait	
je	suffisais	[syfizɛ]	avais	suffi
tu	suffisais	[syfizɛ]	avais	suffi
il/elle	suffisait	[syfizɛ]	avait	suffi
nous	suffisions	[syfizjɔ̃]	avions	suffi
vous	suffisiez	[syfizje]	aviez	suffi
ils/elles	suffisaient	[syfizɛ]	avaient	suffi

futur simple			futur antérieur	
je	suffirai	[syfire]	aurai	suffi
tu	suffiras	[syfira]	auras	suffi
il/elle	suffira	[syfira]	aura	suffi
nous	suffirons	[syfirɔ̃]	aurons	suffi
vous	suffirez	[syfire]	aurez	suffi
ils/elles	suffiront	[syfirɔ̃]	auront	suffi

passé simple			passé antérieur	
je	suffis	[syfi]	eus	suffi
tu	suffis	[syfi]	eus	suffi
il/elle	suffit	[syfi]	eut	suffi
nous	suffîmes	[syfim]	eûmes	suffi
vous	suffîtes	[syfit]	eûtes	suffi
ils/elles	suffirent	[syfir]	eurent	suffi

SUBJONCTIF

présent			
que	je	suffise	[syfiz]
que	tu	suffises	[syfiz]
qu'	il/elle	suffise	[syfiz]
que	nous	suffisions	[syfizjɔ̃]
que	vous	suffisiez	[syfizje]
qu'	ils/elles	suffisent	[syfiz]

imparfait			
que	je	suffisse	[syfis]
que	tu	suffisses	[syfis]
qu'	il/elle	suffît	[syfi]
que	nous	suffissions	[syfisjɔ̃]
que	vous	suffissiez	[syfisje]
qu'	ils/elles	suffissent	[syfis]

passé			
que	j'	aie	suffi
que	tu	aies	suffi
qu'	il/elle	ait	suffi
que	nous	ayons	suffi
que	vous	ayez	suffi
qu'	ils/elles	aient	suffi

plus-que-parfait			
que	j'	eusse	suffi
que	tu	eusses	suffi
qu'	il/elle	eût	suffi
que	nous	eussions	suffi
que	vous	eussiez	suffi
qu'	ils/elles	eussent	suffi

CONDITIONNEL

présent			passé 1re forme	
je	suffirais	[syfirɛ]	aurais	suffi
tu	suffirais	[syfirɛ]	aurais	suffi
il/elle	suffirait	[syfirɛ]	aurait	suffi
nous	suffirions	[syfirjɔ̃]	aurions	suffi
vous	suffiriez	[syfirje]	auriez	suffi
ils/elles	suffiraient	[syfirɛ]	auraient	suffi

passé 2e forme

mêmes formes que le subjonctif plus-que-parfait

IMPÉRATIF

présent		passé	
suffis	[syfi]	aie	suffi
suffisons	[syfizɔ̃]	ayons	suffi
suffisez	[syfize]	ayez	suffi

Circoncire, confire, déconfire et *frire* (tableau 101) suivent ce modèle, sauf pour les participes passés : **circoncis/ise, confit/ite, déconfit/ite, frit/ite**, qui sont variables.

82 CONDUIRE

3ᴱ GROUPE

[kɔ̃dɥir]

Bases :

CONDUI-

CONDUIS-

- Participe passé masculin singulier terminé par **-t**.

INFINITIF

présent	passé
conduire [kɔ̃dɥir]	avoir conduit

PARTICIPE

présent	passé
conduisant [kɔ̃dɥizɑ̃]	**conduit**/te, conduits/tes [kɔ̃dɥi/it] ayant conduit

INDICATIF

présent			passé composé	
je	conduis	[-ɥi]	ai	conduit
tu	conduis	[-ɥi]	as	conduit
il/elle	conduit	[-ɥi]	a	conduit
nous	conduisons	[-ɥizɔ̃]	avons	conduit
vous	conduisez	[-ɥize]	avez	conduit
ils/elles	conduisent	[-ɥiz]	ont	conduit

imparfait			plus-que-parfait	
je	conduisais	[-zɛ]	avais	conduit
tu	conduisais	[-zɛ]	avais	conduit
il/elle	conduisait	[-zɛ]	avait	conduit
nous	conduisions	[-zjɔ̃]	avions	conduit
vous	conduisiez	[-zje]	aviez	conduit
ils/elles	conduisaient	[-zɛ]	avaient	conduit

futur simple			futur antérieur	
je	conduirai	[-ɥire]	aurai	conduit
tu	conduiras	[-ɥira]	auras	conduit
il/elle	conduira	[-ɥira]	aura	conduit
nous	conduirons	[-ɥirɔ̃]	aurons	conduit
vous	conduirez	[-ɥire]	aurez	conduit
ils/elles	conduiront	[-ɥirɔ̃]	auront	conduit

passé simple			passé antérieur	
je	conduisis	[-ɥizi]	eus	conduit
tu	conduisis	[-ɥizi]	eus	conduit
il/elle	conduisit	[-ɥizi]	eut	conduit
nous	conduisîmes	[-ɥizim]	eûmes	conduit
vous	conduisîtes	[-ɥizit]	eûtes	conduit
ils/elles	conduisirent	[-ɥizir]	eurent	conduit

SUBJONCTIF

présent			
que	je	conduise	[-ɥiz]
que	tu	conduises	[-ɥiz]
qu'	il/elle	conduise	[-ɥiz]
que	nous	conduisions	[-ɥizjɔ̃]
que	vous	conduisiez	[-ɥizje]
qu'	ils/elles	conduisent	[-ɥiz]

imparfait			
que	je	conduisisse	[-zis]
que	tu	conduisisses	[-zis]
qu'	il/elle	conduisît	[-zi]
que	nous	conduisissions	[-zisjɔ̃]
que	vous	conduisissiez	[-zisje]
qu'	ils/elles	conduisissent	[-zis]

passé			
que	j'	aie	conduit
que	tu	aies	conduit
qu'	il/elle	ait	conduit
que	nous	ayons	conduit
que	vous	ayez	conduit
qu'	ils/elles	aient	conduit

plus-que-parfait			
que	j'	eusse	conduit
que	tu	eusses	conduit
qu'	il/elle	eût	conduit
que	nous	eussions	conduit
que	vous	eussiez	conduit
qu'	ils/elles	eussent	conduit

CONDITIONNEL

présent			passé 1ʳᵉ forme	
je	conduirais	[-ɥirɛ]	aurais	conduit
tu	conduirais	[-ɥirɛ]	aurais	conduit
il/elle	conduirait	[-ɥirɛ]	aurait	conduit
nous	conduirions	[-ɥirjɔ̃]	aurions	conduit
vous	conduiriez	[-ɥirje]	auriez	conduit
ils/elles	conduiraient	[-ɥirɛ]	auraient	conduit

passé 2ᵉ forme

mêmes formes que le subjonctif plus-que-parfait

IMPÉRATIF

présent		passé	
conduis	[-ɥi]	aie	conduit
conduisons	[-ɥizɔ̃]	ayons	conduit
conduisez	[-ɥize]	ayez	conduit

Suivent ce modèle : tous les verbes en **-duire** (*déduire, introduire, produire, séduire, traduire*...) ; les verbes en **-(s)truire** (*construire, détruire, instruire, reconstruire*) ; *cuire* et *recuire*.

[nɥir]

Bases :
NUI-
NUIS-

- Participe passé invariable et toujours en **-i**.
- Par rapport à « conduire » (tableau 82), le participe passé constitue la seule différence de conjugaison.

INFINITIF

présent	passé
nuire [nɥir]	avoir nui

PARTICIPE

présent	passé
nuisant [nɥizɑ̃]	**nui** [nɥi] ayant nui

INDICATIF

présent

je	nuis	[nɥi]
tu	nuis	[nɥi]
il/elle	nuit	[nɥi]
nous	nuisons	[nɥizɔ̃]
vous	nuisez	[nɥize]
ils/elles	nuisent	[nɥiz]

passé composé

ai	nui
as	nui
a	nui
avons	nui
avez	nui
ont	nui

imparfait

je	nuisais	[nɥizɛ]
tu	nuisais	[nɥizɛ]
il/elle	nuisait	[nɥizɛ]
nous	nuisions	[nɥizjɔ̃]
vous	nuisiez	[nɥizje]
ils/elles	nuisaient	[nɥizɛ]

plus-que-parfait

avais	nui
avais	nui
avait	nui
avions	nui
aviez	nui
avaient	nui

futur simple

je	nuirai	[nɥire]
tu	nuiras	[nɥira]
il/elle	nuira	[nɥira]
nous	nuirons	[nɥirɔ̃]
vous	nuirez	[nɥire]
ils/elles	nuiront	[nɥirɔ̃]

futur antérieur

aurai	nui
auras	nui
aura	nui
aurons	nui
aurez	nui
auront	nui

passé simple

je	nuisis	[nɥizi]
tu	nuisis	[nɥizi]
il/elle	nuisit	[nɥizi]
nous	nuisîmes	[nɥizim]
vous	nuisîtes	[nɥizit]
ils/elles	nuisirent	[nɥizir]

passé antérieur

eus	nui
eus	nui
eut	nui
eûmes	nui
eûtes	nui
eurent	nui

SUBJONCTIF

présent

que	je	nuise	[nɥiz]
que	tu	nuises	[nɥiz]
qu'	il/elle	nuise	[nɥiz]
que	nous	nuisions	[nɥizjɔ̃]
que	vous	nuisiez	[nɥizje]
qu'	ils/elles	nuisent	[nɥiz]

imparfait

que	je	nuisisse	[nɥizis]
que	tu	nuisisses	[nɥizis]
qu'	il/elle	nuisît	[nɥizi]
que	nous	nuisissions	[nɥizisjɔ̃]
que	vous	nuisissiez	[nɥizisje]
qu'	ils/elles	nuisissent	[nɥizis]

passé

que	j'	aie	nui
que	tu	aies	nui
qu'	il/elle	ait	nui
que	nous	ayons	nui
que	vous	ayez	nui
qu'	ils/elles	aient	nui

plus-que-parfait

que	j'	eusse	nui
que	tu	eusses	nui
qu'	il/elle	eût	nui
que	nous	eussions	nui
que	vous	eussiez	nui
qu'	ils/elles	eussent	nui

CONDITIONNEL

présent

je	nuirais	[nɥirɛ]
tu	nuirais	[nɥirɛ]
il/elle	nuirait	[nɥirɛ]
nous	nuirions	[nɥirjɔ̃]
vous	nuiriez	[nɥirje]
ils/elles	nuiraient	[nɥirɛ]

passé 1re forme

aurais	nui
aurais	nui
aurait	nui
aurions	nui
auriez	nui
auraient	nui

passé 2e forme

mêmes formes que le subjonctif plus-que-parfait

IMPÉRATIF

présent

nuis	[nɥi]
nuisons	[nɥizɔ̃]
nuisez	[nɥize]

passé

aie	nui
ayons	nui
ayez	nui

Luire et *reluire* suivent ce modèle, mais ils gardent quelquefois un passé simple ancien : *je luis... nous luîmes...*

84 SUIVRE

3E GROUPE

[sɥivr]

Bases :
SUIV-
SUI-

- Participe passé masculin singulier terminé par -**i**.
- C'est la base **sui**- qui est utilisée devant les terminaisons -**s** et -**t**.

INFINITIF

présent	passé
suivre [sɥivr]	avoir suivi

PARTICIPE

présent	passé
suivant [sɥivɑ̃]	**suivi**/ie, suivis/ies [sɥivi] ayant suivi

INDICATIF

présent

			passé composé	
je	**suis**	[sɥi]	ai	suivi
tu	**suis**	[sɥi]	as	suivi
il/elle	**suit**	[sɥi]	a	suivi
nous	suivons	[sɥivɔ̃]	avons	suivi
vous	suivez	[sɥive]	avez	suivi
ils/elles	suivent	[sɥiv]	ont	suivi

imparfait

			plus-que-parfait	
je	suivais	[sɥivɛ]	avais	suivi
tu	suivais	[sɥivɛ]	avais	suivi
il/elle	suivait	[sɥivɛ]	avait	suivi
nous	suivions	[sɥivjɔ̃]	avions	suivi
vous	suiviez	[sɥivje]	aviez	suivi
ils/elles	suivaient	[sɥivɛ]	avaient	suivi

futur simple

			futur antérieur	
je	suivrai	[sɥivre]	aurai	suivi
tu	suivras	[sɥivra]	auras	suivi
il/elle	suivra	[sɥivra]	aura	suivi
nous	suivrons	[sɥivrɔ̃]	aurons	suivi
vous	suivrez	[sɥivre]	aurez	suivi
ils/elles	suivront	[sɥivrɔ̃]	auront	suivi

passé simple

			passé antérieur	
je	suivis	[sɥivi]	eus	suivi
tu	suivis	[sɥivi]	eus	suivi
il/elle	suivit	[sɥivi]	eut	suivi
nous	suivîmes	[sɥivim]	eûmes	suivi
vous	suivîtes	[sɥivit]	eûtes	suivi
ils/elles	suivirent	[sɥivir]	eurent	suivi

SUBJONCTIF

présent

que	je	suive	[sɥiv]
que	tu	suives	[sɥiv]
qu'	il/elle	suive	[sɥiv]
que	nous	suivions	[sɥivjɔ̃]
que	vous	suiviez	[sɥivje]
qu'	ils/elles	suivent	[sɥiv]

imparfait

que	je	suivisse	[sɥivis]
que	tu	suivisses	[sɥivis]
qu'	il/elle	suivît	[sɥivi]
que	nous	suivissions	[sɥivisjɔ̃]
que	vous	suivissiez	[sɥivisje]
qu'	ils/elles	suivissent	[sɥivis]

passé

que	j'	aie	suivi
que	tu	aies	suivi
qu'	il/elle	ait	suivi
que	nous	ayons	suivi
que	vous	ayez	suivi
qu'	ils/elles	aient	suivi

plus-que-parfait

que	j'	eusse	suivi
que	tu	eusses	suivi
qu'	il/elle	eût	suivi
que	nous	eussions	suivi
que	vous	eussiez	suivi
qu'	ils/elles	eussent	suivi

CONDITIONNEL

présent

			passé 1re forme	
je	suivrais	[sɥivrɛ]	aurais	suivi
tu	suivrais	[sɥivrɛ]	aurais	suivi
il/elle	suivrait	[sɥivrɛ]	aurait	suivi
nous	suivrions	[sɥivrijɔ̃]	aurions	suivi
vous	suivriez	[sɥivrije]	auriez	suivi
ils/elles	suivraient	[sɥivrɛ]	auraient	suivi

passé 2e forme

mêmes formes que le subjonctif plus-que-parfait

IMPÉRATIF

présent		passé	
suis	[sɥi]	aie	suivi
suivons	[sɥivɔ̃]	ayons	suivi
suivez	[sɥive]	ayez	suivi

Poursuivre et *s'ensuivre* sont conformes à ce modèle. Mais **s'ensuivre**, pronominal, forme ses temps composés avec « être » et n'est employé qu'aux 3es personnes et à l'infinitif.

[vivr]

Bases :
VIV-
VI-
VÉC-

- La base **vi**- est utilisée devant les terminaisons -**s** et -**t** (voir tableau 84).
- La base **véc**- sert à construire le part. passé, le passé simple et le subj. imparf., à l'aide des terminaisons en -**u**-.
- Les formes composées sont construites avec « avoir » (alors que celles de « mourir » et de « naître » se construisent avec « être » (tableaux 42 et 75).

INFINITIF

présent	passé
vivre [vivr]	avoir vécu

PARTICIPE

présent	passé
vivant [vivɑ̃]	**vécu**/ue, vécus/ues [veky] ayant vécu

INDICATIF

présent

			passé composé	
je	**vis**	[vi]	ai	vécu
tu	**vis**	[vi]	as	vécu
il/elle	**vit**	[vi]	a	vécu
nous	vivons	[vivɔ̃]	avons	vécu
vous	vivez	[vive]	avez	vécu
ils/elles	vivent	[viv]	ont	vécu

imparfait

			plus-que-parfait	
je	vivais	[vivɛ]	avais	vécu
tu	vivais	[vivɛ]	avais	vécu
il/elle	vivait	[vivɛ]	avait	vécu
nous	vivions	[vivjɔ̃]	avions	vécu
vous	viviez	[vivje]	aviez	vécu
ils/elles	vivaient	[vivɛ]	avaient	vécu

futur simple

			futur antérieur	
je	vivrai	[vivre]	aurai	vécu
tu	vivras	[vivra]	auras	vécu
il/elle	vivra	[vivra]	aura	vécu
nous	vivrons	[vivrɔ̃]	aurons	vécu
vous	vivrez	[vivre]	aurez	vécu
ils/elles	vivront	[vivrɔ̃]	auront	vécu

passé simple

			passé antérieur	
je	vécus	[veky]	eus	vécu
tu	vécus	[veky]	eus	vécu
il/elle	vécut	[veky]	eut	vécu
nous	vécûmes	[vekym]	eûmes	vécu
vous	vécûtes	[vekyt]	eûtes	vécu
ils/elles	vécurent	[vekyr]	eurent	vécu

SUBJONCTIF

présent

que	je	vive	[viv]
que	tu	vives	[viv]
qu'	il/elle	vive	[viv]
que	nous	vivions	[vivjɔ̃]
que	vous	viviez	[vivje]
qu'	ils/elles	vivent	[viv]

imparfait

que	je	vécusse	[vekys]
que	tu	vécusses	[vekys]
qu'	il/elle	vécût	[veky]
que	nous	vécussions	[vekysjɔ̃]
que	vous	vécussiez	[vekysje]
qu'	ils/elles	vécussent	[vekys]

passé

que	j'	aie	vécu
que	tu	aies	vécu
qu'	il/elle	ait	vécu
que	nous	ayons	vécu
que	vous	ayez	vécu
qu'	ils/elles	aient	vécu

plus-que-parfait

que	j'	eusse	vécu
que	tu	eusses	vécu
qu'	il/elle	eût	vécu
que	nous	eussions	vécu
que	vous	eussiez	vécu
qu'	ils/elles	eussent	vécu

CONDITIONNEL

présent

			passé 1re forme	
je	vivrais	[vivrɛ]	aurais	vécu
tu	vivrais	[vivrɛ]	aurais	vécu
il/elle	vivrait	[vivrɛ]	aurait	vécu
nous	vivrions	[vivrijɔ̃]	aurions	vécu
vous	vivriez	[vivrije]	auriez	vécu
ils/elles	vivraient	[vivrɛ]	auraient	vécu

passé 2e forme

mêmes formes que le subjonctif plus-que-parfait

IMPÉRATIF

présent		passé	
vis	[vi]	aie	vécu
vivons	[vivɔ̃]	ayons	vécu
vivez	[vive]	ayez	vécu

Revivre et *survivre* suivent ce modèle mais le participe passé de **survivre** est toujours invariable : *survécu.*

86 CROIRE

3E GROUPE

[krwar]

Bases :
CROI-
CROY-
CR-

- Devant une consonne ou un -**e**- muet (subjonctif présent), c'est la base **croi**- qui sert à construire les formes.
- La base la plus courte (**cr**-) sert à former le participe passé (sans accent circonflexe), le passé simple et le subjonctif imparfait, tous avec des terminaisons en -**u**-.
- Attention : -**y**- + -**i**- aux deux premières personnes du pluriel de l'indicatif imparfait et du subjonctif présent.

INFINITIF

présent	passé
croire [krwar]	avoir cru

PARTICIPE

présent	passé
croyant [krwajɑ̃]	**cru**/ue, crus/ues [kry] ayant cru

INDICATIF

présent

je	**crois**	[krwa]
tu	**crois**	[krwa]
il/elle	**croit**	[krwa]
nous	croyons	[krwajɔ̃]
vous	croyez	[krwaje]
ils/elles	croient	[krwa]

passé composé

ai	cru
as	cru
a	cru
avons	cru
avez	cru
ont	cru

imparfait

je	croyais	[krwajɛ]
tu	croyais	[krwajɛ]
il/elle	croyait	[krwajɛ]
nous	**croyions**	[krwajjɔ̃]
vous	**croyiez**	[krwajje]
ils/elles	croyaient	[krwajɛ]

plus-que-parfait

avais	cru
avais	cru
avait	cru
avions	cru
aviez	cru
avaient	cru

futur simple

je	croirai	[krware]
tu	croiras	[krwara]
il/elle	croira	[krwara]
nous	croirons	[krwarɔ̃]
vous	croirez	[krware]
ils/elles	croiront	[krwarɔ̃]

futur antérieur

aurai	cru
auras	cru
aura	cru
aurons	cru
aurez	cru
auront	cru

passé simple

je	crus	[kry]
tu	crus	[kry]
il/elle	crut	[kry]
nous	crûmes	[krym]
vous	crûtes	[kryt]
ils/elles	crurent	[kryr]

passé antérieur

eus	cru
eus	cru
eut	cru
eûmes	cru
eûtes	cru
eurent	cru

SUBJONCTIF

présent

que	je	**croie**	[krwa]
que	tu	**croies**	[krwa]
qu'	il/elle	**croie**	[krwa]
que	nous	**croyions**	[krwajjɔ̃]
que	vous	**croyiez**	[krwajje]
qu'	ils/elles	**croient**	[krwa]

imparfait

que	je	crusse	[krys]
que	tu	crusses	[krys]
qu'	il/elle	crût	[kry]
que	nous	crussions	[krysjɔ̃]
que	vous	crussiez	[krysje]
qu'	ils/elles	crussent	[krys]

passé

que	j'	aie	cru
que	tu	aies	cru
qu'	il/elle	ait	cru
que	nous	ayons	cru
que	vous	ayez	cru
qu'	ils/elles	aient	cru

plus-que-parfait

que	j'	eusse	cru
que	tu	eusses	cru
qu'	il/elle	eût	cru
que	nous	eussions	cru
que	vous	eussiez	cru
qu'	ils/elles	eussent	cru

CONDITIONNEL

présent

je	croirais	[krwarɛ]
tu	croirais	[krwarɛ]
il/elle	croirait	[krwarɛ]
nous	croirions	[krwarjɔ̃]
vous	croiriez	[krwarje]
ils/elles	croiraient	[krwarɛ]

passé 1re forme

aurais	cru
aurais	cru
aurait	cru
aurions	cru
auriez	cru
auraient	cru

passé 2e forme

mêmes formes que le subjonctif plus-que-parfait

IMPÉRATIF

présent		passé	
crois	[krwa]	aie	cru
croyons	[krwajɔ̃]	ayons	cru
croyez	[krwaje]	ayez	cru

Le seul dérivé de « croire », *accroire*, n'est employé qu'à l'infinitif.

[bwar]

Bases :
BOI-
BUV-
BOIV-
B-

- La base la plus courte (**b**-) sert à construire le participe passé (sans accent circonflexe), le passé simple et le subjonctif imparfait, tous en -**u**-.
- Au présent de l'indicatif, trois bases différentes sont utilisées. Deux le sont au subjonctif et à l'impératif présents.

INFINITIF

présent	passé
boire [bwar]	avoir bu

PARTICIPE

présent	passé
buvant [byvɑ̃]	**bu**/ue, bus/ues [by] ayant bu

INDICATIF

présent

je	**bois**	[bwa]	
tu	**bois**	[bwa]	
il/elle	**boit**	[bwa]	
nous	**buvons**	[byvɔ̃]	
vous	**buvez**	[byve]	
ils/elles	**boivent**	[bwav]	

passé composé

ai	bu
as	bu
a	bu
avons	bu
avez	bu
ont	bu

imparfait

je	buvais	[byvɛ]
tu	buvais	[byvɛ]
il/elle	buvait	[byvɛ]
nous	buvions	[byvjɔ̃]
vous	buviez	[byvje]
ils/elles	buvaient	[byvɛ]

plus-que-parfait

avais	bu
avais	bu
avait	bu
avions	bu
aviez	bu
avaient	bu

futur simple

je	boirai	[bware]
tu	boiras	[bwara]
il/elle	boira	[bwara]
nous	boirons	[bwarɔ̃]
vous	boirez	[bware]
ils/elles	boiront	[bwarɔ̃]

futur antérieur

aurai	bu
auras	bu
aura	bu
aurons	bu
aurez	bu
auront	bu

passé simple

je	bus	[by]
tu	bus	[by]
il/elle	but	[by]
nous	bûmes	[bym]
vous	bûtes	[byt]
ils/elles	burent	[byr]

passé antérieur

eus	bu
eus	bu
eut	bu
eûmes	bu
eûtes	bu
eurent	bu

SUBJONCTIF

présent

que	je	**boive**	[bwav]
que	tu	**boives**	[bwav]
qu'	il/elle	**boive**	[bwav]
que	nous	**buvions**	[byvjɔ̃]
que	vous	**buviez**	[byvje]
qu'	ils/elles	**boivent**	[bwav]

imparfait

que	je	busse	[bys]
que	tu	busses	[bys]
qu'	il/elle	bût	[by]
que	nous	bussions	[bysjɔ̃]
que	vous	bussiez	[bysje]
qu'	ils/elles	bussent	[bys]

passé

que	j'	aie	bu
que	tu	aies	bu
qu'	il/elle	ait	bu
que	nous	ayons	bu
que	vous	ayez	bu
qu'	ils/elles	aient	bu

plus-que-parfait

que	j'	eusse	bu
que	tu	eusses	bu
qu'	il/elle	eût	bu
que	nous	eussions	bu
que	vous	eussiez	bu
qu'	ils/elles	eussent	bu

CONDITIONNEL

présent

je	boirais	[bwarɛ]
tu	boirais	[bwarɛ]
il/elle	boirait	[bwarɛ]
nous	boirions	[bwarjɔ̃]
vous	boiriez	[bwarje]
ils/elles	boiraient	[bwarɛ]

passé 1re forme

aurais	bu
aurais	bu
aurait	bu
aurions	bu
auriez	bu
auraient	bu

passé 2e forme

mêmes formes que le subjonctif plus-que-parfait

IMPÉRATIF

présent		passé	
bois	[bwa]	aie	bu
buvons	[byvɔ̃]	ayons	bu
buvez	[byve]	ayez	bu

Reboire suit ce modèle.

88 SE DISTRAIRE

3E GROUPE

[distrɛr]

Bases :
DISTRAI-
DISTRAY-

- C'est la base **distray**- qui sert à construire les formes dont la terminaison commence par une voyelle, sauf à la 3e pers. du plur. de l'ind. prés., aux trois pers. du sing. et à la 3e pers. du plur. du subj. prés.
- -**y**- + -**i**- aux deux premières pers. du plur. de l'ind. imparf. et du subj. prés.

INFINITIF

présent	passé
se distraire [distrɛr]	s'être distrait/te/ts/tes

PARTICIPE

présent	passé
se distrayant [distrejɑ̃]	distrait/te, distraits/tes [distrɛ/ɛt] s'étant distrait/te/ts/tes

INDICATIF

présent

je me	distrais	[-ɛ]
tu te	distrais	[-ɛ]
il/elle se	distrait	[-ɛ]
nous nous	distrayons	[-ɛjɔ̃]
vous vous	distrayez	[-ɛje]
ils/elles se	**distraient**	[-ɛ]

passé composé

suis	distrait/te
es	distrait/te
est	distrait/te
sommes	distraits/tes
êtes	distraits/tes
sont	distraits/tes

imparfait

je me	distrayais	[-ɛjɛ]
tu te	distrayais	[-ɛjɛ]
il/elle se	distrayait	[-ɛjɛ]
nous nous	**distrayions**	[-ɛjjɔ̃]
vous vous	**distrayiez**	[-ɛjje]
ils/elles se	distrayaient	[-ɛjɛ]

plus-que-parfait

étais	distrait/te
étais	distrait/te
était	distrait/te
étions	distraits/tes
étiez	distraits/tes
étaient	distraits/tes

futur simple

je me	distrairai	[-ere]
tu te	distrairas	[-era]
il/elle se	distraira	[-era]
nous nous	distrairons	[-erɔ̃]
vous vous	distrairez	[-ere]
ils/elles se	distrairont	[-erɔ̃]

futur antérieur

serai	distrait/te
seras	distrait/te
sera	distrait/te
serons	distraits/tes
serez	distraits/tes
seront	distraits/tes

passé simple

inusité

passé antérieur

je me	fus	distrait/te
tu te	fus	distrait/te
il/elle se	fut	distrait/te
nous nous	fûmes	distraits/tes
vous vous	fûtes	distraits/tes
ils/elles se	furent	distraits/tes

SUBJONCTIF

présent

que	je me	**distraie**	[-ɛ]
que	tu te	**distraies**	[-ɛ]
qu'	il/elle se	**distraie**	[-ɛ]
que	nous nous	**distrayions**	[-ɛjjɔ̃]
que	vous vous	**distrayiez**	[-ɛjje]
qu'	ils/elles se	**distraient**	[-ɛ]

imparfait

inusité

passé

que	je me	sois	distrait/te
que	tu te	sois	distrait/te
qu'	il/elle se	soit	distrait/te
que	nous nous	soyons	distraits/tes
que	vous vous	soyez	distraits/tes
qu'	ils/elles se	soient	distraits/tes

plus-que-parfait

que	je me	fusse	distrait/te
que	tu te	fusses	distrait/te
qu'	il/elle se	fût	distrait/te
que	nous nous	fussions	distraits/tes
que	vous vous	fussiez	distraits/tes
qu'	ils/elles se	fussent	distraits/tes

CONDITIONNEL

présent

je me	distrairais	[-erɛ]
tu te	distrairais	[-erɛ]
il/elle se	distrairait	[-erɛ]
nous nous	distrairions	[-erjɔ̃]
vous vous	distrairiez	[-erje]
ils/elles se	distrairaient	[-erɛ]

passé 1re forme

serais	distrait/te
serais	distrait/te
serait	distrait/te
serions	distraits/tes
seriez	distraits/tes
seraient	distraits/tes

passé 2e forme

mêmes formes que le subjonctif plus-que-parfait

IMPÉRATIF

présent

distrais-toi	[-ɛ]
distrayons-nous	[-ɛjɔ̃]
distrayez-vous	[-ɛje]

passé

inusité

Les verbes en -**raire** suivent ce modèle (*abstraire, extraire, soustraire, traire*...), avec « avoir » pour les temps composés s'ils sont à la voix active. *Braire* se conjugue surtout aux 3es pers.

- Accent circonflexe à la 3e personne du singulier de l'indicatif présent (devant **-t**).
- Participe passé toujours invariable (même à la voix pronominale) et sans accent circonflexe.

[plɛr]

Bases :
PLAI-/PLAÎ-
PLAIS-
PL-

INFINITIF

présent	passé
plaire [plɛr]	avoir plu

PARTICIPE

présent	passé
plaisant [plezɑ̃]	**plu** [ply] ayant plu

INDICATIF

présent			passé composé	
je	plais	[plɛ]	ai	plu
tu	plais	[plɛ]	as	plu
il/elle	**plaît**	[plɛ]	a	plu
nous	plaisons	[plezɔ̃]	avons	plu
vous	plaisez	[pleze]	avez	plu
ils/elles	plaisent	[plɛz]	ont	plu

imparfait			plus-que-parfait	
je	plaisais	[plezɛ]	avais	plu
tu	plaisais	[plezɛ]	avais	plu
il/elle	plaisait	[plezɛ]	avait	plu
nous	plaisions	[plezjɔ̃]	avions	plu
vous	plaisiez	[plezje]	aviez	plu
ils/elles	plaisaient	[plezɛ]	avaient	plu

futur simple			futur antérieur	
je	plairai	[plere]	aurai	plu
tu	plairas	[plera]	auras	plu
il/elle	plaira	[plera]	aura	plu
nous	plairons	[plerɔ̃]	aurons	plu
vous	plairez	[plere]	aurez	plu
ils/elles	plairont	[plerɔ̃]	auront	plu

passé simple			passé antérieur	
je	plus	[ply]	eus	plu
tu	plus	[ply]	eus	plu
il/elle	plut	[ply]	eut	plu
nous	plûmes	[plym]	eûmes	plu
vous	plûtes	[plyt]	eûtes	plu
ils/elles	plurent	[plyr]	eurent	plu

SUBJONCTIF

présent			
que	je	plaise	[plɛz]
que	tu	plaises	[plɛz]
qu'	il/elle	plaise	[plɛz]
que	nous	plaisions	[plezjɔ̃]
que	vous	plaisiez	[plezje]
qu'	ils/elles	plaisent	[plɛz]

imparfait			
que	je	plusse	[plys]
que	tu	plusses	[plys]
qu'	il/elle	plût	[ply]
que	nous	plussions	[plysjɔ̃]
que	vous	plussiez	[plysje]
qu'	ils/elles	plussent	[plys]

passé			
que	j'	aie	plu
que	tu	aies	plu
qu'	il/elle	ait	plu
que	nous	ayons	plu
que	vous	ayez	plu
qu'	ils/elles	aient	plu

plus-que-parfait			
que	j'	eusse	plu
que	tu	eusses	plu
qu'	il/elle	eût	plu
que	nous	eussions	plu
que	vous	eussiez	plu
qu'	ils/elles	eussent	plu

CONDITIONNEL

présent			passé 1re forme	
je	plairais	[plerɛ]	aurais	plu
tu	plairais	[plerɛ]	aurais	plu
il/elle	plairait	[plerɛ]	aurait	plu
nous	plairions	[plerjɔ̃]	aurions	plu
vous	plairiez	[plerje]	auriez	plu
ils/elles	plairaient	[plerɛ]	auraient	plu

passé 2e forme

mêmes formes que le subjonctif plus-que-parfait

IMPÉRATIF

présent		passé	
plais	[plɛ]	aie	plu
plaisons	[plezɔ̃]	ayons	plu
plaisez	[pleze]	ayez	plu

Complaire et *déplaire* suivent exactement ce modèle. **Taire** fait à la 3e pers. du sing. de l'ind. présent *il tait* (sans accent circonflexe) et au participe passé *tu, tue, tus, tues* (variable).

90 CROÎTRE

3E GROUPE

[krwatr]

Bases :
CROÎT-
CROI-
CROISS-
CR-

- L'accent circonflexe est présent dans les temps construits sur la base **croît-** (infinitif présent, futur simple, conditionnel présent). Il existe aussi à toutes les formes qui peuvent être confondues avec celles de « croire » (tableau 86), sauf le féminin et le pluriel du participe passé.

INFINITIF

présent	passé
croître [krwatr]	avoir crû

PARTICIPE

présent	passé
croissant [krwasɑ̃]	**crû**/crue, crus/crues [kry] ayant crû

INDICATIF

présent			passé composé	
je	**croîs**	[krwa]	ai	crû
tu	**croîs**	[krwa]	as	crû
il/elle	**croît**	[krwa]	a	crû
nous	croissons	[krwasɔ̃]	avons	crû
vous	croissez	[krwase]	avez	crû
ils/elles	croissent	[krwas]	ont	crû

imparfait			plus-que-parfait	
je	croissais	[krwasɛ]	avais	crû
tu	croissais	[krwasɛ]	avais	crû
il/elle	croissait	[krwasɛ]	avait	crû
nous	croissions	[krwasjɔ̃]	avions	crû
vous	croissiez	[krwasje]	aviez	crû
ils/elles	croissaient	[krwasɛ]	avaient	crû

futur simple			futur antérieur	
je	**croîtrai**	[krwatre]	aurai	crû
tu	**croîtras**	[krwatra]	auras	crû
il/elle	**croîtra**	[krwatra]	aura	crû
nous	**croîtrons**	[krwatrɔ̃]	aurons	crû
vous	**croîtrez**	[krwatre]	aurez	crû
ils/elles	**croîtront**	[krwatrɔ̃]	auront	crû

passé simple			passé antérieur	
je	**crûs**	[kry]	eus	crû
tu	**crûs**	[kry]	eus	crû
il/elle	**crût**	[kry]	eut	crû
nous	**crûmes**	[krym]	eûmes	crû
vous	**crûtes**	[kryt]	eûtes	crû
ils/elles	**crûrent**	[kryr]	eurent	crû

SUBJONCTIF

présent			
que	je	croisse	[krwas]
que	tu	croisses	[krwas]
qu'	il/elle	croisse	[krwas]
que	nous	croissions	[krwasjɔ̃]
que	vous	croissiez	[krwasje]
qu'	ils/elles	croissent	[krwas]

imparfait			
que	je	**crûsse**	[krys]
que	tu	**crûsses**	[krys]
qu'	il/elle	**crût**	[kry]
que	nous	**crûssions**	[krysjɔ̃]
que	vous	**crûssiez**	[krysje]
qu'	ils/elles	**crûssent**	[krys]

passé			
que	j'	aie	crû
que	tu	aies	crû
qu'	il/elle	ait	crû
que	nous	ayons	crû
que	vous	ayez	crû
qu'	ils/elles	aient	crû

plus-que-parfait			
que	j'	eusse	crû
que	tu	eusses	crû
qu'	il/elle	eût	crû
que	nous	eussions	crû
que	vous	eussiez	crû
qu'	ils/elles	eussent	crû

CONDITIONNEL

présent			passé 1re forme	
je	**croîtrais**	[krwatrɛ]	aurais	crû
tu	**croîtrais**	[krwatrɛ]	aurais	crû
il/elle	**croîtrait**	[krwatrɛ]	aurait	crû
nous	**croîtrions**	[krwatrijɔ̃]	aurions	crû
vous	**croîtriez**	[krwatrije]	auriez	crû
ils/elles	**croîtraient**	[krwatrɛ]	auraient	crû

passé 2e forme

mêmes formes que le subjonctif plus-que-parfait

IMPÉRATIF

présent		passé	
croîs	[krwa]	aie	crû
croissons	[krwasɔ̃]	ayons	crû
croissez	[krwase]	ayez	crû

[akrwatr]

Bases :
ACCROÎT-
ACCROISS-
ACCR-

- L'accent circonflexe est présent dans les temps construits sur la base **accroît-** (infinitif présent, futur simple, conditionnel présent).
Comme il n'y a aucune confusion possible avec « croire », il ne figure pas ailleurs, sauf s'il fait partie de la terminaison et sauf à la 3e pers. du sing. de l'indicatif présent.

INFINITIF

présent	passé
accroître [akrwatr]	avoir accru

PARTICIPE

présent	passé
accroissant [akrwasɑ̃]	**accru**/ue, accrus/ues [akry] ayant accru

INDICATIF

présent

			passé composé	
j'	accrois	[-wa]	ai	accru
tu	accrois	[-wa]	as	accru
il/elle	**accroît**	[-wa]	a	accru
nous	accroissons	[-wasɔ̃]	avons	accru
vous	accroissez	[-wase]	avez	accru
ils/elles	accroissent	[-was]	ont	accru

imparfait

			plus-que-parfait	
j'	accroissais	[-wasɛ]	avais	accru
tu	accroissais	[-wasɛ]	avais	accru
il/elle	accroissait	[-wasɛ]	avait	accru
nous	accroissions	[-wasjɔ̃]	avions	accru
vous	accroissiez	[-wasje]	aviez	accru
ils/elles	accroissaient	[-wasɛ]	avaient	accru

futur simple

			futur antérieur	
j'	**accroîtrai**	[-watre]	aurai	accru
tu	**accroîtras**	[-watra]	auras	accru
il/elle	**accroîtra**	[-watra]	aura	accru
nous	**accroîtrons**	[-watrɔ̃]	aurons	accru
vous	**accroîtrez**	[-watre]	aurez	accru
ils/elles	**accroîtront**	[-watrɔ̃]	auront	accru

passé simple

			passé antérieur	
j'	accrus	[-y]	eus	accru
tu	accrus	[-y]	eus	accru
il/elle	accrut	[-y]	eut	accru
nous	**accrûmes**	[-ym]	eûmes	accru
vous	**accrûtes**	[-yt]	eûtes	accru
ils/elles	accrurent	[-yr]	eurent	accru

SUBJONCTIF

présent

que	j'	accroisse	[-was]
que	tu	accroisses	[-was]
qu'	il/elle	accroisse	[-was]
que	nous	accroissions	[-wasjɔ̃]
que	vous	accroissiez	[-wasje]
qu'	ils/elles	accroissent	[-was]

imparfait

que	j'	accrusse	[-ys]
que	tu	accrusses	[-ys]
qu'	il/elle	**accrût**	[-y]
que	nous	accrussions	[-ysjɔ̃]
que	vous	accrussiez	[-ysje]
qu'	ils/elles	accrussent	[-ys]

passé

que	j'	aie	accru
que	tu	aies	accru
qu'	il/elle	ait	accru
que	nous	ayons	accru
que	vous	ayez	accru
qu'	ils/elles	aient	accru

plus-que-parfait

que	j'	eusse	accru
que	tu	eusses	accru
qu'	il/elle	eût	accru
que	nous	eussions	accru
que	vous	eussiez	accru
qu'	ils/elles	eussent	accru

CONDITIONNEL

présent

			passé 1re forme	
j'	**accroîtrais**	[-watrɛ]	aurais	accru
tu	**accroîtrais**	[-watrɛ]	aurais	accru
il/elle	**accroîtrait**	[-watrɛ]	aurait	accru
nous	**accroîtrions**	[-watrijɔ̃]	aurions	accru
vous	**accroîtriez**	[-watrije]	auriez	accru
ils/elles	**accroîtraient**	[-watrɛ]	auraient	accru

passé 2e forme

mêmes formes que le subjonctif plus-que-parfait

IMPÉRATIF

présent		passé	
accrois	[-wa]	aie	accru
accroissons	[-wasɔ̃]	ayons	accru
accroissez	[-wase]	ayez	accru

Décroître et *recroître* suivent ce modèle mais *recroître* a gardé l'accent circonflexe au participe passé masculin singulier : **recrû** (ainsi différencié de l'adjectif « recru » dans l'expression « recru de fatigue » = épuisé).

92 CONCLURE

3E GROUPE

[kɔ̃klyr]

Bases :
CONCLU-
CONCL-

- Attention : quelquefois, trois voyelles se suivent.
- Participe passé masculin singulier en -**u**-.

INFINITIF

présent	passé
conclure [kɔ̃klyr]	avoir conclu

PARTICIPE

présent	passé
concluant [kɔ̃klyɑ̃]	**conclu**/ue, conclus/ues [kɔ̃kly] ayant conclu

INDICATIF

présent			passé composé	
je	conclus	[kɔ̃kly]	ai	conclu
tu	conclus	[kɔ̃kly]	as	conclu
il/elle	conclut	[kɔ̃kly]	a	conclu
nous	concluons	[kɔ̃klyɔ̃]	avons	conclu
vous	concluez	[kɔ̃klye]	avez	conclu
ils/elles	concluent	[kɔ̃kly]	ont	conclu

imparfait			plus-que-parfait	
je	concluais	[kɔ̃klyɛ]	avais	conclu
tu	concluais	[kɔ̃klyɛ]	avais	conclu
il/elle	concluait	[kɔ̃klyɛ]	avait	conclu
nous	**concluions**	[kɔ̃klyjɔ̃]	avions	conclu
vous	**concluiez**	[kɔ̃klyje]	aviez	conclu
ils/elles	concluaient	[kɔ̃klyɛ]	avaient	conclu

futur simple			futur antérieur	
je	conclurai	[kɔ̃klyre]	aurai	conclu
tu	concluras	[kɔ̃klyra]	auras	conclu
il/elle	conclura	[kɔ̃klyra]	aura	conclu
nous	conclurons	[kɔ̃klyrɔ̃]	aurons	conclu
vous	conclurez	[kɔ̃klyre]	aurez	conclu
ils/elles	concluront	[kɔ̃klyrɔ̃]	auront	conclu

passé simple			passé antérieur	
je	conclus	[kɔ̃kly]	eus	conclu
tu	conclus	[kɔ̃kly]	eus	conclu
il/elle	conclut	[kɔ̃kly]	eut	conclu
nous	conclûmes	[kɔ̃klym]	eûmes	conclu
vous	conclûtes	[kɔ̃klyt]	eûtes	conclu
ils/elles	conclurent	[kɔ̃klyr]	eurent	conclu

SUBJONCTIF

présent			
que	je	conclue	[kɔ̃kly]
que	tu	conclues	[kɔ̃kly]
qu'	il/elle	conclue	[kɔ̃kly]
que	nous	**concluions**	[kɔ̃klyjɔ̃]
que	vous	**concluiez**	[kɔ̃klyje]
qu'	ils/elles	concluent	[kɔ̃kly]

imparfait			
que	je	conclusse	[kɔ̃klys]
que	tu	conclusses	[kɔ̃klys]
qu'	il/elle	conclût	[kɔ̃kly]
que	nous	conclussions	[kɔ̃klysjɔ̃]
que	vous	conclussiez	[kɔ̃klysje]
qu'	ils/elles	conclussent	[kɔ̃klys]

passé			
que	j'	aie	conclu
que	tu	aies	conclu
qu'	il/elle	ait	conclu
que	nous	ayons	conclu
que	vous	ayez	conclu
qu'	ils/elles	aient	conclu

plus-que-parfait			
que	j'	eusse	conclu
que	tu	eusses	conclu
qu'	il/elle	eût	conclu
que	nous	eussions	conclu
que	vous	eussiez	conclu
qu'	ils/elles	eussent	conclu

CONDITIONNEL

présent			passé 1re forme	
je	conclurais	[kɔ̃klyrɛ]	aurais	conclu
tu	conclurais	[kɔ̃klyrɛ]	aurais	conclu
il/elle	conclurait	[kɔ̃klyrɛ]	aurait	conclu
nous	conclurions	[kɔ̃klyrjɔ̃]	aurions	conclu
vous	concluriez	[kɔ̃klyrje]	auriez	conclu
ils/elles	concluraient	[kɔ̃klyrɛ]	auraient	conclu

passé 2e forme

mêmes formes que le subjonctif plus-que-parfait

IMPÉRATIF

présent		passé	
conclus	[kɔ̃kly]	aie	conclu
concluons	[kɔ̃klyɔ̃]	ayons	conclu
concluez	[kɔ̃klye]	ayez	conclu

Exclure suit ce modèle.

[ɛ̃klyr]

- Une seule différence avec « conclure » : le participe passé masculin singulier en **-us**.

Bases :
INCLU-
INCL-

INFINITIF

présent	passé
inclure [ɛ̃klyr]	avoir inclus

PARTICIPE

présent	passé
incluant [ɛ̃klyɑ̃]	**inclus**/se, inclus/ses [ɛ̃kly/yz] ayant inclus

INDICATIF

présent

j'	inclus	[ɛ̃kly]
tu	inclus	[ɛ̃kly]
il/elle	inclut	[ɛ̃kly]
nous	incluons	[ɛ̃klyɔ̃]
vous	incluez	[ɛ̃klye]
ils/elles	incluent	[ɛ̃kly]

passé composé

ai	inclus
as	inclus
a	inclus
avons	inclus
avez	inclus
ont	inclus

imparfait

j'	incluais	[ɛ̃klyɛ]
tu	incluais	[ɛ̃klyɛ]
il/elle	incluait	[ɛ̃klyɛ]
nous	**incluions**	[ɛ̃klyjɔ̃]
vous	**incluiez**	[ɛ̃klyje]
ils/elles	incluaient	[ɛ̃klyɛ]

plus-que-parfait

avais	inclus
avais	inclus
avait	inclus
avions	inclus
aviez	inclus
avaient	inclus

futur simple

j'	inclurai	[ɛ̃klyre]
tu	incluras	[ɛ̃klyra]
il/elle	inclura	[ɛ̃klyra]
nous	inclurons	[ɛ̃klyrɔ̃]
vous	inclurez	[ɛ̃klyre]
ils/elles	incluront	[ɛ̃klyrɔ̃]

futur antérieur

aurai	inclus
auras	inclus
aura	inclus
aurons	inclus
aurez	inclus
auront	inclus

passé simple

j'	inclus	[ɛ̃kly]
tu	inclus	[ɛ̃kly]
il/elle	inclut	[ɛ̃kly]
nous	inclûmes	[ɛ̃klym]
vous	inclûtes	[ɛ̃klyt]
ils/elles	inclurent	[ɛ̃klyr]

passé antérieur

eus	inclus
eus	inclus
eut	inclus
eûmes	inclus
eûtes	inclus
eurent	inclus

SUBJONCTIF

présent

que	j'	inclue	[ɛ̃kly]
que	tu	inclues	[ɛ̃kly]
qu'	il/elle	inclue	[ɛ̃kly]
que	nous	**incluions**	[ɛ̃klyjɔ̃]
que	vous	**incluiez**	[ɛ̃klyje]
qu'	ils/elles	incluent	[ɛ̃kly]

imparfait

que	j'	inclusse	[ɛ̃klys]
que	tu	inclusses	[ɛ̃klys]
qu'	il/elle	inclût	[ɛ̃kly]
que	nous	inclussions	[ɛ̃klysjɔ̃]
que	vous	inclussiez	[ɛ̃klysje]
qu'	ils/elles	inclussent	[ɛ̃klys]

passé

que	j'	aie	inclus
que	tu	aies	inclus
qu'	il/elle	ait	inclus
que	nous	ayons	inclus
que	vous	ayez	inclus
qu'	ils/elles	aient	inclus

plus-que-parfait

que	j'	eusse	inclus
que	tu	eusses	inclus
qu'	il/elle	eût	inclus
que	nous	eussions	inclus
que	vous	eussiez	inclus
qu'	ils/elles	eussent	inclus

CONDITIONNEL

présent

j'	inclurais	[ɛ̃klyrɛ]
tu	inclurais	[ɛ̃klyrɛ]
il/elle	inclurait	[ɛ̃klyrɛ]
nous	inclurions	[ɛ̃klyrjɔ̃]
vous	incluriez	[ɛ̃klyrje]
ils/elles	incluraient	[ɛ̃klyrɛ]

passé 1re forme

aurais	inclus
aurais	inclus
aurait	inclus
aurions	inclus
auriez	inclus
auraient	inclus

passé 2e forme

mêmes formes que le subjonctif plus-que-parfait

IMPÉRATIF

présent

inclus	[ɛ̃kly]
incluons	[ɛ̃klyɔ̃]
incluez	[ɛ̃klye]

passé

aie	inclus
ayons	inclus
ayez	inclus

Occlure, verbe d'emploi rare, suit ce modèle. (« Reclus » est un adjectif qui vient d'un verbe disparu : *elle vit recluse.*)

94 RÉSOUDRE

3E GROUPE

[rezudr]

Bases :
RÉSOUD-
RÉSOU-
RÉSOLV-
RÉSOL-

- C'est la base **résou**- qui sert à construire les formes du singulier au présent de l'indicatif et de l'impératif. Il n'y a donc pas de -**d**- devant la terminaison.
- Il existe un second participe passé (*résous, résoute*) employé surtout en chimie pour indiquer un changement d'état : *un gaz résous en liquide.*

INFINITIF

présent	passé
résoudre [rezudr]	avoir résolu

PARTICIPE

présent	passé
résolvant [rezɔlvɑ̃]	**résolu**/ue, résolus/ues [rezɔly] ayant résolu

INDICATIF

présent			passé composé	
je	**résous**	[rezu]	ai	résolu
tu	**résous**	[rezu]	as	résolu
il/elle	**résout**	[rezu]	a	résolu
nous	résolvons	[rezɔlvɔ̃]	avons	résolu
vous	résolvez	[rezɔlve]	avez	résolu
ils/elles	résolvent	[rezɔlv]	ont	résolu

imparfait			plus-que-parfait	
je	résolvais	[rezɔlvɛ]	avais	résolu
tu	résolvais	[rezɔlvɛ]	avais	résolu
il/elle	résolvait	[rezɔlvɛ]	avait	résolu
nous	résolvions	[rezɔlvjɔ̃]	avions	résolu
vous	résolviez	[rezɔlvje]	aviez	résolu
ils/elles	résolvaient	[rezɔlvɛ]	avaient	résolu

futur simple			futur antérieur	
je	résoudrai	[rezudre]	aurai	résolu
tu	résoudras	[rezudra]	auras	résolu
il/elle	résoudra	[rezudra]	aura	résolu
nous	résoudrons	[rezudrɔ̃]	aurons	résolu
vous	résoudrez	[rezudre]	aurez	résolu
ils/elles	résoudront	[rezudrɔ̃]	auront	résolu

passé simple			passé antérieur	
je	résolus	[rezɔly]	eus	résolu
tu	résolus	[rezɔly]	eus	résolu
il/elle	résolut	[rezɔly]	eut	résolu
nous	résolûmes	[rezɔlym]	eûmes	résolu
vous	résolûtes	[rezɔlyt]	eûtes	résolu
ils/elles	résolurent	[rezɔlyr]	eurent	résolu

SUBJONCTIF

présent			
que	je	résolve	[rezɔlv]
que	tu	résolves	[rezɔlv]
qu'	il/elle	résolve	[rezɔlv]
que	nous	résolvions	[rezɔlvjɔ̃]
que	vous	résolviez	[rezɔlvje]
qu'	ils/elles	résolvent	[rezɔlv]

imparfait			
que	je	résolusse	[rezɔlys]
que	tu	résolusses	[rezɔlys]
qu'	il/elle	résolût	[rezɔly]
que	nous	résolussions	[rezɔlysjɔ̃]
que	vous	résolussiez	[rezɔlysje]
qu'	ils/elles	résolussent	[rezɔlys]

passé			
que	j'	aie	résolu
que	tu	aies	résolu
qu'	il/elle	ait	résolu
que	nous	ayons	résolu
que	vous	ayez	résolu
qu'	ils/elles	aient	résolu

plus-que-parfait			
que	j'	eusse	résolu
que	tu	eusses	résolu
qu'	il/elle	eût	résolu
que	nous	eussions	résolu
que	vous	eussiez	résolu
qu'	ils/elles	eussent	résolu

CONDITIONNEL

présent			passé 1re forme	
je	résoudrais	[rezudrɛ]	aurais	résolu
tu	résoudrais	[rezudrɛ]	aurais	résolu
il/elle	résoudrait	[rezudrɛ]	aurait	résolu
nous	résoudrions	[rezudrijɔ̃]	aurions	résolu
vous	résoudriez	[rezudrije]	auriez	résolu
ils/elles	résoudraient	[rezudrɛ]	auraient	résolu

passé 2e forme

mêmes formes que le subjonctif plus-que-parfait

IMPÉRATIF

présent		passé	
résous	[rezu]	aie	résolu
résolvons	[rezɔlvɔ̃]	ayons	résolu
résolvez	[rezɔlve]	ayez	résolu

- Seule différence avec « résoudre », le participe passé : **absous** (*absolu* est un adjectif ou un nom).
- Le passé simple et le subjonctif imparfait sont très rarement employés.

[apsudr]

Bases :
ABSOUD-
ABSOU-
ABSOLV-

INFINITIF

présent	passé
absoudre [apsudr]	avoir absous

PARTICIPE

présent	passé
absolvant [apsɔlvɑ̃]	**absous**/oute, absous/outes [apsu/ut] ayant absous

INDICATIF

présent			passé composé	
j'	absous	[apsu]	ai	absous
tu	absous	[apsu]	as	absous
il/elle	absout	[apsu]	a	absous
nous	absolvons	[apsɔlvɔ̃]	avons	absous
vous	absolvez	[apsɔlve]	avez	absous
ils/elles	absolvent	[apsɔlv]	ont	absous

imparfait			plus-que-parfait	
j'	absolvais	[apsɔlvɛ]	avais	absous
tu	absolvais	[apsɔlvɛ]	avais	absous
il/elle	absolvait	[apsɔlvɛ]	avait	absous
nous	absolvions	[apsɔlvjɔ̃]	avions	absous
vous	absolviez	[apsɔlvje]	aviez	absous
ils/elles	absolvaient	[apsɔlvɛ]	avaient	absous

futur simple			futur antérieur	
j'	absoudrai	[apsudre]	aurai	absous
tu	absoudras	[apsudra]	auras	absous
il/elle	absoudra	[apsudra]	aura	absous
nous	absoudrons	[apsudrɔ̃]	aurons	absous
vous	absoudrez	[apsudre]	aurez	absous
ils/elles	absoudront	[apsudrɔ̃]	auront	absous

passé simple			passé antérieur	
j'	absolus	[apsɔly]	eus	absous
tu	absolus	[apsɔly]	eus	absous
il/elle	absolut	[apsɔly]	eut	absous
nous	absolûmes	[apsɔlym]	eûmes	absous
vous	absolûtes	[apsɔlyt]	eûtes	absous
ils/elles	absolurent	[apsɔlyr]	eurent	absous

SUBJONCTIF

présent			
que	j'	absolve	[apsɔlv]
que	tu	absolves	[apsɔlv]
qu'	il/elle	absolve	[apsɔlv]
que	nous	absolvions	[apsɔlvjɔ̃]
que	vous	absolviez	[apsɔlvje]
qu'	ils/elles	absolvent	[apsɔlv]

imparfait			
que	j'	absolusse	[apsɔlys]
que	tu	absolusses	[apsɔlys]
qu'	il/elle	absolût	[apsɔly]
que	nous	absolussions	[apsɔlysjɔ̃]
que	vous	absolussiez	[apsɔlysje]
qu'	ils/elles	absolussent	[apsɔlys]

passé			
que	j'	aie	absous
que	tu	aies	absous
qu'	il/elle	ait	absous
que	nous	ayons	absous
que	vous	ayez	absous
qu'	ils/elles	aient	absous

plus-que-parfait			
que	j'	eusse	absous
que	tu	eusses	absous
qu'	il/elle	eût	absous
que	nous	eussions	absous
que	vous	eussiez	absous
qu'	ils/elles	eussent	absous

CONDITIONNEL

présent			passé 1re forme	
j'	absoudrais	[apsudrɛ]	aurais	absous
tu	absoudrais	[apsudrɛ]	aurais	absous
il/elle	absoudrait	[apsudrɛ]	aurait	absous
nous	absoudrions	[apsudrijɔ̃]	aurions	absous
vous	absoudriez	[apsudrije]	auriez	absous
ils/elles	absoudraient	[apsudrɛ]	auraient	absous

passé 2e forme

mêmes formes que le subjonctif plus-que-parfait

IMPÉRATIF

présent		passé	
absous	[apsu]	aie	absous
absolvons	[apsɔlvɔ̃]	ayons	absous
absolvez	[apsɔlve]	ayez	absous

Dissoudre suit exactement ce modèle : ne pas confondre le participe passé **dissous/oute** avec l'adjectif « dissolu/e » (= dépravé, corrompu).

96 MOUDRE

3E GROUPE

[mudr]

Bases :
MOUD-
MOUL-

- Pas de terminaison à la 3e personne du singulier de l'indicatif présent (comme « rendre », tableau 65).

INFINITIF

présent	passé
moudre [mudr]	avoir moulu

PARTICIPE

présent	passé
moulant [mulɑ̃]	moulu/ue, moulus/ues [muly] ayant moulu

INDICATIF

présent

je	mouds	[mu]
tu	mouds	[mu]
il/elle	**moud**	[mu]
nous	moulons	[mulɔ̃]
vous	moulez	[mule]
ils/elles	moulent	[mul]

passé composé

ai	moulu
as	moulu
a	moulu
avons	moulu
avez	moulu
ont	moulu

imparfait

je	moulais	[mulɛ]
tu	moulais	[mulɛ]
il/elle	moulait	[mulɛ]
nous	moulions	[muljɔ̃]
vous	mouliez	[mulje]
ils/elles	moulaient	[mulɛ]

plus-que-parfait

avais	moulu
avais	moulu
avait	moulu
avions	moulu
aviez	moulu
avaient	moulu

futur simple

je	moudrai	[mudre]
tu	moudras	[mudra]
il/elle	moudra	[mudra]
nous	moudrons	[mudrɔ̃]
vous	moudrez	[mudre]
ils/elles	moudront	[mudrɔ̃]

futur antérieur

aurai	moulu
auras	moulu
aura	moulu
aurons	moulu
aurez	moulu
auront	moulu

passé simple

je	moulus	[muly]
tu	moulus	[muly]
il/elle	moulut	[muly]
nous	moulûmes	[mulym]
vous	moulûtes	[mulyt]
ils/elles	moulurent	[mulyr]

passé antérieur

eus	moulu
eus	moulu
eut	moulu
eûmes	moulu
eûtes	moulu
eurent	moulu

SUBJONCTIF

présent

que	je	moule	[mul]
que	tu	moules	[mul]
qu'	il/elle	moule	[mul]
que	nous	moulions	[muljɔ̃]
que	vous	mouliez	[mulje]
qu'	ils/elles	moulent	[mul]

imparfait

que	je	moulusse	[mulys]
que	tu	moulusses	[mulys]
qu'	il/elle	moulût	[muly]
que	nous	moulussions	[mulysjɔ̃]
que	vous	moulussiez	[mulysje]
qu'	ils/elles	moulussent	[mulys]

passé

que	j'	aie	moulu
que	tu	aies	moulu
qu'	il/elle	ait	moulu
que	nous	ayons	moulu
que	vous	ayez	moulu
qu'	ils/elles	aient	moulu

plus-que-parfait

que	j'	eusse	moulu
que	tu	eusses	moulu
qu'	il/elle	eût	moulu
que	nous	eussions	moulu
que	vous	eussiez	moulu
qu'	ils/elles	eussent	moulu

CONDITIONNEL

présent

je	moudrais	[mudrɛ]
tu	moudrais	[mudrɛ]
il/elle	moudrait	[mudrɛ]
nous	moudrions	[mudrijɔ̃]
vous	moudriez	[mudrije]
ils/elles	moudraient	[mudrɛ]

passé 1re forme

aurais	moulu
aurais	moulu
aurait	moulu
aurions	moulu
auriez	moulu
auraient	moulu

passé 2e forme

mêmes formes que le subjonctif plus-que-parfait

IMPÉRATIF

présent		passé	
mouds	[mu]	aie	moulu
moulons	[mulɔ̃]	ayons	moulu
moulez	[mule]	ayez	moulu

Émoudre et *remoudre*, dérivés de « moudre » suivent ce modèle.

[kudr]

Bases :
COUD-
COUS-

- Pas de terminaison à la 3e personne du singulier de l'indicatif présent (comme « rendre », tableau 65, et « moudre », tableau 96).

INFINITIF

présent	passé
coudre [kudr]	avoir cousu

PARTICIPE

présent	passé
cousant [kuzɑ̃]	cousu/ue, cousus/ues [kuzy] ayant cousu

INDICATIF

présent

			passé composé	
je	couds	[ku]	ai	cousu
tu	couds	[ku]	as	cousu
il/elle	**coud**	[ku]	a	cousu
nous	cousons	[kuzɔ̃]	avons	cousu
vous	cousez	[kuze]	avez	cousu
ils/elles	cousent	[kuz]	ont	cousu

imparfait

			plus-que-parfait	
je	cousais	[kuzɛ]	avais	cousu
tu	cousais	[kuzɛ]	avais	cousu
il/elle	cousait	[kuzɛ]	avait	cousu
nous	cousions	[kuzjɔ̃]	avions	cousu
vous	cousiez	[kuzje]	aviez	cousu
ils/elles	cousaient	[kuzɛ]	avaient	cousu

futur simple

			futur antérieur	
je	coudrai	[kudre]	aurai	cousu
tu	coudras	[kudra]	auras	cousu
il/elle	coudra	[kudra]	aura	cousu
nous	coudrons	[kudrɔ̃]	aurons	cousu
vous	coudrez	[kudre]	aurez	cousu
ils/elles	coudront	[kudrɔ̃]	auront	cousu

passé simple

			passé antérieur	
je	cousis	[kuzi]	eus	cousu
tu	cousis	[kuzi]	eus	cousu
il/elle	cousit	[kuzi]	eut	cousu
nous	cousîmes	[kuzim]	eûmes	cousu
vous	cousîtes	[kuzit]	eûtes	cousu
ils/elles	cousirent	[kuzir]	eurent	cousu

SUBJONCTIF

présent

que	je	couse	[kuz]
que	tu	couses	[kuz]
qu'	il/elle	couse	[kuz]
que	nous	cousions	[kuzjɔ̃]
que	vous	cousiez	[kuzje]
qu'	ils/elles	cousent	[kuz]

imparfait

que	je	cousisse	[kuzis]
que	tu	cousisses	[kuzis]
qu'	il/elle	cousît	[kuzi]
que	nous	cousissions	[kuzisjɔ̃]
que	vous	cousissiez	[kuzisje]
qu'	ils/elles	cousissent	[kuzis]

passé

que	j'	aie	cousu
que	tu	aies	cousu
qu'	il/elle	ait	cousu
que	nous	ayons	cousu
que	vous	ayez	cousu
qu'	ils/elles	aient	cousu

plus-que-parfait

que	j'	eusse	cousu
que	tu	eusses	cousu
qu'	il/elle	eût	cousu
que	nous	eussions	cousu
que	vous	eussiez	cousu
qu'	ils/elles	eussent	cousu

CONDITIONNEL

présent

			passé 1re forme	
je	coudrais	[kudrɛ]	aurais	cousu
tu	coudrais	[kudrɛ]	aurais	cousu
il/elle	coudrait	[kudrɛ]	aurait	cousu
nous	coudrions	[kudrijɔ̃]	aurions	cousu
vous	coudriez	[kudrije]	auriez	cousu
ils/elles	coudraient	[kudrɛ]	auraient	cousu

passé 2e forme

mêmes formes que le subjonctif plus-que-parfait

IMPÉRATIF

présent		passé	
couds	[ku]	aie	cousu
cousons	[kuzɔ̃]	ayons	cousu
cousez	[kuze]	ayez	cousu

Découdre et *recoudre*, dérivés de « coudre », suivent ce modèle.

98 CLORE

3E GROUPE

[klɔr]

Bases :

CLO-

CLÔ-

CLOS-

- Attention : accent circonflexe à la 3e personne du singulier de l'indicatif présent.
- Verbe défectif, peu employé (souvent remplacé par « fermer »).

INFINITIF

présent	passé
clore [klɔr]	avoir clos

PARTICIPE

présent	passé
inusité	clos/ose, clos/oses [klo/oz] ayant clos

INDICATIF

présent

je	clos	[klo]
tu	clos	[klo]
il/elle	**clôt**	[klo]

inusité

passé composé

	ai	clos
	as	clos
	a	clos
nous	avons	clos
vous	avez	clos
ils/elles	ont	clos

imparfait

inusité

plus-que-parfait

j'	avais	clos
tu	avais	clos
il/elle	avait	clos
nous	avions	clos
vous	aviez	clos
ils/elles	avaient	clos

futur simple

je	clorai	[klore]
tu	cloras	[klora]
il/elle	clora	[klora]
nous	clorons	[klorɔ̃]
vous	clorez	[klore]
ils/elles	cloront	[klorɔ̃]

futur antérieur

	aurai	clos
	auras	clos
	aura	clos
	aurons	clos
	aurez	clos
	auront	clos

passé simple

inusité

passé antérieur

j'	eus	clos
tu	eus	clos
il/elle	eut	clos
nous	eûmes	clos
vous	eûtes	clos
ils/elles	eurent	clos

SUBJONCTIF

présent

que	je	close	[kloz]
que	tu	closes	[kloz]
qu'	il/elle	close	[kloz]
que	nous	closions	[klozjɔ̃]
que	vous	closiez	[klozje]
qu'	ils/elles	closent	[kloz]

imparfait

inusité

passé

que	j'	aie	clos
que	tu	aies	clos
qu'	il/elle	ait	clos
que	nous	ayons	clos
que	vous	ayez	clos
qu'	ils/elles	aient	clos

plus-que-parfait

que	j'	eusse	clos
que	tu	eusses	clos
qu'	il/elle	eût	clos
que	nous	eussions	clos
que	vous	eussiez	clos
qu'	ils/elles	eussent	clos

CONDITIONNEL

présent

je	clorais	[klorɛ]
tu	clorais	[klorɛ]
il/elle	clorait	[klorɛ]
nous	clorions	[klorjɔ̃]
vous	cloriez	[klorje]
ils/elles	cloraient	[klorɛ]

passé 1re forme

aurais	clos
aurais	clos
aurait	clos
aurions	clos
auriez	clos
auraient	clos

passé 2e forme

mêmes formes que le subjonctif plus-que-parfait

IMPÉRATIF

présent	passé
inusité	*inusité*

Les verbes dérivés de « clore » sont tous défect[ifs] et peu employés (voir tableau 99).

- Pas d'accent circonflexe à la 3e personne du singulier de l'indicatif présent.
- Verbe défectif, peu employé.

[ɑ̃klɔr]

Bases :
ENCLO-
ENCLOS-

INFINITIF

présent	passé
enclore [ɑ̃klɔr]	avoir enclos

PARTICIPE

présent	passé
inusité	enclos/ose, enclos/oses [ɑ̃klo/oz] ayant enclos

INDICATIF

présent

j'	enclos	[ɑ̃klo]
tu	enclos	[ɑ̃klo]
il/elle	**enclot**	[ɑ̃klo]

inusité

passé composé

j'	ai	enclos
tu	as	enclos
il/elle	a	enclos
nous	avons	enclos
vous	avez	enclos
ils/elles	ont	enclos

imparfait

inusité

plus-que-parfait

j'	avais	enclos
tu	avais	enclos
il/elle	avait	enclos
nous	avions	enclos
vous	aviez	enclos
ils/elles	avaient	enclos

futur simple

j'	enclorai	[ɑ̃klore]
tu	encloras	[ɑ̃klora]
il/elle	enclora	[ɑ̃klora]
nous	enclorons	[ɑ̃klorɔ̃]
vous	enclorez	[ɑ̃klore]
ils/elles	encloront	[ɑ̃klorɔ̃]

futur antérieur

j'	aurai	enclos
tu	auras	enclos
il/elle	aura	enclos
nous	aurons	enclos
vous	aurez	enclos
ils/elles	auront	enclos

passé simple

inusité

passé antérieur

j'	eus	enclos
tu	eus	enclos
il/elle	eut	enclos
nous	eûmes	enclos
vous	eûtes	enclos
ils/elles	eurent	enclos

SUBJONCTIF

présent

que	j'	enclose	[ɑ̃kloz]
que	tu	encloses	[ɑ̃kloz]
qu'	il/elle	enclose	[ɑ̃kloz]
que	nous	enclosions	[ɑ̃klozjɔ̃]
que	vous	enclosiez	[ɑ̃klozje]
qu'	ils/elles	enclosent	[ɑ̃kloz]

imparfait

inusité

passé

que	j'	aie	enclos
que	tu	aies	enclos
qu'	il/elle	ait	enclos
que	nous	ayons	enclos
que	vous	ayez	enclos
qu'	ils/elles	aient	enclos

plus-que-parfait

que	j'	eusse	enclos
que	tu	eusses	enclos
qu'	il/elle	eût	enclos
que	nous	eussions	enclos
que	vous	eussiez	enclos
qu'	ils/elles	eussent	enclos

CONDITIONNEL

présent

j'	enclorais	[ɑ̃klorɛ]
tu	enclorais	[ɑ̃klorɛ]
il/elle	enclorait	[ɑ̃klorɛ]
nous	enclorions	[ɑ̃klorjɔ̃]
vous	encloriez	[ɑ̃klorje]
ils/elles	encloraient	[ɑ̃klorɛ]

passé 1re forme

j'	aurais	enclos
tu	aurais	enclos
il/elle	aurait	enclos
nous	aurions	enclos
vous	auriez	enclos
ils/elles	auraient	enclos

passé 2e forme

mêmes formes que le subjonctif plus-que-parfait

IMPÉRATIF

présent	passé
inusité	*inusité*

Les autres dérivés de « clore » suivent ce modèle. Mais *éclore* n'est guère usité qu'aux 3es pers. de l'ind. prés. et à l'infinitif, *déclore* et *forclore* n'existent plus qu'au part. passé et à l'infinitif.

100 SE REPAÎTRE

3ᴱ GROUPE

[rəpɛtr]

Bases :
REPAÎT-
REPAI-
REPAISS-
REP-

- Accent circonflexe sur le **-i-** de la base devant **-t-**.
- Passé simple et temps composés peu usités.
- Verbe pronominal, qui construit donc ses temps composés avec « être ».

INFINITIF

présent	passé
se repaître [rəpɛtr]	s'être repu /ue/us/ues

PARTICIPE

présent	passé
se repaissant [rəpesɑ̃]	repu/ue, repus/ues [rəpy] s'étant repu/ue/us/ues

INDICATIF

présent

			passé composé	
je me	repais	[rəpɛ]	suis	repu/ue
tu te	repais	[rəpɛ]	es	repu/ue
il/elle se	**repaît**	[rəpɛ]	est	repu/ue
nous nous	repaissons	[rəpesɔ̃]	sommes	repus/ues
vous vous	repaissez	[rəpese]	êtes	repus/ues
ils/elles se	repaissent	[rəpɛs]	sont	repus/ues

imparfait

			plus-que-parfait	
je me	repaissais	[rəpesɛ]	étais	repu/ue
tu te	repaissais	[rəpesɛ]	étais	repu/ue
il/elle se	repaissait	[rəpesɛ]	était	repu/ue
nous nous	repaissions	[rəpesjɔ̃]	étions	repus/ues
vous vous	repaissiez	[rəpesje]	étiez	repus/ues
ils/elles se	repaissaient	[rəpesɛ]	étaient	repus/ues

futur simple

			futur antérieur	
je me	**repaîtrai**	[rəpetre]	serai	repu/ue
tu te	**repaîtras**	[rəpetra]	seras	repu/ue
il/elle se	**repaîtra**	[rəpetra]	sera	repu/ue
nous nous	**repaîtrons**	[rəpetrɔ̃]	serons	repus/ues
vous vous	**repaîtrez**	[rəpetre]	serez	repus/ues
ils/elles se	**repaîtront**	[rəpetrɔ̃]	seront	repus/ues

passé simple

			passé antérieur	
je me	repus	[rəpy]	fus	repu/ue
tu te	repus	[rəpy]	fus	repu/ue
il/elle se	reput	[rəpy]	fut	repu/ue
nous nous	repûmes	[rəpym]	fûmes	repus/ues
vous vous	repûtes	[rəpyt]	fûtes	repus/ues
ils/elles se	repurent	[rəpyr]	furent	repus/ues

SUBJONCTIF

présent

que	je me	repaisse	[rəpɛs]
que	tu te	repaisses	[rəpɛs]
qu'	il/elle se	repaisse	[rəpɛs]
que	nous nous	repaissions	[rəpesjɔ̃]
que	vous vous	repaissiez	[rəpesje]
qu'	ils/elles se	repaissent	[rəpɛs]

imparfait

que	je me	repusse	[rəpys]
que	tu te	repusses	[rəpys]
qu'	il/elle se	repût	[rəpy]
que	nous nous	repussions	[rəpysjɔ̃]
que	vous vous	repussiez	[rəpysje]
qu'	ils/elles se	repussent	[rəpys]

passé

que	je me	sois	repu/ue
que	tu te	sois	repu/ue
qu'	il/elle se	soit	repu/ue
que	nous nous	soyons	repus/ues
que	vous vous	soyez	repus/ues
qu'	ils/elles se	soient	repus/ues

plus-que-parfait

que	je me	fusse	repu/ue
que	tu te	fusses	repu/ue
qu'	il/elle se	fût	repu/ue
que	nous nous	fussions	repus/ues
que	vous vous	fussiez	repus/ues
qu'	ils/elles se	fussent	repus/ues

CONDITIONNEL

présent

			passé 1ʳᵉ forme	
je me	**repaîtrais**	[rəpetrɛ]	serais	repu/ue
tu te	**repaîtrais**	[rəpetrɛ]	serais	repu/ue
il/elle se	**repaîtrait**	[rəpetrɛ]	serait	repu/ue
nous nous	**repaîtrions**	[rəpetrijɔ̃]	serions	repus/ues
vous vous	**repaîtriez**	[rəpetrije]	seriez	repus/ues
ils/elles se	**repaîtraient**	[rəpetrɛ]	seraient	repus/ues

passé 2ᵉ forme

mêmes formes que le subjonctif plus-que-parfait

IMPÉRATIF

présent		passé
repais-toi	[rəpɛ]	*inusité*
repaissons-nous	[rəpesɔ̃]	
repaissez-vous	[rəpese]	

Paître, d'où dérive « repaître », n'a pas de participe passé dans la langue courante, donc pas de temps composés. Il n'existe ni au passé simple ni au subjonctif imparfait.

- Verbe défectif, remplacé aux formes inusitées par la tournure « faire frire ».

[frir]

Base :
FRI-

INFINITIF

présent	passé
frire [frir]	avoir frit

PARTICIPE

présent	passé
inusité	frit/ite, frits/ites [fri/it] ayant frit

INDICATIF

présent

je	fris	[fri]
tu	fris	[fri]
il/elle	frit	[fri]
inusité		

passé composé

	ai	frit
	as	frit
	a	frit
nous	avons	frit
vous	avez	frit
ils/elles	ont	frit

imparfait

inusité

plus-que-parfait

j'	avais	frit
tu	avais	frit
il/elle	avait	frit
nous	avions	frit
vous	aviez	frit
ils/elles	avaient	frit

futur simple

je	frirai	[frire]
tu	friras	[frira]
il/elle	frira	[frira]
nous	frirons	[frirɔ̃]
vous	frirez	[frire]
ils/elles	friront	[frirɔ̃]

futur antérieur

	aurai	frit
	auras	frit
	aura	frit
	aurons	frit
	aurez	frit
	auront	frit

passé simple

inusité

passé antérieur

j'	eus	frit
tu	eus	frit
il/elle	eut	frit
nous	eûmes	frit
vous	eûtes	frit
ils/elles	eurent	frit

SUBJONCTIF

présent

inusité

imparfait

inusité

passé

que	j'	aie	frit
que	tu	aies	frit
qu'	il/elle	ait	frit
que	nous	ayons	frit
que	vous	ayez	frit
qu'	ils/elles	aient	frit

plus-que-parfait

que	j'	eusse	frit
que	tu	eusses	frit
qu'	il/elle	eût	frit
que	nous	eussions	frit
que	vous	eussiez	frit
qu'	ils/elles	eussent	frit

CONDITIONNEL

présent

je	frirais	[frirɛ]
tu	frirais	[frirɛ]
il/elle	frirait	[frirɛ]
nous	féririons	[frirjɔ̃]
vous	fririez	[frirje]
ils/elles	friraient	[frirɛ]

passé 1re forme

aurais	frit
aurais	frit
aurait	frit
aurions	frit
auriez	frit
auraient	frit

passé 2e forme

mêmes formes que le subjonctif plus-que-parfait

IMPÉRATIF

présent	passé	
fris	aie	frit
inusité	ayons	frit
—	ayez	frit

MODE D'EMPLOI DU RÉPERTOIRE DES VERBES

Ce répertoire permet de retrouver comment se conjuguent et se construisent tous les verbes contenus dans le *Petit Larousse*.

Les numéros renvoient aux tableaux de conjugaison.

● Pour chaque verbe, sont indiqués :

- le ou les modes de construction (transitive directe ou indirecte, intransitive) ;

- les prépositions généralement utilisées pour introduire le complément (C.O.I., C.O.S. ou C.C.), mentionnées entre parenthèses ;

- l'emploi pronominal éventuel (à cette voix, l'auxiliaire de conjugaison est toujours « être ») ;

- l'auxiliaire qui permet de former les temps composés à la voix active quand ce n'est pas « avoir » qui est obligatoire ;

- les particularités orthographiques ;

- les particularités d'emploi.

● Les verbes essentiellement pronominaux (qui n'existent pas à la voix active) sont suivis de **-se-** ou **-s'-**.

● Les verbes propres à la francophonie sont signalés par l'indication du pays ou de la région où ils sont employés : Afrique, Belgique, Québec, Suisse.

● Les verbes appartenant au vocabulaire courant apparaissent en gras (liste fondée sur le *Dictionnaire fondamental* de G. Gougenheim, sur l'*Échelle Dubois-Buyse* de F. Ters, G. Mayer et D. Reichenbach, ainsi que sur le *Dictionnaire du vocabulaire essentiel* de G. Matoré).

● La transcription phonétique des verbes est donnée chaque fois que leur prononciation pourrait présenter une difficulté.

Abréviations utilisées

T	emploi transitif direct (avec un C.O.D.)
Ti	emploi transitif indirect (avec un C.O.I.)
I	emploi intransitif (avec un C.C. ou sans complément)
Pr	verbe souvent conjugué à la voix pronominale (à cette voix, toujours avec « être » aux temps composés)
U	verbe unipersonnel (= impersonnel), n'existe qu'à la 3e personne du singulier
Déf	verbe défectif (= dont certaines formes sont inusitées)
P.p. inv.	verbe dont le participe passé est toujours invariable
p.p. inv.	participe passé invariable dans l'emploi indiqué
+ être	verbe actif qui forme ses temps composés avec l'auxiliaire « être »
+ être ou avoir	verbe actif qui peut former ses temps composés avec l'auxiliaire « être » ou avec l'auxiliaire « avoir », selon la nuance de sens.

Les autres abréviations sont les abréviations courantes, utilisées dans le cours de l'ouvrage (voir p. de sommaire).

TROISIÈME PARTIE

RÉPERTOIRE DES VERBES

A

abaisser T / **Pr** (à) ... 12
abandonner T / **Pr** (à) ... 12
abasourdir [abazurdir] **T** ... 34
abâtardir **T** ... 34
abattre T / **I,** p.p.inv. / **Pr** ... 73
abcéder **I** / **P.p.inv.** ... 19
abdiquer **T** / **I,** p.p.inv. / -qu- partout ... 15
abêtir **T** / **Pr** ... 34
abhorrer [abɔre] **T** ... 12
abîmer T / **Pr** ... 12
abjurer **T** ... 12
ablater **T** / **Pr** ... 12
abolir **T** ... 34
abominer **T** ... 12
abonder **I** / **P.p.inv.** ... 12
abonner **T** / **Pr** (à) ... 12
abonnir **T** / **Pr** ... 34
aborder I, p.p.inv. / **T** ... 12
aboucher **T** / **Pr** (avec) ... 12
abouler **T** / **Pr** ... 12
abouter **T** ... 12
aboutir Ti (à) / **I** / **P.p.inv.** 34
aboyer [abwaje] **I** / **Ti** (à, après, contre) / **P.p.inv.** 30
abraser **T** ... 12
abréagir **I** / **P.p.inv.** ... 34
abréger T ... 20
abreuver **T** / **Pr** (à, de) ... 12
abriter T / **Pr** ... 12
abroger **T** ... 16
abrutir **T** ... 34
absenter -s'- [apsɑ̃te] (de) **+ être** ... 12
absorber T / **Pr** (dans) ... 12
absoudre [apsudr] **T** / Part. passé : *absous, absoute/tes* / Passé simple et subj. imparf. très rarement employés ... 95
abstenir -s'- (de) **+ être** ... 4
abstraire [apstrɛr] **T** / **Pr** (de) / **Déf** : pas de passé simple, pas de subj. imparf. ... 88
abuser Ti (de), p.p.inv. / **T** / **Pr** ... 12
accabler T ... 12
accaparer **T** / **Pr** (de), Belgique ... 12
accastiller **T** ... 12
accéder [aksede] **Ti** (à) / **P.p.inv.** ... 19
accélérer [akselere] **T** / **I,** p.p.inv. / **Pr** ... 19
accentuer [aksɑ̃tɥe] **T** / **Pr** ... 12
accepter [aksɛpte] **T** ... 12
accessoiriser [aksɛswarize] **T** 12

P.p. inv. : verbe dont le participe passé est toujours invariable

p.p. inv. : participe passé invariable dans l'emploi indiqué

accidenter [aksidɑ̃te] **T** ... 12
acclamer T ... 12
acclimater **T** / **Pr** (à) ... 12
accointer -s'- (avec) **+ être** ... 12
accoler **T** ... 12
accommoder **T** / **I,** p.p.inv. / **Pr** (à, avec, de) ... 12
accompagner T ... 12
accomplir T / **Pr** ... 34
accorder T / **Pr** ... 12
accoster **T** ... 12
accoter **T** / **Pr** ... 12
accoucher I, p.p.inv. / **Ti** (de), p.p.inv. / **T** ... 12
accouder -s'- **+ être** ... 12
accouer **T** ... 12
accoupler **T** / **Pr** ... 12
accourcir **T** ... 34
accourir I /**+ être ou avoir** 41
accoutrer **T** / **Pr** ... 12
accoutumer **T** / **Pr** (à) ... 12
accréditer **T** / **Pr** ... 12
accrocher T / **Pr** ... 12
accroire **T** / **Déf** : usité seulement à l'inf. après «faire» et «laisser» (*en faire accroire à quelqu'un*).
accroître **T** / **Pr** ... 91
accroupir -s'- **+ être** ... 34
accueillir T ... 45
acculer **T** ... 12
acculturer **T** ... 12
accumuler T / **Pr** ... 12
accuser T ... 12
acérer **T** ... 19
acétifier **T** ... 14
achalander **T** ... 12
acharner -s'- (sur, contre) **+ être** ... 12
acheminer **T** / **Pr** (vers) ... 12
acheter T ... 27
achever T ... 24
achopper **I** / **P.p.inv.** ... 12
achromatiser **T** ... 12
acidifier **T** ... 14
aciduler **T** ... 12
aciérer **T** ... 19
acoquiner -s'- (avec, à) **+ être** ... 12
acquérir T / Attention au part. passé : *acquis, acquise/ises* (ne pas confondre avec le nom «un acquit», dérivé du verbe «acquitter») ... 43
acquiescer **I** / **Ti** (à) / **P.p.inv.** ... 18
acquitter T / **Pr** (de) ... 12
actionner **T** ... 12
activer **T** / **Pr** ... 12
actualiser **T** ... 12
adapter T / **Pr** (à) ... 12
additionner **T** ... 12
adhérer **Ti** (à) / **P.p.inv.** / Attention au part. prés. : *adhérant* (ne pas confondre avec «adhérent», adj. et nom) 19
adjectiver **T** ... 12
adjectiviser **T** ... 12
adjoindre **T** / **Pr** ... 70
adjuger **T** / **Pr** ... 16

adjurer **T** ...
admettre T ...
administrer T ...
admirer T ...
admonester **T** ...
adonner -s'- (à) **+ être** ...
adopter T ...
adorer T / **Pr** ...
adosser **T** / **Pr** (à, contre) ...
adouber **T** ...
adoucir T / **Pr** ...
adresser T / **Pr** (à) ...
adsorber **T** ...
aduler **T** ...
adultérer **T** ...
advenir **I** / **+ être** / **Déf** : us seulement à l'inf., aux 3es pers. et au part. passé ...
aérer T ...
affabuler **I** / **P.p.inv.** ...
affadir **T** ...
affaiblir T / **Pr** ...
affairer -s'- (auprès de) **+ être** ...
affaisser **T** / **Pr** ...
affaler **T** / **Pr** (sur) ...
affamer **T** ...
afféager **T** ...
affecter **T** / **Pr** (de) ...
affectionner **T** ...
affermer **T** ...
affermir **T** ...
afficher T / **Pr** ...
affiler **T** ...
affilier **T** / **Pr** (à) ...
affiner **T** / **Pr** ...
affirmer T / **Pr** ...
affleurer **T** / **I,** p.p.inv. ...
affliger T / **Pr** (de) ...
afflouer **T** ...
affluer **I** / **P.p.inv.** / Attention part. prés. : *affluant* (ne pas confondre avec «affluent», adj. et nom) ...
affoler **T** / **Pr** ...
affouager **T** ...
affouiller **T** ...
affourager **T** ...
affourcher **T** ...
affranchir T / **Pr** (de) ...
affréter **T** ...
affriander **T** ...
affrioler **T** ...
affronter T / **Pr** ...
affruiter **I,** p.p.inv. / **T** ...
affubler **T** / **Pr** (de) ...
affûter **T** ...
africaniser **T** / **Pr** ...
agacer T ...
agencer **T** ...
agenouiller -s'- **+ être** ...
agglomérer **T** / **Pr** ...
agglutiner **T** / **Pr** (à) ...
aggraver T / **Pr** ...
agir I, p.p.inv. / **T** ...
agir -s'- (de) **+ être U** / **P.p.inv.** ...

giter **T / Pr** ... 12
neler **I / P.p.inv.** ... 22
jonir **T** ... 34
joniser **I / P.p.inv.** ... 12
rafer **T** ... 12
rainer **T** ... 12
randir T / Pr ... 34
réer T / Ti (à), p.p.inv. /
-é- partout dans la base 13
réger **T / Pr** (à) ... 20
rémenter T ... 12
resser T ... 12
riffer **-s'- + être** ... 12
ripper **T / Pr** (à) ... 12
uerrir [agerir] **T / Pr** ... 34
uicher **T** ... 12
aner [aane] **I / P.p.inv.** ... 12
urir **T** ... 34
her **T** ... 12
ler T / Ti (à), p.p.inv. /
r (de) ... 12
rir **T / I,** p.p.inv. / **Pr** ... 34
uiller [egɥije] **T** ... 12
uilleter [egɥijəte] **T** ... 26
uillonner [egɥijɔne] **T** ... 12
uiser [egize] **T** ... 12
er [aje] **T** ... 12
anter **T** ... 12
ler T / Pr ... 12
r I / P.p.inv. ... 12
nter **T** ... 12
rer **T** ... 12
rner **T** ... 12
ter T / Pr (à) ... 12
ter **T** ... 12
guir **T / Pr** ... 34
ner **T / Pr** (de) ... 12
iniser **T** ... 12
oliser **T / Pr** ... 12
ter **T** ... 12
er **T** ... 19
ner **T** ... 12
er **T** ... 19
ler T / Pr ... 12
enter T ... 12
T / Pr ... 12
er **T** ... 12
her **T** ... 19
er **T** ... 20
uer [alege] **T** / -gu-
rtout ... 19
I / + être / Pr : attention à la
ce de «en» (*s'en aller, je m'en
s, je m'en suis allé/ée,
t'en*, etc.) ... 3
T / Pr (à, avec) ... 14
ger T / I, p.p.inv. / **Pr** 16
T ... 34
er **T** ... 12
ler T / Pr ... 12
onner **I / P.p.inv.** ... 12
dir **T** ... 34
uer **T** / -gu- partout ... 15
bétiser **T** ... 12
r **T** ... 19
er **I,** p.p.inv. / **T** ... 12
ner **T** ... 12

aluner **T** ... 12
alunir **I / P.p.inv.** ... 34
amadouer **T / Pr** ... 12
amaigrir **T / Pr** ... 34
amalgamer **T / Pr** ... 12
amariner **T** ... 12
amarrer **T** ... 12
amasser T ... 12
amatir **T** ... 34
ambiancer **I / P.p.inv.** /
Afrique ... 17
ambitionner **T** ... 12
ambler **I / P.p.inv.** ... 12
ambrer **T** ... 12
améliorer T / Pr ... 12
aménager **T** ... 16
amender **T / Pr** ... 12
amener T / Pr ... 24
amenuiser **T / Pr** ... 12
américaniser **T / Pr** ... 12
amerrir **I / P.p.inv.** ... 34
ameublir **T** ... 34
ameuter **T** ... 12
amidonner **T** ... 12
amincir **T / Pr** ... 34
amnistier **T** ... 14
amocher **T** ... 12
amodier **T** ... 14
amoindrir **T / Pr** ... 34
amollir **T / Pr** ... 34
amonceler **T / Pr** ... 22
amorcer **T** ... 17
amortir **T / Pr** ... 34
amouracher **-s'-** (de) **+ être** ... 12
amplifier **T** ... 14
amputer T ... 12
amuïr **-s'-** [amɥir] **+ être** /
-ï- partout ... 34
amurer **T** ... 12
amuser T / Pr ... 12
analyser **T** ... 12
anastomoser **T / Pr** ... 12
anathématiser **T** ... 12
anatomiser **T** ... 12
ancrer **T / Pr** ... 12
anéantir T / Pr ... 34
anémier **T** ... 14
anesthésier **T** ... 14
anglaiser **T** ... 12
angliciser **T / Pr** ... 12
angoisser **T** ... 12
anhéler **I / P.p.inv.** ... 19
animaliser **T** ... 12
animer T / Pr ... 12
aniser **T** ... 12
ankyloser **T / Pr** ... 12
anneler **T** ... 22
annexer **T / Pr** ... 12
annihiler **T** ... 12
annoncer T ... 17
annoter **T** ... 12
annualiser **T** ... 12
annuler [anyle] **T** ... 12
anoblir **T** ... 34
anodiser **T** ... 12
ânonner **I,** p.p.inv. / **T** ... 12

anordir **I / P.p.inv.** ... 34
antéposer **T** ... 12
anticiper T / I, p.p.inv. /
Ti (sur), p.p.inv. ... 12
antidater **T** ... 12
antiparasiter **T** ... 12
apaiser T / Pr ... 12
apercevoir T / Pr (de) ... 50
apeurer **T** ... 12
apiquer **T** / -qu- partout ... 15
apitoyer **T / Pr** (sur) ... 30
aplanir T ... 34
aplatir T / I, p.p.inv. / **Pr** ... 34
aplomber **T / Pr** / Québec ... 12
apostasier **T / I,** p.p.inv. ... 14
aposter **T** ... 12
apostiller **T** ... 12
apostropher **T** ... 12
appairer **T** ... 12
apparaître I /+ être ... 74
appareiller **T / I,** p.p.inv. ... 12
apparenter **-s'-** (à) **+ être** ... 12
apparier **T / Pr** ... 14
apparoir **I / Déf** : usité seulement à l'inf. prés. et à la 3e pers. du sing. de l'ind. prés. (*il appert que...*) / Langage juridique
appartenir Ti (à) / **U / Pr /
P.p.inv.** ... 4
appâter **T** ... 12
appauvrir **T / Pr** ... 34
appeler T / Ti (de, à),
p.p.inv. / **Pr** ... 22
appendre **T** ... 65
appesantir **T / Pr** (sur) ... 34
applaudir T / Ti (à), p.p.inv. /
Pr (de) ... 34
appliquer T / Pr (à) /
-qu- partout ... 15
appointer **T** ... 12
appondre **T** / Suisse ... 65
apponter **I / P.p.inv.** ... 12
apporter T ... 12
apposer **T** ... 12
apprécier T / Pr ... 14
appréhender **T** ... 12
apprendre T ... 67
apprêter T / Pr (à) ... 12
apprivoiser **T / Pr** ... 12
approcher T / I, p.p.inv. / **Ti**
(de), p.p.inv. / **Pr** (de) ... 12
approfondir **T** ... 34
approprier **T / Pr** ... 14
approuver T ... 12
approvisionner **T** ... 12
appuyer [apɥije] **T /
I,** p.p.inv. / **Pr** (à, sur) ... 31
apurer **T** ... 12
arabiser **T / Pr** ... 12
araser **T** ... 12
arbitrer **T** ... 12
arborer **T** ... 12
arc-bouter **T / Pr** (contre, à,
sur) ... 12
architecturer **T** ... 12
archiver **T** ... 12

arçonner **T** ... 12
argenter **T** ... 12
arguer **T** / **Ti** (de), p.p.inv. 33
argumenter **I,** p.p.inv. / **T** ... 12
ariser **T** ... 12
armer **T** / **Pr** (de) ... 12
armorier **T** ... 14
arnaquer **T** / -qu- partout ... 15
aromatiser **T** ... 12
arpéger **T** ... 20
arpenter **T** ... 12
arquer **T** / -qu- partout ... 15
arracher **T** / **Pr** (de, à) ... 12
arraisonner **T** ... 12
arranger **T** / **Pr** ... 16
arrenter **T** ... 12
arrérager **I,** p.p.inv. / **Pr** ... 16
arrêter **T** / **I,** p.p.inv. / **Pr** (de + inf.) ... 12
arriérer **T** ... 19
arrimer **T** ... 12
arriser **T** ... 12
arriver **I** / **U** / **+ être** ... 12
arroger **-s'- + être** ... 16
arrondir **T** / **Pr** ... 34
arroser **T** ... 12
articuler **T** / **Pr** (sur) ... 12
ascensionner **T** ... 12
aseptiser **T** ... 12
asperger **T** ... 16
asphalter **T** ... 12
asphyxier **T** / **Pr** ... 14
aspirer **T** / **Ti** (à), p.p.inv. 12
assagir **T** / **Pr** ... 34
assaillir **T** ... 46
assainir **T** ... 34
assaisonner **T** ... 12
assassiner **T** ... 12
assécher **T** / **Pr** ... 19
assembler **T** / **Pr** ... 12
assener [asene] **T** ... 24
asséner **T** ... 19
asseoir [aswar] **T** / **Pr** ... 57
assermenter **T** ... 12
asservir **T** ... 34
assiéger **T** ... 20
assigner **T** ... 12
assimiler **T** / **Pr** (à) ... 12
assister **T** / **Ti** (à), p.p.inv. 12
associer **T** / **Pr** (à, avec) ... 14
assoiffer **T** ... 12
assoler **T** ... 12
assombrir **T** / **Pr** ... 34
assommer **T** ... 12
assortir **T** / **Pr** (à, avec, de) 34
assoupir **T** / **Pr** ... 34
assouplir **T** / **Pr** ... 34
assourdir **T** ... 34

P.p. inv. : verbe dont le participe passé est toujours invariable

p.p. inv. : participe passé invariable dans l'emploi indiqué

assouvir **T** ... 34
assujettir **T** ... 34
assumer **T** / **Pr** ... 12
assurer **T** / **I,** p.p.inv. / **Pr** 12
asticoter **T** ... 12
astiquer **T** / -qu- partout ... 15
astreindre **T** / **Pr** (à) ... 69
atermoyer [atɛrmwaje] **I** / **P.p.inv.** ... 30
atomiser **T** ... 12
atrophier **-s'- + être** ... 14
attabler **-s'- + être** ... 12
attacher **T** / **I,** p.p.inv. / **Pr** (à) ... 12
attaquer **T** / **Pr** (à) / -qu- partout ... 15
attarder **-s'- + être** ... 12
atteindre **T** / **Ti** (à), p.p.inv. 69
atteler **T** / **Pr** (à) ... 22
attendre **T** / **I,** p.p.inv. / **Ti,** p.p.inv. / **Pr** (à) ... 65
attendrir **T** / **Pr** ... 34
attenter **Ti** (à) / **P.p.inv.** ... 12
atténuer **T** / **Pr** ... 12
atterrer **T** ... 12
atterrir **I** / **P.p.inv.** ... 34
attester **T** ... 12
attiédir **T** ... 34
attifer **T** / **Pr** ... 12
attiger **I** / **P.p.inv.** ... 16
attirer **T** ... 12
attiser **T** ... 12
attraire **T** ... 88
attraper **T** ... 12
attremper **T** ... 12
attribuer **T** / **Pr** ... 12
attrister **T** / **Pr** ... 12
attrouper **T** / **Pr** ... 12
auditer **T** ... 12
auditionner **T** / **I,** p.p.inv. ... 12
augmenter **T** / **I,** p.p.inv. ... 12
augurer **T** ... 12
auréoler **T** ... 12
aurifier **T** ... 14
ausculter **T** ... 12
authentifier **T** ... 14
authentiquer **T** / -qu- partout 15
autocensurer **-s'- + être** ... 12
autofinancer **-s'- + être** ... 17
autographier **T** ... 14
automatiser **T** ... 12
autoproclamer **-s'- + être** ... 12
autopsier **T** ... 14
autoriser **T** / **Pr** (de) ... 12
avachir **-s'- + être** ... 34
avaler **T** ... 12
avaliser **T** ... 12
avancer **T** / **I,** p.p.inv. / **Pr** 17
avantager **T** ... 16
avarier **T** ... 14
aventurer **T** / **Pr** ... 12
avérer **-s'- + être** ... 19
avertir **T** ... 34
aveugler **T** / **Pr** ... 12
aveulir **T** ... 34
avilir **T** / **Pr** ... 34

aviner **T** ...
aviser **T** / **I,** p.p.inv. / **Pr** (de) ...
avitailler **T** ...
aviver **T** ...
avoir **T** ...
avoisiner **T** ...
avorter **I,** p.p.inv. / **T** ...
avouer **T** / **Pr** ...
axer **T** ...
axiomatiser **T** ...
azurer **T** ...

B

babiller **I** / **P.p.inv.** ...
bâcher **T** ...
bachoter **I** / **P.p.inv.** ...
bâcler **T** ...
badigeonner **T** ...
badiner **I** / **Ti** (avec, sur) / **P.p.inv.** ...
bafouer **T** ...
bafouiller **T** / **I,** p.p.inv. ...
bâfrer **T** / **I,** p.p.inv. ...
bagarrer **I,** p.p.inv. / **Pr** ...
baguenauder **I,** p.p.inv. / **P**
baguer **T** / -gu- partout ...
baigner **T** / **I,** p.p.inv. / **Pr**
bailler **T** / Usité surtout dans l'expression *vous me la baillez belle*...
bâiller **I** / **P.p.inv.** ...
bâillonner **T** ...
baiser **T** ...
baisoter **T** ...
baisser **T** / **I,** p.p.inv. / **Pr**
balader **T** / **I,** p.p.inv. / **Pr**
balafrer **T** ...
balancer **T** / **I,** p.p.inv. / **P**
balayer [balɛje] **T** ... 28
balbutier [balbysje] **I,** p.p.inv. / **T** ...
baliser **T** / **I,** p.p.inv. ...
balkaniser **T** ...
ballaster **T** ...
baller **I** / **P.p.inv.** ...
ballonner **T** / **Pr** ...
ballotter **T** / **I,** p.p.inv. ...
bambocher **I** / **P.p.inv.** ...
banaliser **T** ...
bancher **T** ...
bander **T** / **I,** p.p.inv. ...
bannir **T** ...
banquer **I** / **P.p.inv.** / -qu- partout ...
banqueter **I** / **P.p.inv.** ...
baptiser [batize] **T** ...
baragouiner **T** / **I,** p.p.inv.
baraquer **I** / **P.p.inv.** / -qu- partout ...
baratiner **I,** p.p.inv. / **T** ...
baratter **T** ...
barber **T** ...
barbifier **T** ...

barboter **I,** p.p.inv. / **T** 12
barbouiller **T** 12
barder **T / U,** p.p.inv. : employé uniquement avec le pronom démonstratif familier (*ça va barder !*).................. 12
aréter **I / P.p.inv.** 19
arguigner [bargi] **I / P.p.inv.** / Usité surtout dans l'expression *sans barguigner* (= sans hésiter) 12
arioler **T** 12
arrer **T / Pr** 12
arricader **T / Pr** 12
arrir **I / P.p.inv.** 34
asaner **T** 12
asculer **I,** p.p.inv. / **T** 12
aser **T / Pr** (sur) 12
assiner **T** 12
astonner **-se- + être**........... 12
atailler **I / P.p.inv.** 12
ateler **I / P.p.inv.** 22
âter **T** 12
atifoler **I / P.p.inv.** 12
âtir **T** 34
âtonner **T** 12
attre **T / I,** p.p.inv. / **Pr** (contre) 73
avarder **I / P.p.inv.** 12
vasser **I / P.p.inv.** 12
aver **I / P.p.inv.** 12
avocher **I / P.p.inv.** 12
ayer [baje] **I / P.p.inv.** / Usité uniquement dans l'expression *bayer aux corneilles*............ 12
zarder **T** 12
atifier **T** 14
cher **T / I,** p.p.inv. 12
cheveter **T** 26
coter **T / Pr** 12
cqueter [bekәte] **T** ... 26 ou 27
cter **T / I,** p.p.inv. 12
donner **I / P.p.inv.** 12
er **I / P.p.inv. / Déf** : usité seulement à l'inf. prés. et au part. prés. (*béant*) ; souvent remplacé par «être béant/te» aux autres temps 13
ayer [begeje] **I,** p.p.inv. / .... 28 ou 29
ueter **I / P.p.inv.** 27
er **I / P.p.inv.** 12
noliser **T** 12
éficier **Ti** (de) / Afrique / **P.p.inv.** 14
ir **T** / Part. passé *bénit/ts, énite/tes* dans quelques expressions de sens religieux 34
ueter **T** .... 26 ou 27
uiller **T** 12
cer **T / Pr** (de) 17
ner **T** 12
ogner **I / P.p.inv.** 12
fier **I / P.p.inv.** 14
onner **T / I,** p.p.inv. 12
gler **I,** p.p.inv. / **T** 12
rrer **T** 12
ser **I,** p.p.inv. / **T** 12
ronner **I,** p.p.inv. / **T** 12

bicher **I / P.p.inv.** 12
bichonner **T / Pr** 12
bidonner **T / Pr** 12
bidouiller **T** 12
bienvenir **I / Déf** : usité seulement à l'inf. prés. (*se faire bienvenir* = être bien accueilli)
biffer **T** 12
bifurquer **I / Ti** (sur, vers) / **P.p.inv.** / -qu- partout 15
bigarrer **T** 12
bigler **I,** p.p.inv. / **T** 12
bigorner **T / Pr** 12
biler **-se- + être** 12
biller **T** 12
biloquer **T** / -qu- partout 15
biner **T / I,** p.p.inv. 12
biper **T** 12
biscuiter **T** 12
biseauter **T** 12
biser **I,** p.p.inv. / **T** 12
bisquer **I / P.p.inv.** / -qu- partout 15
bisser **T** 12
bistourner **T** 12
bistrer **T** 12
bitturer **-se- + être** 12
bitumer **T** 12
biturer **-se- + être**................ 12
bivouaquer **I / P.p.inv.** / -qu- partout 15
bizuter **T** 12
blackbouler [blakbule] **T** 12
blaguer **I,** p.p.inv. / **T** / -gu- partout 15
blairer **T** 12
blâmer **T** 12
blanchir **T / I,** p.p.inv. 34
blaser **T** 12
blasonner **T** 12
blasphémer **T / I,** p.p.inv. 19
blatérer **I / P.p.inv.** 19
blêmir **I / P.p.inv.** 34
bléser **I / P.p.inv.** 19
blesser **T / Pr** 12
blettir **I / P.p.inv.** 34
bleuir **T / I,** p.p.inv. 34
bleuter **T** 12
blinder **T** 12
blinquer **I / P.p.inv.** / Belgique / -qu- partout 15
blondir **I,** p.p.inv. / **T** 34
bloquer **T** / -qu- partout 15
blottir **-se- + être** 34
blouser **T / I,** p.p.inv. 12
bluffer [blœfe] **T / I,** p.p.inv. 12
bluter **T** 12
bobiner **T** 12
bocarder **T** 12
boire **T** 87
boiser **T** 12
boiter **I / P.p.inv.** 12
boitiller **I / P.p.inv.** 12
bombarder **T** 12
bomber **T / I,** p.p.inv. 12
bondir **I / P.p.inv.** 34

bonifier **T / Pr** 14
bonimenter **I / P.p.inv.** 12
border **T** 12
borner **T / Pr** (à) 12
bornoyer **I,** p.p.inv. / **T** 30
bosseler **T** 22
bosser **T / I,** p.p.inv. 12
bossuer **T** 12
bostonner **I / P.p.inv.** 12
botteler **T** 22
botter **T** 12
boubouler **I / P.p.inv.** 12
boucaner **T** 12
boucharder **T** 12
boucher **T** 12
bouchonner **T / I,** p.p.inv. 12
boucler **T / I,** p.p.inv. 12
bouder **I,** p.p.inv. / **T** 12
boudiner **T** 12
bouffer **I,** p.p.inv. / **T / Pr** dans l'expression populaire *se bouffer le nez* 12
bouffir **T / I,** p.p.inv. 34
bouffonner **I / P.p.inv.** 12
bouger **I,** p.p.inv. / **T** 16
bougonner **T / I,** p.p.inv. 12
bouillir **I,** p.p.inv. / **T** 38
bouillonner **I,** p.p.inv. / **T** 12
bouillotter **I / P.p.inv.** 12
boulanger **I,** p.p.inv. / **T** 16
bouler **I / P.p.inv.** 12
bouleverser [bulvɛrse] **T** 12
boulocher **I / P.p.inv.** 12
boulonner **T / I,** p.p.inv. 12
boulotter **T / I,** p.p.inv. 12
boumer **I / U / P.p.inv.** / Employé uniquement avec le pronom démonstratif familier : *ça boume* 12
bouquiner **I,** p.p.inv. / **T** 12
bourdonner **I / P.p.inv.** 12
bourgeonner **I / P.p.inv.** 12
bourlinguer **I / P.p.inv.** / -gu- partout 15
bourrer **T / I,** p.p.inv. / **Pr** ... 12
boursicoter **I / P.p.inv.** 12
boursoufler **T / Pr** 12
bousculer **T / Pr** 12
bousiller **T** 12
bouter **T** 12
boutonner **T / I,** p.p.inv. / **Pr** 12
bouturer **I,** p.p.inv. / **T** 12
boxer **I,** p.p.inv. / **T** 12
boyauter **-se-** [bwajote] **+ être** 12
boycotter [bɔjkɔte] **T** 12
braconner **I / P.p.inv.** 12
brader **T** 12
brailler **T / I,** p.p.inv. 12
braire **I / Déf** : usité seulement à l'inf. prés. et aux 3es pers. de l'ind. prés. et futur, ainsi qu'au conditionnel prés. 88
braiser **T** 12
bramer **I / P.p.inv.** 12
brancarder **T** 12

brancher **T** / **I**, p.p.inv. / **Pr** (sur) ... 12
brandir T ... 34
branler **I**, p.p.inv. / **T** / **Pr** ... 12
braquer T / **I**, p.p.inv. / **Pr** (contre) / -qu- partout ... 15
braser **T** ... 12
brasiller **I** / **P.p.inv.** ... 12
brasser **T** / **Pr** ... 12
braver **T** ... 12
bredouiller **I**, p.p.inv. / **T** ... 12
brêler **T** ... 12
brésiller **T** / **I**, p.p.inv. / **Pr** 12
bretteler **T** ... 22
bretter **T** ... 12
breveter **T** ... 26
bricoler I, p.p.inv. / **T** ... 12
brider **T** ... 12
bridger **I** / **P.p.inv.** ... 16
briefer [brife] **T** ... 12
briffer **I**, p.p.inv. / **T** ... 12
briguer **T** / -gu- partout ... 15
brillanter **T** ... 12
brillantiner **T** ... 12
briller I / **P.p.inv.** ... 12
brimbaler **T** / **I**, p.p.inv. ... 12
brimer **T** ... 12
bringuebaler **T** / **I**, p.p.inv. ... 12
bringuer **I**, p.p.inv. / **Pr** / Suisse / -gu- partout ... 15
brinquebaler **T** / **I**, p.p.inv. ... 12
briquer **T** / -qu- partout ... 15
briqueter **T** ... 26
briser T / **I**, p.p.inv. / **Pr** ... 12
brocanter **I** / **P.p.inv.** ... 12
brocarder **T** ... 12
brocher **T** ... 12
broder **T** ... 12
broncher **I** / **P.p.inv.** ... 12
bronzer **T** / **I**, p.p.inv. ... 12
brosser T / **Pr** ... 12
brouetter **T** ... 12
brouillasser **U** / **P.p.inv.** ... 12
brouiller T / **Pr** ... 12
brouillonner **T** ... 12
brouter **T** / **I**, p.p.inv. ... 12
broyer T ... 30
bruiner **U** / **P.p.inv.** ... 12
bruir **T** ... 34
bruire **I** / **P.p.inv. Déf** : usité seulement à l'inf. prés., au part. prés. (*bruissant*), aux 3es pers. de l'ind. prés. (*bruit/bruissent*) et imparf. (*bruissait/bruissaient*) ainsi que du subj. prés. (*bruisse/bruissent*)
bruisser **I** / **P.p.inv.** ... 12
bruiter **T** ... 12
brûler T / **I**, p.p.inv. / **Pr** ... 12

> **P.p. inv.** : verbe dont le participe passé est toujours invariable
>
> p.p. inv. : participe passé invariable dans l'emploi indiqué

brumasser **U** / **P.p.inv.** ... 12
brumer **U** / **P.p.inv.** ... 12
brunir T / **I**, p.p.inv. ... 34
brusquer **T** / -qu- partout ... 15
brutaliser T ... 12
bûcher **T** / **I**, p.p.inv. ... 12
budgéter **T** ... 19
budgétiser **T** ... 12
buffler **T** ... 12
buller **I** / **P.p.inv.** ... 12
bureaucratiser **T** ... 12
buriner **T** ... 12
buser **T** / Belgique ... 12
busquer **T** / -qu- partout ... 15
buter Ti (sur, contre), p.p.inv. / **T** / **Pr** ... 12
butiner **I**, p.p.inv. / **T** ... 12
butter **T** ... 12

C

cabaler **I** / **P.p.inv.** ... 12
cabaner **T** / **I**, p.p.inv. ... 12
câbler **T** ... 12
cabosser **T** ... 12
caboter **I** / **P.p.inv.** ... 12
cabotiner **I** / **P.p.inv.** ... 12
cabrer **T** / **Pr** ... 12
cabrioler **I** / **P.p.inv.** ... 12
cacaber **I** / **P.p.inv.** ... 12
cacarder **I** / **P.p.inv.** ... 12
cacher T / **Pr** ... 12
cacheter **T** ... 26
cadastrer **T** ... 12
cadenasser **T** ... 12
cadencer **T** ... 17
cadmier **T** ... 14
cadrer **I** (avec), p.p.inv. / **T** 12
cafarder **I**, p.p.inv. / **T** ... 12
cafouiller **I** / **P.p.inv.** ... 12
cafter **I**, p.p.inv. / **T** ... 12
cahoter **T** / **I**, p.p.inv. ... 12
cailler **T** / **I**, p.p.inv. / **Pr** ... 12
caillouter **T** ... 12
cajoler **T** / **I**, p.p.inv. ... 12
calaminer **-se- + être** ... 12
calancher **I** / **P.p.inv.** ... 12
calandrer **T** ... 12
calciner **T** ... 12
calculer T / **I**, p.p.inv. ... 12
caler **T** / **I**, p.p.inv. ... 12
caleter [kalte] **I**, p.p.inv. / **Pr** ... 12
calfater **T** ... 12
calfeutrer **T** / **Pr** ... 12
calibrer **T** ... 12
câliner **T** ... 12
calligraphier **T** / **I**, p.p.inv. ... 14
calmer T / **Pr** ... 12
calmir **I** / **P.p.inv.** ... 34
calomnier **T** ... 14
calorifuger **T** ... 16
calotter **T** ... 12
calquer **T** / -qu- partout ... 15
calter **I**, p.p.inv. / **Pr** ... 12

cambrer **T** / **Pr** ...
cambrioler **T** ...
camer **-se- + être** ...
camionner **T** ...
camoufler **T** / **Pr** ...
camper I, p.p.inv. / **T** / **Pr**
canaliser **T** ...
canarder **T** / **I**, p.p.inv. ...
cancaner **I** / **P.p.inv.** ...
cancériser **-se- + être** ...
candir **T** / **Pr** ...
caner **I** / **P.p.inv.** ...
canner **I**, p.p.inv. / **T** ...
cannibaliser **T** ...
canoniser **T** ...
canonner **T** ...
canoter **I** / **P.p.inv.** ...
cantiner **I** / **P.p.inv.** ...
cantonner **T** / **I**, p.p.inv. / **Pr**
canuler **T** ...
caoutchouter **T** ...
caparaçonner **T** ...
capéer **I** / **P.p.inv.** / -é- partout dans la base ...
capeler [kaple] **T** ...
caper **T** ...
capeyer [kapeje] **I** / **P.p.inv.** / -y- partout ...
capitaliser **T** / **I**, p.p.inv. ...
capitonner **T** ...
capituler I / **P.p.inv.** ...
caporaliser **T** ...
capoter **T** / **I**, p.p.inv. ...
capsuler **T** ...
capter **T** ...
captiver **T** ...
capturer T ...
caquer **T** / -qu- partout ...
caqueter [kakte] **I** / **P.p.inv.**
caracoler **I** / **P.p.inv.** ...
caractériser **T** / **Pr** (par) ...
caramboler **I**, p.p.inv. / **T** ...
caraméliser **I**, p.p.inv. / **T** ...
carapater **-se- + être** ...
carbonater **T** ...
carboniser **T** ...
carbonitrurer **T** ...
carburer **T** / **I**, p.p.inv. ...
carcailler **I** / **P.p.inv.** ...
carder **T** ...
carencer **T** ...
caréner **T** ...
caresser T ...
carguer **T** / -gu- partout ...
caricaturer **T** ...
carier **T** / **Pr** ...
carillonner [karijɔne] **I**, p.p.inv. / **T** ...
carotter **T** ...
carreler [karle] **T** ...
carrer **T** / **Pr** ...
carrosser **T** ...
carroyer [karwaje] **T** ...
cartelliser **T** ...
carter **T** ...
cartographier **T** ...

artonner **T** ... 12
ascader **I / P.p.inv.** ... 12
asemater **T** ... 12
aser **T / Pr** ... 12
aserner **T** ... 12
asquer **I,** p.p.inv. / **T** / -qu- partout ... 15
asser **T / I,** p.p.inv. / **Pr** ... 12
astrer **T** ... 12
taloguer **T** / -gu- partout 15
talyser **T** ... 12
tapulter **T** ... 12
tastropher **T** ... 12
tcher **I / P.p.inv.** ... 12
téchiser **T** ... 12
tégoriser **T** ... 12
tir **T** ... 34
uchemarder **I / P.p.inv.** ... 12
user **T / Ti** (de, sur), p.p.inv. ... 12
utériser **T** ... 12
utionner **T** ... 12
valcader **I / P.p.inv.** ... 12
valer **I,** p.p.inv. / **T / Pr** ... 12
ver **T / I,** p.p.inv. ... 12
iarder **T** ... 12
der **T / I,** p.p.inv. / **Ti** (à), p.p.inv. ... 19
ndre **T** ... 69
nturer **T** ... 12
ébrer **T** ... 19
er [səle] **T** ... 24
nenter **T** ... 12
drer **T** ... 12
surer **T** ... 12
traliser **T** ... 12
trer **T** ... 12
rifuger **T** ... 16
tupler **T / I,** p.p.inv. ... 12
ler **T** ... 12
er **T** ... 12
ifier **T** ... 14
riser **T** ... 12
ser **T / I,** p.p.inv. ... 12
ler **T** ... 12
riner **T** ... 12
uter **T / I,** p.p.inv. ... 12
ner **T** ... 12
oir **U / Déf** : usité seulement ns l'expression *peu me (te, ...) chaut*
ouper **I / P.p.inv.** ... 12
nailler -se- **+ être** ... 12
narrer **T** ... 12
nbarder **T** ... 12
nbouler **T** ... 12
nbrer **T** ... 12
noiser **T** ... 12
npagniser **T** ... 12
nplever [ʃãləve] **T** ... 24
celer **I / P.p.inv.** ... 22
cir **I / P.p.inv.** ... 34
freiner **T** ... 12
ger **T / I,** p.p.inv. / (de), p.p.inv. / **Pr** ... 16
sonner **T** ... 12

chanter I, p.p.inv. / **T** ... 12
chantonner **T / I,** p.p.inv. ... 12
chantourner **T** ... 12
chaparder **T** ... 12
chapeauter **T** ... 12
chaperonner **T** ... 12
chapitrer **T** ... 12
chaponner **T** ... 12
chaptaliser **T** ... 12
charbonner **T / I,** p.p.inv. ... 12
charcuter **T** ... 12
charger T / Pr (de) ... 16
charioter **I / P.p.inv.** ... 12
charmer **T** ... 12
charpenter **T** ... 12
charrier **T / I,** p.p.inv. ... 14
charroyer **T** ... 30
chasser T / I, p.p.inv. ... 12
châtier **T** ... 14
chatonner **I / P.p.inv.** ... 12
chatouiller **T** ... 12
chatoyer **I / P.p.inv.** ... 30
châtrer **T** ... 12
chauffer T / I, p.p.inv. / **Pr** 12
chauler **T** ... 12
chaumer **T / I,** p.p.inv. ... 12
chausser T / I, p.p.inv. / **Pr** 12
chauvir **I / P.p.inv.** / Suit le modèle «aimer» (12) au plur. du prés. de l'ind. et de l'impér. (*chauvons*...) ainsi qu'à l'ind. imparf. (*je chauvais*), au subj. prés. (*que je chauve*) et au part. prés. (*chauvant*) ... 34
chavirer **I,** p.p.inv. / **T** ... 12
cheminer **I / P.p.inv.** ... 12
chemiser **T** ... 12
chercher T ... 12
chérir T ... 34
chevaler **T** ... 12
chevaucher **T / I,** p.p.inv. / **Pr** ... 12
cheviller **T** ... 12
chevreter [ʃəvrəte] **I / P.p.inv.** ... 26
chevretter [ʃəvrɛte] **I / P.p.inv.** ... 12
chevroter **I / P.p.inv.** ... 12
chiader **I,** p.p.inv. / **T** ... 12
chialer **I / P.p.inv.** ... 12
chicaner **I,** p.p.inv. / **T** ... 12
chicoter **I / P.p.inv.** ... 12
chier **I,** p.p.inv. / **T** ... 14
chiffonner **T** ... 12
chiffrer **T / I,** p.p.inv. / **Pr** ... 12
chiner **T / I,** p.p.inv. ... 12
chinoiser **I / P.p.inv.** ... 12
chiper **T** ... 12
chipoter **I / P.p.inv.** ... 12
chiquer **T / I,** p.p.inv. / -qu- partout ... 15
chlinguer [ʃlɛ̃ge] **I / P.p.inv.** / -gu- partout ... 15
chloroformer [klɔrɔfɔrme] **T** 12
chlorurer [klɔryre] **T** ... 12
choir **I / Déf** : pas de part. prés., d'ind. imparf., d'impér. ni de subj. prés. ; pas de 1re et 2e pers. plur. à l'ind. prés. ; seulement la 3e du sing. au subj. imparf. ... 62
choisir T ... 34
chômer I, p.p.inv. / **T** ... 12
choper **T** ... 12
choquer **T** ... 15
chorégraphier **T** ... 14
chosifier **T** ... 14
chouchouter **T** ... 12
chouriner **T** ... 12
choyer [ʃwaje] **T** ... 30
christianiser [kristjanize] **T** ... 12
chromer [krome] **T** ... 12
chromiser [kromize] **T** ... 12
chroniciser -se- [krɔnisize] **+ être** ... 12
chronométrer [krɔnɔmetre] **T** 19
chuchoter **I,** p.p.inv. / **T** ... 12
chuinter **I / P.p.inv.** ... 12
chuter **I / P.p.inv.** ... 12
cibler **T** ... 12
cicatriser **T / I,** p.p.inv. / **Pr** 12
ciller [sije] **I / P.p.inv.** ... 12
cimenter **T** ... 12
cingler **I,** p.p.inv. / **T** ... 12
cintrer **T** ... 12
circoncire **T** / Part. passé : *circoncis/-ise/-ises* ... 81
circonscrire **T** ... 78
circonvenir **T** ... 4
circulariser **T** ... 12
circuler I / P.p.inv. ... 12
cirer T ... 12
cisailler **T** ... 12
ciseler **T** ... 24
citer T ... 12
civiliser **T** ... 12
clabauder **I / P.p.inv.** ... 12
claboter **I,** p.p.inv. / **T** ... 12
claironner **I,** p.p.inv. / **T** ... 12
clamecer [klamse] **I / P.p.inv.** ... 17
clamer **T** ... 12
clamser **I / P.p.inv.** ... 12
clapir **I / P.p.inv.** ... 34
clapoter **I / P.p.inv.** ... 12
clapper **I / P.p.inv.** ... 12
claquemurer **T / Pr** ... 12
claquer I, p.p.inv. / **T / Pr** / -qu- partout ... 15
claqueter **I / P.p.inv.** ... 26
clarifier **T** ... 14
classer **T / Pr** ... 12
classifier **T** ... 14
claudiquer **I / P.p.inv.** / -qu- partout ... 15
claustrer **T / Pr** ... 12
claver **T** ... 12
claveter **T** ... 26
clayonner [klɛjɔne] **T** ... 12
clicher **T** ... 12
cligner **T / I,** p.p.inv. ... 12
clignoter **I / P.p.inv.** ... 12
climatiser **T** ... 12
cliquer **I / P.p.inv.** / -qu- partout ... 15

cliqueter **I** / **P.p.inv.** ... 26
clisser **T** ... 12
cliver **T** / **Pr** ... 12
clochardiser **T** / **Pr** ... 12
clocher **I** / **P.p.inv.** ... 12
cloisonner **T** ... 12
cloîtrer **T** / **Pr** ... 12
cloner **T** ... 12
clopiner **I** / **P.p.inv.** ... 12
cloquer **I** / **P.p.inv.** / -qu- partout ... 15
clore **T** / **Déf** : pas de part. prés., d'ind. imparf. et passé simple, de subj. imparf., d'impér. ; pas de plur. à l'ind. prés. ... 98
clôturer **T** / **I,** p.p.inv. ... 12
clouer **T** ... 12
clouter **T** ... 12
coaguler [kɔagyle] **T** / **I,** p.p.inv. / **Pr** ... 12
coalescer [kɔalɛse] **T** ... 18
coaliser **T** / **Pr** (contre) ... 12
coasser [kɔase] **I** / **P.p.inv.** 12
cocher **T** ... 12
côcher **T** ... 12
cochonner **I,** p.p.inv. / **T** ... 12
cocoler **T** / Suisse ... 12
cocoter **I** / **P.p.inv.** ... 12
cocotter **I** / **P.p.inv.** ... 12
cocufier **T** ... 14
coder **T** ... 12
codifier **T** ... 14
coéditer **T** ... 12
coexister **I** / **P.p.inv.** ... 12
coffrer **T** ... 12
cofinancer **T** ... 17
cogérer **T** ... 19
cogiter **I,** p.p.inv. / **T** ... 12
cogner **I,** p.p.inv. / **Ti** (à, contre, sur, dans), p.p.inv. / **T** / **Pr** ... 12
cohabiter **I** / **P.p.inv.** ... 12
cohériter **I** / **P.p.inv.** ... 12
coiffer **T** / **Pr** ... 12
coincer **T** / **Pr** ... 17
coïncider [kɔɛ̃side] **I** / **P.p.inv.** / Attention au part. prés. : *coïncidant* (ne pas confondre avec l'adj. «coïncident») ... 12
coïter [kɔite] **I** / **P.p.inv.** ... 12
cokéfier **T** ... 14
collaborer **I** / **Ti** (à) / **P.p.inv.** ... 12
collationner **T** ... 12
collecter **T** ... 12
collectionner **T** ... 12
collectiviser **T** ... 12
coller **T** / **I,** p.p.inv. / **Ti** (à), p.p.inv. ... 12

P.p. inv. : verbe dont le participe passé est toujours invariable

p.p. inv. : participe passé invariable dans l'emploi indiqué

colleter **-se-** + **être** ... 26 ou 27
colliger **T** ... 16
colloquer **T** / -qu- partout ... 15
colmater **T** ... 12
coloniser **T** ... 12
colorer **T** ... 12
colorier **T** ... 14
coloriser **T** ... 12
colporter **T** ... 12
coltiner **T** / **Pr** ... 12
combattre **T** / **I,** p.p.inv. ... 73
combiner **T** / **Pr** ... 12
combler **T** ... 12
commander **T** / **I,** p.p.inv. / **Ti** (à), p.p.inv. / **Pr** ... 12
commanditer **T** ... 12
commémorer **T** ... 12
commencer **T** / **Ti** (à + inf., par), p.p.inv. / **I,** p.p.inv. 17
commenter **T** ... 12
commercer **Ti** (avec) / **P.p.inv.** ... 17
commercialiser **T** ... 12
commérer **I** / **P.p.inv.** ... 19
commettre **T** / **Pr** ... 6
commissionner **T** ... 12
commotionner [kɔmɔsjone] **T** 12
commuer **T** ... 12
communaliser **T** ... 12
communier **I,** p.p.inv. / **T** ... 14
communiquer **T** / **Ti** (avec, sur), p.p.inv. / -qu- partout. Attention au part. prés. : *communiquant* (ne pas confondre avec l'adj. «communicant») ... 15
commuter **T** ... 12
compacter **T** ... 12
comparaître **I** / **P.p.inv.** ... 74
comparer **T** ... 12
comparoir **I** / **Déf** : usité seulement à l'inf. prés. et au part. prés. (*comparant*) ; on emploie «comparaître» pour les autres formes
compartimenter **T** ... 12
compasser **T** ... 12
compatir **Ti** (à) / **P.p.inv.** ... 34
compenser **T** ... 12
compiler **T** ... 12
compisser **T** ... 12
complaire **Ti** (à) / **Pr** (dans) / **P.p.inv.** même à la voix pronominale ... 89
complanter **T** ... 12
compléter **T** / **Pr** ... 19
complexer **T** ... 12
complexifier **T** ... 14
complimenter **T** ... 12
compliquer **T** / **Pr** / -qu- partout ... 15
comploter **T** / **I,** p.p.inv. ... 12
comporter **T** / **Pr** ... 12
composer **T** / **I,** p.p.inv. ... 12
composter **T** ... 12
comprendre **T** ... 67
compresser **T** ... 12
comprimer **T** ... 12

compromettre **T** / **I,** p.p.inv. / **Pr** ...
comptabiliser [kɔ̃tabilize] **T** ...
compter [kɔ̃te] **T** / **Ti** (avec, sur), p.p.inv. / **I,** p.p.inv.
compulser **T** ...
concasser **T** ...
concéder **T** ...
concélébrer **T** ...
concentrer **T** / **Pr** ...
conceptualiser **T** ...
concerner **T** ...
concerter **T** / **Pr** ...
concevoir **T** ...
concilier **T** / **Pr** ...
conclure **T** / **Ti** (à), p.p.inv. / **I,** p.p.inv. ...
concocter **T** ...
concorder **I** / **P.p.inv.** ...
concourir **Ti** (à) / **I** / **P.p.inv.** ...
concréter **T** / **Pr** ...
concrétiser **T** / **Pr** ...
concurrencer **T** ...
condamner [kɔ̃dane] **T** ...
condenser **T** / **Pr** ...
condescendre [kɔ̃dɛsɑ̃dr] **Ti** (à) / **P.p.inv.** ...
conditionner **T** ...
conduire **T** / **Pr** ...
confectionner **T** ...
confédérer **T** ...
conférer **I** (avec), p.p.inv. / **T** ...
confesser **T** / **Pr** ...
confier **T** / **Pr** ...
confiner **Ti** (à), p.p.inv. / **T** / **Pr** ...
confire **T** / **Pr** / Part. passé : *confit/its, confite/ites*...
confirmer **T** ...
confisquer **T** / -qu- partout
confluer **I** / **P.p.inv.** / Attentic part. prés. : *confluant* (ne confondre avec le nom «confluent») ...
confondre **T** / **Pr** ...
conformer **T** / **Pr** (à) ...
conforter **T** ...
confronter **T** ...
congédier **T** ...
congeler **T** / **Pr** ...
congestionner **T** / **Pr** ...
conglomérer **T** ...
conglutiner **T** ...
congratuler **T** ...
congréer **T** / -é- partout dans la base ...
conjecturer **T** ...
conjuguer **T** / -gu- partout
conjurer **T** ...
connaître **T** / **Ti** (de), p.p.inv. / **Pr** ...
connecter **T** ...
connoter **T** ...
conquérir **T** ...
consacrer **T** / **Pr** (à) ...

cravacher **T** / **I,** p.p.inv. 12
cravater **T** 12
crawler [krole] **I** / **P.p.inv.** ... 12
crayonner **T** 12
crécher **I** / **P.p.inv.** 19
crédibiliser **T** 12
créditer **T** 12
créer **T** / -é- partout dans la base 13
crémer **I** / **P.p.inv.** 19
créneler **T** 22
créner **T** 19
créoliser **-se- + être** 12
créosoter **T** 12
crêper **T** / **Pr** dans l'expression familière *se crêper le chignon* 12
crépir **T** / Attention au part. passé : *crépi/is, crépie/ies* (= régulier) 34
crépiter **I** / **P.p.inv.** 12
crétiniser **T** 12
creuser **T** / **Pr** 12
crevasser **T** / **Pr** 12
crever **I,** p.p.inv. / **T** / **Pr** (à) 24
crevoter **I** / **P.p.inv.** / Suisse 12
criailler **I** / **P.p.inv.** 12
cribler **T** 12
crier **I,** p.p.inv. / **Ti** (après, contre), p.p.inv. / **T** 14
criminaliser **T** 12
crisper **T** / **Pr** 12
crisser **I** / **P.p.inv.** 12
cristalliser **T** / **I,** p.p.inv. / **Pr** 12
criticailler **T** 12
critiquer **T** / -qu- partout 15
croasser [kroase] **I** / **P.p.inv.** 12
crocher **T** / **I,** p.p.inv./ Suisse 12
crocheter **T** 27
croire **T** / **Ti** (à, en), p.p.inv. / **I,** p.p.inv. / **Pr** 86
croiser **T** / **I,** p.p.inv. / **Pr** ... 12
croître **I** / **P.p.inv.** 90
croquer **I,** p.p.inv. / **T** / -qu- partout 15
crosser **T** 12
crotter **I** / **P.p.inv.** 12
crouler **I** / **P.p.inv.** 12
croupir **I** / **P.p.inv.** 34
croustiller **I** / **P.p.inv.** 12
croûter **I** / **P.p.inv.** 12
crucifier **T** 14
crypter **T** 12
cuber **T** / **I,** p.p.inv. 12
cueillir **T** 45
cuirasser **T** / **Pr** 12

P.p. inv. : verbe dont le participe passé est toujours invariable

p.p. inv. : participe passé invariable dans l'emploi indiqué

cuire **T** / **I,** p.p.inv. 82
cuisiner **I,** p.p.inv. / **T** 12
cuiter **-se- + être** 12
cuivrer **T** 12
culbuter **T** / **I,** p.p.inv. 12
culer **I** / **P.p.inv.** 12
culminer **I** / **P.p.inv.** 12
culotter **T** 12
culpabiliser **T** / **I,** p.p.inv. 12
cultiver **T** / **Pr** 12
cumuler **T** / **I,** p.p.inv. 12
curer **T** / **Pr** 12
cureter **T** 26
cuveler **T** 22
cuver **I,** p.p.inv. / **T** 12
cyanoser **T** 12
cyanurer **T** 12
cycliser **T** 12
cylindrer **T** 12

D

dactylographier **T** 14
daigner **T** (+ inf.) / **P.p.inv.** 12
daller **T** 12
damasquiner **T** 12
damasser **T** 12
damer **T** 12
damner [dane] **T** / **Pr** 12
dandiner **-se- + être** 12
danser **I,** p.p.inv. / **T** 12
dansoter **I** / **P.p.inv.** 12
dansotter **I** / **P.p.inv.** 12
darder **T** 12
dater **T** / **I,** p.p.inv. 12
dauber **T** / **I,** p.p.inv. 12
déambuler **I** / **P.p.inv.** 12
débâcher **T** 12
débâcler **T** / **I,** p.p.inv. 12
débagouler **I,** p.p.inv. / **T** 12
débâillonner **T** 12
déballer **T** 12
déballonner **-se- + être** 12
débalourder **T** 12
débander **T** / **Pr** 12
débaptiser [debatize] **T** 12
débarbouiller **T** / **Pr** 12
débarder **T** 12
débarquer **T** / **I,** p.p.inv. / -qu- partout 15
débarrasser **T** / **Pr** (de) 12
débarrer **T** 12
débâter **T** 12
débâtir **T** 34
débattre **T** / **Ti** (de), p.p.inv. / **Pr** 73
débaucher **T** 12
débecqueter [debekte] **T** 26
débecter **T** 12
débenzoler [debɛ̃zɔle] **T** 12
débéqueter **T** 26
débiliter **T** 12
débillarder [debijarde] **T** 12
débiner **T** / **Pr** 12
débiter **T** 12

déblatérer **Ti** (contre) / **P.p.inv.** 19
déblayer **T** .... 28 ou 29
débloquer **T** / **I,** p.p.inv. / -qu- partout 15
débobiner **T** 12
déboiser **T** / **Pr** 12
déboîter **T** / **I,** p.p.inv. / **Pr** 12
débonder **T** / **Pr** 12
déborder **I,** p.p.inv. / **T** / **Ti** (de), p.p.inv. / **Pr** 12
débosseler **T** 22
débotter **T** 12
déboucher **T** / **I,** p.p.inv. 12
déboucler **T** 12
débouillir **T** 38
débouler **I,** p.p.inv. / **T** 12
déboulonner **T** 12
débouquer **I** / **P.p.inv.** / -qu- partout 15
débourber **T** 12
débourrer **T** / **I,** p.p.inv. 12
débourser **T** 12
déboussoler **T** 12
débouter **T** 12
déboutonner **T** / **Pr** 12
débrailler **-se- + être** 12
débrancher **T** 12
débraser **T** 12
débrayer **T** / **I,** p.p.inv. 28 ou 29
débrider **T** 12
débrocher **T** 12
débrouiller **T** / **Pr** 12
débroussailler **T** 12
débrousser **T** / Afrique 12
débucher **I,** p.p.inv. / **T** 1
débudgétiser **T** 12
débureaucratiser **T** 1
débusquer **T** / -qu- partout 1
débuter **I,** p.p.inv. / **T** 1
décacheter **T** 2
décadenasser **T** 1
décadrer **T** 1
décaisser **T** 1
décalaminer **T** 1
décalcifier **T** / **Pr** 1
décaler **T** 1
décalotter **T** 1
décalquer **T** / -qu- partout ... 1
décamper **I** / **P.p.inv.** 1
décaniller **I** / **P.p.inv.** 1
décanter **T** / **Pr** 1
décapeler [dekaple] **T** 2
décaper **T** 1
décapitaliser **I** / **P.p.inv.** 1
décapiter **T** 1
décapoter **T** 1
décapsuler **T** 1
décapuchonner **T** 1
décarbonater **T** 1
décarburer **T** 1
décarcasser **-se- + être** 1
décarreler [dekarle] **T** ....
décatir **T** / **Pr** ....
décauser **I** / **P.p.inv.** / Belgique ....

décavaillonner **T** ... 12
décaver **T** ... 12
décéder I /+ être ... 19
déceler [desle] **T** ... 24
décélérer **I** / **P.p.inv.** ... 19
décentraliser **T** ... 12
décentrer **T** ... 12
décercler **T** ... 12
décérébrer **T** ... 19
décerner **T** ... 12
décerveler **T** ... 22
décevoir T ... 50
déchaîner T / **Pr** ... 12
déchanter **I** / **P.p.inv.** ... 12
déchaperonner **T** ... 12
décharger T / **I,** p.p.inv. / **Pr** (de) ... 16
décharner **T** ... 12
déchaumer **T** ... 12
déchausser T / **Pr** ... 12
déchiffonner **T** ... 12
déchiffrer **T** ... 12
déchiqueter **T** ... 26
déchirer T / **Pr** ... 12
déchlorurer [deklɔryre] **T** ... 12
déchoir **I** / **T** /**+ être ou avoir** / **Déf** : usité surtout à l'inf. et au part. passé ; pas de part. prés., d'ind. imparf., d'impér. ... 64
déchristianiser [dekristjanize] **T** ... 12
décider T / **I,** p.p.inv. / **Ti** (de), p.p.inv. / **Pr** (à) ... 12
décimaliser **T** ... 12
décimer **T** ... 12
décintrer **T** ... 12
déclamer **T** / **I,** p.p.inv. ... 12
déclarer T / **Pr** ... 12
déclasser **T** ... 12
déclaveter **T** ... 26
déclencher **T** / **Pr** ... 12
décliner **I,** p.p.inv. / **T** ... 12
décliqueter **T** ... 26
décloisonner **T** ... 12
déclore **T** / **Déf** : usité seulement à l'inf. et au part. passé (*déclos, déclose/ses*) ... 98
déclouer **T** ... 12
décocher **T** ... 12
décoder **T** ... 12
décoffrer **T** ... 12
décoiffer **T** ... 12
décoincer **T** / **Pr** ... 17
décolérer **I** / **P.p.inv.** ... 19
décollectiviser **T** ... 12
décoller T / **I,** p.p.inv. ... 12
décolleter **T** ... 26
décoloniser **T** ... 12
décolorer **T** ... 12
décommander **T** ... 12
décompenser **I** / **P.p.inv.** ... 12
décomplexer **T** ... 12
décomposer T / **Pr** ... 12
décompresser **I** / **P.p.inv.** ... 12
décomprimer **T** ... 12
décompter [dekɔ̃te] **T** / **I,** p.p.inv. ... 12

déconcentrer **T** / **Pr** ... 12
déconcerter **T** ... 12
déconditionner **T** ... 12
décongeler **T** ... 24
décongestionner **T** ... 12
déconnecter **T** / **I**, p. p. inv. ... 12
déconner **I** / **P.p.inv.** ... 12
déconseiller **T** ... 12
déconsidérer **T** / **Pr** ... 19
déconsigner **T** ... 12
déconstruire **T** ... 82
décontaminer **T** ... 12
décontenancer **T** / **Pr** ... 17
décontracter **T** / **Pr** ... 12
déconventionner **T** ... 12
décorder **-se- + être** ... 12
décorer T ... 12
décorner **T** ... 12
décortiquer **T** / -qu- partout ... 15
découcher **I** / **P.p.inv.** ... 12
découdre **T** / **I** dans l'expression familière *en découdre avec quelqu'un*, usitée seulement à l'inf. ... 97
découler **Ti** (de) / **P.p.inv.** ... 12
découper T / **Pr** ... 12
découpler **T** ... 12
décourager T / **Pr** ... 16
découronner **T** ... 12
découvrir T / **I,** p.p.inv. / **Pr** ... 44
décrasser **T** ... 12
décrédibiliser **T** ... 12
décrêper **T** ... 12
décrépir **T** / **Pr** / Attention au part. passé : *décrépi/ie/is/ies* (ne pas confondre avec l'adj. «décrépit/ite») ... 34
décrépiter **T** ... 12
décréter **T** ... 19
décreuser **T** ... 12
décrier **T** ... 14
décriminaliser **T** ... 12
décrire T ... 78
décrisper **T** ... 12
décrocher **T** / **I,** p.p.inv. ... 12
décroiser **T** ... 12
décroître **I** / **P.p.inv.** (*décru*) ... 91
décrotter **T** ... 12
décruer **T** ... 12
décruser **T** ... 12
décrypter **T** ... 12
décuivrer **T** ... 12
déculasser **T** ... 12
déculotter **T** / **Pr** ... 12
déculpabiliser **T** ... 12
décupler **T** / **I,** p.p.inv. ... 12
décuver **T** ... 12
dédaigner **T** / **Ti** (de + inf.), p.p.inv. ... 12
dédicacer **T** ... 17
dédier **T** ... 14
dédifférencier **-se- + être** ... 14
dédire **-se- + être** / 2e pers. du pluriel à l'ind. prés. et à l'impér. prés. : *vous vous dédisez, dédisez-vous* ... 76
dédommager **T** ... 16

dédorer **T** ... 12
dédouaner **T** / **Pr** ... 12
dédoubler **T** ... 12
dédramatiser **T** ... 12
déduire **T** ... 82
défaillir **I** / **P.p.inv.** ... 46
défaire T / **Pr** (de) ... 5
défalquer **T** / -qu- partout ... 15
défatiguer **T** / -gu- partout ... 15
défaufiler **T** ... 12
défausser **T** / **Pr** (de, sur) ... 12
défavoriser **T** ... 12
défendre T / **Pr** ... 65
défenestrer [defənɛstre] **T** ... 12
déféquer **I,** p.p.inv. / **T** / -qu- partout ... 19
déférer **T** / **Ti** (à), p.p.inv. / Attention au part. prés. : *déférant* (ne pas confondre avec l'adj. «déférent») ... 19
déferler **T** / **I,** p.p.inv. ... 12
déferrer **T** ... 12
défeuiller **T** ... 12
défeutrer **T** ... 12
défibrer **T** ... 12
déficeler **T** ... 22
défier **T** / **Pr** (de) ... 14
défigurer **T** ... 12
défiler **I,** p.p.inv. / **T** / **Pr** ... 12
définir T ... 34
défiscaliser **T** ... 12
déflagrer **I** / **P.p.inv.** ... 12
défléchir **T** ... 34
défleurir **T** / **I,** p.p.inv. ... 34
déflorer **T** ... 12
défolier **T** ... 14
défoncer **T** / **Pr** ... 17
déforcer **T**/ Belgique ... 17
déformer T ... 12
défouler **T** / **Pr** ... 12
défourner **T** ... 12
défraîchir **T** ... 34
défrayer [defrɛje] **T** ... 28 ou 29
défricher **T** ... 12
défriper **T** ... 12
défriser **T** ... 12
défroisser **T** ... 12
défroncer **T** ... 17
défroquer **I,** p.p.inv. / **Pr** / -qu- partout ... 15
défruiter **T** ... 12
dégager T / **Pr** ... 16
dégainer **T** ... 12
déganter **-se- + être** ... 12
dégarnir **T** / **Pr** ... 34
dégasoliner **T** ... 12
dégauchir **T** ... 34
dégazer **T** / **I,** p.p.inv. ... 12
dégazoliner **T** ... 12
dégazonner **T** ... 12
dégeler **T** / **I,** p.p.inv. / **Pr** ... 24
dégénérer **I** / **P.p.inv.** ... 19
dégermer **T** ... 12
dégivrer **T** ... 12
déglacer **T** ... 17
déglinguer [deglɛ̃ge] **T** / -gu- partout ... 15

dégluer T 12
déglutir T / I, p.p.inv. 34
dégobiller T / I, p.p.inv. 12
dégoiser T / I, p.p.inv. 12
dégommer T 12
dégonfler T / Pr 12
dégorger T / I, p.p.inv. 16
dégoter T 12
dégotter T 12
dégouliner I / P.p.inv. 12
dégoupiller T 12
dégourdir T 34
dégoûter T 12
dégoutter I / P.p.inv. 12
dégrader T / Pr 12
dégrafer T 12
dégraisser T / I, p.p.inv. 12
dégravoyer [degravwaje] **T** .. 30
dégréer T / -é- partout dans la base 13
dégrever [degrəve] **T** 24
dégringoler I, p.p.inv. / **T** 12
dégripper T 12
dégriser T / Pr 12
dégrosser T 12
dégrossir T 34
dégrouiller -se- + être 12
dégrouper T 12
déguerpir I / P.p.inv. 34
dégueuler T / I, p.p.inv. 12
déguiller [degɥije] **T / I,** p.p.inv. / Suisse 12
déguiser [degize] **T / Pr** 12
dégurgiter T 12
déguster T 12
déhaler [deale] **T / Pr** 12
déhancher -se- [deɑ̃ʃe] **+ être** 12
déharnacher [dearnaʃe] **T** 12
déhouiller [deuje] **T** 12
déifier [deifje] **T** 14
déjanter T 12
déjauger I, p.p.inv. / **T** 16
déjeter [deʒte] **T** 26
déjeuner I / P.p.inv. 12
déjouer T 12
déjucher I, p.p.inv. / **T** 12
déjuger -se- + être 16
délabrer T / Pr 12
délacer T 17
délainer T 12
délaisser T 12
délaiter T 12
délarder T 12
délasser T / Pr 12
délaver T 12
délayer T .... 28 ou 29
délecter -se- (de) **+ être** 12
délégitimer T 12

P.p. inv. : verbe dont le participe passé est toujours invariable

p.p. inv. : participe passé invariable dans l'emploi indiqué

déléguer T / -gu- partout 19
délester T 12
délibérer I / P.p.inv. 19
délier T 14
délimiter T 12
délinéer T / -é- partout dans la base 13
délirer I / P.p.inv. 12
délisser T 12
déliter T / Pr 12
délivrer T 12
délocaliser T 12
déloger I, p.p.inv. / **T**, Belgique 16
délurer T 12
délustrer T 12
déluter T 12
démagnétiser T 12
démaigrir T 34
démailler T 12
démailloter T 12
démancher T / I, p.p.inv. / **Pr** 12
demander T / Ti (après), p.p.inv. / **Pr** 12
démanger T 16
démanteler T 24
démantibuler T 12
démaquiller T 12
démarcher T 12
démarier T 14
démarquer T / I, p.p.inv. / **Pr** (de) / -qu- partout 15
démarrer T / I, p.p.inv. 12
démascler T 12
démasquer T / Pr / -qu- partout 15
démastiquer T / -qu- partout 15
démâter T / I, p.p.inv. 12
dématérialiser T 12
démazouter T 12
démédicaliser T 12
démêler T 12
démembrer T 12
déménager T / I, p.p.inv. 16
démener -se- + être 24
démentir T / Pr 37
démerder -se- + être 12
démériter I / P.p.inv. 12
démettre T / Pr 6
démeubler T 12
demeurer I / + être ou avoir 12
démieller T 12
démilitariser T 12
déminer T 12
déminéraliser T 12
démissionner I, p.p.inv. / **T** . 12
démobiliser T 12
démocratiser T 12
démoder -se- + être 12
démoduler T 12
démolir T 34
démonétiser T 12
démonter T / Pr 12
démontrer T 12

démoraliser T 12
démordre Ti (de) / **P.p.inv.** / Surtout usité à la tournure négative (*tu n'en démords pas*) 65
démotiver T 12
démoucheter T 26
démouler T 12
démoustiquer T / -qu- partout 15
démultiplier T / I, p.p.inv. 14
démunir T / Pr (de) 34
démuseler T 22
démutiser T 12
démystifier T 14
démythifier T 14
dénantir T 34
dénasaliser T 1
dénationaliser T 1
dénatter T 1
dénaturaliser T 1
dénaturer T 1
dénazifier T 1
dénébuler T 1
dénébuliser T 1
déneiger T 1
déniaiser T 1
dénicher T / I, p.p.inv. 1
dénicotiniser T 1
dénier T 1
dénigrer T 1
dénitrer T 1
dénitrifier T 1
déniveler T 2
dénombrer T 1
dénommer T 1
dénoncer T 1
dénoter T 1
dénouer T 1
dénoyauter T 1
dénoyer T 3
densifier T 1
denteler T 2
dénucléariser T 1
dénuder T / Pr 1
dénuer -se- (de) **+ être** ....
dépailler T ....
dépalisser T ....
dépanner T ....
dépaqueter T ....
déparasiter T ....
dépareiller T ....
déparer T ....
déparier T ....
déparler I / P.p.inv. ....
départager T ....
départementaliser T ....
départir T / Pr (de) ..... 34 ou
dépasser T / I, p.p.inv. / **Pr**
dépassionner T ....
dépatouiller -se- + être ....
dépatrier T ....
dépaver T ....
dépayser [depeize] **T** ....
dépecer T ....
dépêcher T / Pr ....
dépeigner T ....

dépeindre **T** 69
dépénaliser **T** 12
dépendre T / **Ti** (de), p.p.inv. / **U,** p.p.inv. dans les expressions *cela dépend, il dépend de toi (lui, nous...) que...* 65
dépenser T / **Pr** 12
dépérir **I** / **P.p.inv.** 34
dépersonnaliser **T** 12
dépêtrer **T** / **Pr** (de) 12
dépeupler **T** / **Pr** 12
déphaser **T** 12
déphosphater **T** 12
déphosphorer **T** 12
dépiauter **T** 12
dépiler **T** 12
dépiquer **T** / -qu- partout 15
dépister **T** 12
dépiter **T** / **Pr** 12
déplacer T / **Pr** 17
déplafonner **T** 12
déplaire Ti (à) / **Pr** / **P.p.inv.** même à la voix pronominale 89
déplanter **T** 12
déplâtrer **T** 12
déplier **T** 14
déplisser **T** 12
déplomber **T** 12
déplorer **T** 12
déployer T 30
déplumer **T** / **Pr** 12
dépoétiser **T** 12
dépointer **T** 12
dépolariser **T** 12
dépolir **T** 34
dépolitiser **T** 12
dépolluer **T** 12
déporter T 12
déposer T 12
déposséder **T** 19
dépoter **T** / **I**, p.p.inv. / **U**, p.p.inv. (avec le pronom démonstratif familier : *ça dépote*) 12
dépouiller T / **Pr** 12
dépoussiérer **T** 19
dépraver **T** 12
déprécier **T** / **Pr** 14
déprendre **-se-** (de) **+ être** ... 67
dépressuriser **T** 12
déprimer **T** / **I,** p.p.inv. 12
dépriser **T** 12
déprogrammer **T** 12
dépuceler **T** 22
dépulper **T** 12
dépurer **T** 12
députer **T** 12
déqualifier **T** 14
déraciner **T** 12
dérader **I** / **P.p.inv.** 12
dérager **I** / **P.p.inv.** 16
déraidir **T** 34
dérailler **I** / **P.p.inv.** 12
déraisonner **I** / **P.p.inv.** 12
déramer **I,** p.p.inv. / **T** 12
déranger T / **Pr** 16
déraper I / **P.p.inv.** 12
déraser **T** 12
dératiser **T** 12
dérayer **T** 29
déréaliser **T** 12
déréglementer **T** 12
dérégler T / **Pr** 19
déréguler **T** 12
déresponsabiliser **T** 12
dérider **T** / **Pr** 12
dériver **T** / **Ti** (de), p.p.inv. / **I,** p.p.inv. 12
dériveter **T** 26
dérober T / **Pr** (à, sous) 12
dérocher **T** / **I,** p.p.inv. 12
déroder **T** 12
déroger **Ti** (à) / **P.p.inv.** 16
dérougir **T** / **I,** p.p.inv. 34
dérouiller **T** / **I,** p.p.inv. 12
dérouler T / **Pr** 12
dérouter **T** 12
désabonner **T** / **Pr** 12
désabuser **T** 12
désaccorder **T** 12
désaccoupler **T** 12
désaccoutumer **T** / **Pr** (de) ... 12
désacraliser [desakralize] **T** 12
désactiver **T** 12
désadapter **T** 12
désaérer **T** 19
désaffecter **T** 12
désaffilier **T** 14
désagréger **T** / **Pr** 20
désaimanter **T** 12
désaisonnaliser **T** 12
désajuster **T** 12
désaliéner **T** 19
désaligner **T** 12
désalper **I** / **P.p.inv.** / Suisse 12
désaltérer T / **Pr** 19
désambiguïser [dezãbigɥize] **T** 12
désamidonner **T** 12
désamorcer **T** 17
désapparier **T** 14
désappointer **T** 12
désapprendre **T** 67
désapprouver **T** 12
désapprovisionner **T** 12
désarçonner **T** 12
désargenter **T** 12
désarmer T / **I,** p.p.inv. 12
désarrimer **T** 12
désarticuler **T** / **Pr** 12
désassembler **T** 12
désassimiler **T** 12
désassortir **T** 34
désatelliser [desatɛlize] **T** 12
désavantager **T** 16
désavouer T 12
désaxer **T** 12
desceller **T** 12
descendre [desãdr] **I + être** / **T + avoir** 65
déscolariser **T** 12
déséchouer **T** 12
désectoriser **T** 12
désembourber **T** 12
désembourgeoiser **T** 12
désembouteiller **T** 12
désembuer **T** 12
désemparer **I** / **P.p.inv.** / Usité surtout dans l'expression *sans désemparer* (= sans cesser) 12
désemplir **I,** p.p.inv. / **Pr** / Usité surtout à la tournure négative : *ce magasin ne désemplit pas* 34
désencadrer **T** 12
désenchaîner **T** 12
désenchanter **T** 12
désenclaver **T** 12
désencoller **T** 12
désencombrer **T** 12
désencrasser **T** 12
désencrer **T** 12
désendetter **-se- + être** 12
désenflammer **T** 12
désenfler **T** / **I,** p.p.inv. 12
désenfumer **T** 12
désengager **T** / **Pr** 16
désengorger **T** 16
désengrener **T** 24
désenivrer [dezãnivre] **T** / **I,** p.p.inv. 12
désennuyer **T** 31
désenrayer **T** 29
désensabler **T** 12
désensibiliser [desãsibilize] **T** / **Pr** 12
désensimer **T** 12
désensorceler **T** 22
désentoiler **T** 12
désentortiller **T** 12
désentraver **T** 12
désenvaser **T** 12
désenvelopper **T** 12
désenvenimer **T** 12
désenverguer **T** / -gu- partout 15
désépaissir **T** 34
déséquilibrer **T** 12
déséquiper **T** 12
déserter **T** / **I,** p.p.inv. 12
désertifier **-se- + être** 14
désespérer T / **I,** p.p.inv. / **Ti** (de), p.p.inv. / **Pr** 19
désétatiser **T** 12
désexciter **T** 12
désexualiser [desɛksyalize] **T** 12
déshabiller T / **Pr** 12
déshabituer **T** / **Pr** (de) 12
désherber **T** 12
déshériter **T** 12
déshonorer T / **Pr** 12
déshuiler **T** 12
déshumaniser **T** 12
déshumidifier **T** 14
déshydrater **T** / **Pr** 12
déshydrogéner **T** 19
désidéologiser **T** 12
désigner T 12
désiler [desile] **T** 12

désillusionner **T** ... 12
désincarcérer **T** ... 19
désincarner **-se- + être** ... 12
désincruster **T** ... 12
désindexer **T** ... 12
désindustrialiser **T** ... 12
désinfecter **T** ... 12
désinformer **T** ... 12
désinhiber [dezinibe] **T** ... 12
désinsectiser **T** ... 12
désintégrer **T** / **Pr** ... 19
désintéresser **T** / **Pr** (de) ... 12
désintoxiquer **T** / -qu- partout ... 15
désinvestir **T** / **I,** p.p.inv. ... 34
désirer **T** ... 12
désister **-se- + être** ... 12
désobéir **Ti** (à) / **P.p.inv.** sauf à la voix passive : *elle a été désobéie* ... 34
désobliger **T** ... 16
désobstruer **T** ... 12
désodoriser **T** ... 12
désoler **T** / **Pr** (de) ... 12
désolidariser [desolidarize] **T** / **Pr** (de) ... 12
désoperculer **T** ... 12
désopiler **T** ... 12
désorganiser **T** ... 12
désorienter **T** ... 12
désosser **T** ... 12
désoxyder **T** ... 12
désoxygéner **T** ... 19
desquamer [dɛskwame] **I,** p.p.inv. / **Pr** ... 12
dessabler **T** ... 12
dessaisir **T** / **Pr** (de) ... 34
dessaler **T** / **I,** p.p.inv. / **Pr** 12
dessangler **T** ... 12
dessaouler [desule] **T** / **I,** p.p.inv. ... 12
dessécher **T** / **Pr** ... 19
desseller **T** ... 12
desserrer **T** ... 12
dessertir **T** ... 34
desservir **T** ... 37
dessiller [desije] **T** ... 12
dessiner **T** / **I,** p.p.inv. / **Pr** 12
dessoler **T** ... 12
dessouder **T** ... 12
dessoûler **T** / **I,** p.p.inv. ... 12
dessuinter **T** ... 12
déstabiliser **T** ... 12
déstaliniser **T** ... 12
destiner **T** ... 12
destituer **T** ... 12
déstocker **T** ... 12
déstructurer **T** ... 12
désulfiter [desylfite] **T** ... 12

P.p. inv. : verbe dont le participe passé est toujours invariable

p.p. inv. : participe passé invariable dans l'emploi indiqué

désulfurer [desylfyre] **T** ... 12
désunir **T** / **Pr** ... 34
désurchauffer [desyrʃofe] **T** ... 12
désynchroniser [desɛ̃krɔnize] **T** ... 12
désyndicaliser [desɛ̃dikalize] **T** ... 12
détacher **T** / **Pr** (de) ... 12
détailler **T** ... 12
détaler **I** / **P.p.inv.** ... 12
détalonner **T** ... 12
détartrer **T** ... 12
détaxer **T** ... 12
détecter **T** ... 12
déteindre **T** / **I,** p.p.inv. ... 69
dételer **T** / **I,** p.p.inv. ... 22
détendre **T** / **Pr** ... 65
détenir **T** ... 4
déterger **T** / Attention au part. prés. : *détergeant* (ne pas confondre avec «détergent», adj. et nom) ... 16
détériorer **T** / **Pr** ... 12
déterminer **T** / **Pr** (à) ... 12
déterrer **T** ... 12
détester **T** / **Pr** ... 12
détirer **T** ... 12
détoner **I** / **P.p.inv.** ... 12
détonner **I** / **P.p.inv.** ... 12
détordre **T** ... 65
détortiller **T** ... 12
détourer **T** ... 12
détourner **T** / **Pr** (de) ... 12
détoxiquer **T** / -qu- partout 15
détracter **T** ... 12
détraquer **T** / **Pr** / -qu- partout ... 15
détremper **T** ... 12
détromper **T** ... 12
détrôner **T** ... 12
détroquer **T** / -qu- partout ... 15
détrousser **T** ... 12
détruire **T** ... 82
dévaler **T** / **I,** p.p.inv. ... 12
dévaliser **T** ... 12
dévaloriser **T** ... 12
dévaluer **T** ... 12
devancer **T** ... 17
dévaster **T** ... 12
développer **T** / **Pr** ... 12
devenir **I** /**+ être** ... 4
dévergonder **-se- + être** ... 12
déverguer **T** / -gu- partout ... 15
dévernir **T** ... 34
déverrouiller **T** ... 12
déverser **T** ... 12
dévêtir **T** / **Pr** ... 40
dévider **T** ... 12
dévier **I,** p.p.inv. / **T** ... 14
deviner **T** ... 12
dévirer **T** ... 12
dévirginiser **T** ... 12
déviriliser **T** ... 12
dévisager **T** ... 16
deviser **I,** p.p.inv. / **T,** Suisse ... 12
dévisser **T** / **I,** p.p.inv. ... 12

dévitaliser **T** ... 12
dévitrifier **T** ... 14
dévoiler **T** / **Pr** ... 12
devoir **T** / **U + être** / **Pr** / Impers. et Pr dans l'expression : *comme il se doit* ... 10
dévolter **T** ... 12
dévorer **T** ... 12
dévouer -se- (à) **+ être** ... 12
dévoyer **T** ... 30
diaboliser **T** ... 12
diagnostiquer [diagnɔstike] **T** / -qu- partout ... 15
dialectiser **T** ... 12
dialoguer **I** / **P.p.inv.** / -gu- partout ... 15
dialyser **T** ... 12
diamanter **T** ... 12
diaphragmer **T** / **I,** p.p.inv. ... 12
diaprer **T** ... 12
dicter **T** ... 12
diéséliser **T** ... 12
diéser **T** ... 19
diffamer **T** ... 12
différencier **T** / **Pr** ... 14
différentier **T** ... 14
différer **T** / **Ti** (de, sur), p.p.inv. / Attention au part. prés. : *différant* (ne pas confondre avec l'adj. «différent») ... 19
diffracter **T** ... 12
diffuser **T** ... 12
digérer **T** ... 19
digitaliser **T** ... 12
dilacérer **T** ... 19
dilapider **T** ... 12
dilater **T** / **Pr** ... 12
diligenter **T** ... 12
diluer **T** / **Pr** ... 12
dimensionner **T** ... 12
diminuer **T** / **I,** p.p.inv. ... 12
dindonner **T** ... 12
dîner **I** / **P.p.inv.** ... 12
dinguer **I** / **P.p.inv.** / -gu- partout ... 15
diphtonguer **T** / -gu- partout 15
diplômer **T** ... 12
dire **T** ... 76
diriger **T** ... 16
discerner **T** ... 12
discipliner **T** ... 12
discontinuer **I** / **Déf** : usité seulement à l'inf., dans l'expression *sans discontinuer*
disconvenir **Ti** (de) / **P.p.inv.** ... 4
discorder **I** / **P.p.inv.** ... 12
discounter [diskunte] **T** / **I,** p.p.inv. ... 12
discourir **I** / **P.p.inv.** ... 41
discréditer **T** / **Pr** ... 12
discriminer **T** ... 12
disculper **T** / **Pr** ... 12
discutailler **I** / **P.p.inv.** ... 12
discuter **T** / **Ti** (de), p.p.inv. ... 12
disgracier **T** ... 14

écumer **T** / **I,** p.p.inv. 12
écurer **T** 12
écussonner **T** 12
édenter **T** 12
édicter **T** 12
édifier T 14
éditer **T** 12
édulcorer **T** 12
éduquer **T** / -qu- partout 15
éfaufiler **T** 12
effacer T / **Pr** 17
effaner **T** 12
effarer **T** 12
effaroucher **T** 12
effectuer T 12
efféminer **T** 12
effeuiller **T** / **Pr** 12
effiler **T** 12
effilocher **T** / **Pr** 12
effleurer **T** 12
effleurir **I** / **P.p.inv.** 34
effondrer T / **Pr** 12
efforcer -s'- (de) **+ être** 17
effranger **T** 16
effrayer T / **Pr** .... 28 ou 29
effriter **T** / **Pr** 12
égailler -s'- [egaje] **+ être** 12
égaler **T** 12
égaliser **T** / **I,** p.p.inv. 12
égarer T / **Pr** 12
égayer [egeje] **T** / **Pr** ... 28 ou 29
égermer **T** 12
égorger **T** / **Pr** 16
égosiller -s'- **+ être** 12
égoutter **T** / **Pr** 12
égrainer **T** / **Pr** 12
égrapper **T** 12
égratigner **T** 12
égrener [egrəne] **T** / **Pr** 24
égriser **T** 12
égruger **T** 16
égueuler **T** 12
éjaculer **T** / **I,** p.p.inv. 12
éjecter **T** 12
éjointer **T** 12
élaborer **T** 12
élaguer **T** / -gu- partout 15
élancer I, p.p.inv. / **T** / **Pr** 17
élargir T / **Pr** 34
électrifier **T** 14
électriser **T** 12
électrocuter **T** 12
électrolyser **T** 12
élégir **T** 34
élever T / **Pr** 24
élider **T** 12
éliminer T 12
élinguer **T** / -gu- partout 15

> **P.p. inv.** : verbe dont le participe passé est toujours invariable
>
> p.p. inv. : participe passé invariable dans l'emploi indiqué

élire T 79
éloigner T / **Pr** 12
élonger **T** 16
élucider **T** 12
élucubrer **T** 12
éluder **T** 12
émacier **T** / **Pr** 14
émailler **T** 12
émanciper **T** / **Pr** 12
émaner **Ti** (de) / **P.p.inv.** 12
émarger **T** / **Ti** (à), p.p.inv. 16
émasculer **T** 12
emballer T / **Pr** 12
embarbouiller **T** / **Pr** 12
embarquer T / **I,** p.p.inv. / **Pr** / -qu- partout 15
embarrasser T / **Pr** (de) 12
embarrer **I,** p.p.inv. / **Pr** 12
embastiller **T** 12
embattre **T** 73
embaucher T 12
embaumer **T** / **I,** p.p.inv. 12
embecquer **T** / -cqu- partout 15
embéguiner **T** / **Pr** 12
embellir T / **I,** p.p.inv. 34
emberlificoter **T** / **Pr** 12
embêter **T** 12
emblaver **T** 12
embobeliner **T** 12
embobiner **T** 12
emboîter **T** / **Pr** 12
embosser **T** 12
emboucher **T** 12
embouer **I** / **P.p.inv.** 12
embouquer **I,** p.p.inv. / **T** / -qu- partout 15
embourber **T** / **Pr** 12
embourgeoiser **T** / **Pr** 12
embourrer **T** 12
embouteiller **T** 12
emboutir **T** 34
embrancher **T** / **Pr** 12
embraquer **T** / -qu- partout 15
embraser **T** / **Pr** 12
embrasser T / **Pr** 12
embrayer T / **Ti** (sur), p.p.inv. .... 28 ou 29
embrever [ãbrəve] **T** 24
embrigader **T** 12
embringuer **T** / -gu- partout 15
embrocher **T** 12
embrouiller T / **Pr** 12
embroussailler **T** 12
embrumer **T** 12
embuer **T** 12
embusquer **T** / **Pr** / -qu- partout 15
émécher **T** 19
émerger I / **P.p.inv.** / Attention au part. prés. : *émergeant* (ne pas confondre avec l'adj. «émergent») 16
émeriser **T** 12
émerveiller T 12
émettre T / **I,** p.p.inv. 6
émietter **T** 12
émigrer I / **P.p.inv.** 12

émincer **T** 17
emmagasiner **T** 12
emmailloter **T** 12
emmancher **T** / **Pr** 12
emmêler **T** 12
emménager **T** / **I,** p.p.inv. 16
emmener T 24
emmerder **T** / **Pr** 12
emmétrer **T** 19
emmieller **T** 12
emmitoufler **T** / **Pr** 12
emmouscailler **T** 12
emmurer **T** 12
émonder **T** 12
émorfiler **T** 12
émotionner **T** 12
émotter **T** 12
émoudre **T** 96
émousser **T** 12
émoustiller **T** 12
émouvoir T / **Pr** (de) 54
empailler **T** 12
empaler **T** / **Pr** 12
empalmer **T** 12
empanacher **T** 12
empanner **I** / **P.p.inv.** 12
empaqueter **T** 26
emparer -s'- (de) **+ être** 12
empâter **T** / **Pr** 12
empatter **T** 12
empaumer **T** 12
empêcher T / **Pr** (de) 12
empenner **T** 12
emperler **T** 12
empeser **T** 24
empester **T** / **I,** p.p.inv. 12
empêtrer **T** / **Pr** (dans) 12
empierrer **T** 12
empiéter **I** / **P.p.inv.** 19
empiffrer -s'- (de) **+ être** 12
empiler **T** / **Pr** 12
empirer **I** / **P.p.inv.** 12
emplir **T** 34
employer T / **Pr** 30
emplumer **T** 12
empocher **T** 12
empoigner **T** / **Pr** 12
empoisonner T / **Pr** 12
empoisser **T** 12
empoissonner **T** 12
emporter T / **Pr** 12
empoter **T** 12
empourprer **T** 12
empoussiérer **T** 19
empreindre **T** 69
empresser -s'- (de + inf.) **+ être** 12
emprésurer [ãprezyre] **T** 12
emprisonner **T** 12
emprunter T 12
empuantir **T** 34
émuler **T** 12
émulsifier **T** 14
émulsionner **T** 12
enamourer -s'- [ãnamure] **+ être** .... 1[illegible]

namourer -s'- + **être** 12
ncabaner **T** 12
ncadrer T 12
ncager **T** 16
ncaisser **T** 12
ncanailler -s'- + **être** 12
ncapuchonner **T** / **Pr** 12
ncaquer **T** / -qu- partout 15
ncarter **T** 12
ncaserner **T** 12
ncasteler -s'- + **être** 24
castrer **T** / **Pr** (dans) 12
ncaustiquer **T** / -qu- partout 15
caver **T** 12
ceindre **T** 69
ceinter **T** Afrique 12
censer **T** / **I,** p.p.inv. 12
cercler T 12
chaîner **T** / **I,** p.p.inv. / **Pr** 12
chanter **T** 12
châsser **T** 12
chausser **T** 12
ohcmiocr **T** 12
chérir **I** / **P.p.inv.** 34
chevaucher **T** 12
chevêtrer **T** / **Pr** 12
claver **T** 12
clencher **T** / **Pr** 12
cliqueter **T** 26
clore **T** / **Déf** : pas de part. prés., d'ind. imparf. et passé simple, de subj. imparf., d'impér. prés. ; pas de plur. à l'ind. prés. 99
louer **T** 12
cocher **T** 12
coder **T** 12
coller **T** 12
combrer T / **Pr** (de) 12
corder -s'- + **être** 12
orner **T** 12
oubler -s'- + **être** / uisse 12
courager T 16
ourir **T** 41
rasser **T** / **Pr** 12
rer **T** 12
roûter **T** / **Pr** 12
uver **T** 12
enter **T** 12
etter **T** / **Pr** 12
euiller **T** 12
êver [ãdɛve] **I** / **P.p.inv.** / éf : usité familièrement à l'inf. és. : *faire endêver* (= faire rager) 12
abler **I** / **P.p.inv.** 12
guer **T** / -gu- partout 15
mancher -s'- + **être** 12
visionner **T** 12
octriner **T** 12
olorir **T** / **Déf** : usité surtout au art. passé (*endolori/is, ndolorie/ies*) et aux 3es ers. 34
ommager [ãdɔmaʒe] **T** 16
ormir T / **Pr** 37
osser **T** 12

enduire **T** 82
endurcir **T** / **Pr** 34
endurer **T** 12
énerver **T** / **Pr** 12
enfaîter **T** 12
enfanter **T** 12
enfariner **T** 12
enfermer T / **Pr** 12
enferrer **T** / **Pr** 12
enficher **T** 12
enfieller **T** 12
enfiévrer **T** 19
enfiler **T** 12
enflammer T 12
enfler T / **I,** p.p.inv. 12
enfleurer **T** 12
enfoncer T / **I,** p.p.inv. / **Pr** 17
enfouir **T** / **Pr** 34
enfourcher **T** 12
enfourner **T** 12
enfreindre **T** 69
enfuir -s'- + être 39
enfumer **T** 12
enfutailler **T** 12
enfûter **T** 12
engager T / **Pr** 16
engainer [ãgɛne] **T** 12
engamer **T** 12
engazonner **T** 12
engendrer **T** 12
engerber **T** 12
englober **T** 12
engloutir T / **Pr** 34
engluer **T** 12
engober **T** 12
engommer **T** 12
engoncer **T** 17
engorger **T** 16
engouer -s'- (de) + **être** 12
engouffrer **T** / **Pr** 12
engourdir T 34
engraisser T / **I,** p.p.inv. 12
engranger **T** 16
engraver **T** 12
engrener [ãgrəne] **T** / **I,** p.p.inv. 24
engrosser **T** 12
engueuler **T** / **Pr** 12
enguirlander **T** 12
enhardir [ãardir] **T** / **Pr** 34
enharnacher [ãarnaʃe] **T** 12
enherber [ãnɛrbe] **T** 12
enivrer [ãnivre] **T** 12
enjamber **T** / **I,** p.p.inv. 12
enjaveler [ãʒavle] **T** 22
enjoindre **T** 70
enjôler [ãʒole] **T** 12
enjoliver **T** 12
enjuguer **T** / -gu- partout 15
enkyster -s'- + **être** 12
enlacer **T** / **Pr** 17
enlaidir **T** / **I,** p.p.inv. 34
enlever [ãlve] **T** 24
enliasser **T** 12
enlier **T** 14
enliser **T** / **Pr** 12

enluminer **T** 12
enneiger [ãnɛʒe] **T** 16
ennoblir [ãnɔblir] **T** 34
ennoyer [ãnwaje] **T** 30
ennuager [ãnɥaʒe] **T** 16
ennuyer [ãnɥije] **T** / **Pr** 31
énoncer **T** 17
enorgueillir [ãnɔrgœjir] **T** / **Pr** (de) 34
énouer **T** 12
enquérir -s'- (de) + **être** 43
enquêter **I** / **P.p.inv.** 12
enquiquiner **T** 12
enraciner **T** / **Pr** 12
enrager **I** / **P.p.inv.** 16
enrayer [ãrɛje] **T** / **Pr** ... 28 ou 29
enrégimenter **T** 12
enregistrer T 12
enrêner **T** 12
enrhumer [ãryme] **T** / **Pr** 12
enrichir T / **Pr** 34
enrober **T** 12
enrocher **T** 12
enrôler **T** / **Pr** 12
enrouer **T** 12
enrouler **T** 12
enrubanner **T** 12
ensabler [ãsable] **T** / **Pr** 12
ensacher **T** 12
ensaisiner [ãsezine] **T** 12
ensanglanter **T** 12
enseigner T 12
ensemencer **T** 17
enserrer **T** 12
ensevelir **T** / **Pr** 34
ensiler **T** 12
ensoleiller **T** 12
ensorceler [ãsɔrsəle] **T** 22
ensoufrer **T** 12
ensuivre -s'- + **être** / **Déf** : usité seulement à l'inf. et aux 3es pers. / Aux temps composés, possibilité de séparer le préfixe : *il s'en est suivi / il s'est ensuivi* 84
entabler **T** 12
entacher **T** 12
entailler **T** 12
entamer T 12
entartrer **T** 12
entasser T 12
entendre T / **Pr** 65
enténébrer **T** 19
enter **T** 12
entériner **T** 12
enterrer T 12
entêter **T** / **Pr** (à, dans) 12
enthousiasmer **T** / **Pr** (pour) 12
enticher -s'- (de) + **être** 12
entoiler **T** 12
entôler **T** 12
entonner **T** 12
entortiller **T** / **Pr** 12
entourer T / **Pr** (de) 12
entraider -s'- + **être** 12
entr'aimer -s'- + **être** 12

entraîner **T** / **Pr** 12
entr'apercevoir **T** 50
entrapercevoir **T** 50
entraver **T** / **I,** p.p.inv. 12
entrebâiller **T** 12
entrechoquer **T** / **Pr** 15
entrecouper **T** 12
entrecroiser **T** 12
entre-déchirer -s'- + **être** 12
entre-dévorer -s'- + **être** 12
entr'égorger -s'- + **être** 16
entre-haïr -s'- [ãtrair] + **être** 35
entre-heurter -s'- [ãtrœrte] + **être** 12
entrelacer **T** / **Pr** 17
entrelarder **T** 12
entremêler **T** / **Pr** 12
entremettre -s'- + **être** 6
entreposer **T** 12
entreprendre **T** 67
entrer **I** + **être** / **T** + **avoir**... 12
entretailler -s'- + **être** 12
entretenir **T** / **Pr** (de) 4
entre-tisser **T** 12
entretoiser **T** 12
entre-tuer -s'- + **être** 12
entrevoir **T** 51
entrouvrir **T** 44
entuber **T** 12
énucléer **T** / -é- partout dans la base 13
énumérer **T** 19
énuquer -s'- + **être** / Suisse / -qu- partout 15
envahir [ãvair] **T** 34
envaser **T** 12
envelopper **T** 12
envenimer **T** / **Pr** 12
enverguer **T** / -gu- partout ... 15
envider **T** 12
envier **T** 14
environner **T** 12
envisager **T** 16
envoiler -s'- + **être** 12
envoler **-s'-** + **être** 12
envoûter **T** 12
envoyer **T** / **Pr** 32
épaissir **T** / **I,** p.p.inv. / **Pr** ... 34
épamprer **T** 12
épancher **T** / **Pr** 12
épandre **T** 66
épanneler **T** 22
épanner **T** 12
épanouir **T** / **Pr** 34
épargner **T** / **Pr** 12
éparpiller **T** / **Pr** 12
épater **T** 12
épaufrer **T** 12

P.p. inv. : verbe dont le participe passé est toujours invariable

p.p. inv. : participe passé invariable dans l'emploi indiqué

épauler **T** / **I,** p.p.inv. 12
épeler [eple] **T** 22
épépiner **T** 12
éperonner **T** 12
épeurer **T** 12
épicer **T** 17
épier **I,** p.p.inv. / **T** 14
épierrer **T** 12
épiler **T** 12
épiloguer **I** (sur) / **P.p.inv.** / -gu- partout 15
épincer **T** 17
épinceter **T** 26
épiner **T** 12
épingler **T** 12
épisser **T** 12
éployer **T** 30
éplucher **T** 12
épointer **T** 12
éponger **T** / **Pr** 16
épouiller **T** 12
époumoner -s'- + **être** 12
épouser **T** 12
épousseter **T** 26
époustoufler **T** 12
époutier **T** 14
épouvanter **T** 12
épreindre **T** 69
éprendre -s'- (de) + **être** 67
éprouver **T** 12
épucer **T** 17
épuiser **T** 12
épurer **T** 12
équarrir **T** 34
équerrer **T** 12
équeuter **T** 12
équilibrer **T** / **Pr** 12
équiper **T** / **Pr** 12
équivaloir **Ti** (à) / **P.p.inv.** (*équivalu*). / Attention au part. prés. : *équivalant* (ne pas confondre avec l'adj. «équivalent») 55
équivoquer [ekivɔke] **I** / **P.p.inv.** / -qu- partout 15
éradiquer **T** / -qu- partout 15
érafler **T** 12
érailler **T** 12
éreinter **T** 12
ergoter **I** / **P.p.inv.** 12
ériger **T** / **Pr** 16
éroder **T** 12
érotiser **T** 12
errer **I** / **P.p.inv.** 12
éructer **I,** p.p.inv. / **T** 12
esbigner -s'- + **être** 12
esbroufer **T** 12
escalader **T** 12
escaloper **T** 12
escamoter **T** 12
escarrifier **T** 14
escher **T** 12
esclaffer -s'- + **être** 12
escompter **T** 12
escorter **T** 12
escrimer -s'- (à) + **être** 12
escroquer **T** / -qu- partout ... 15

espacer **T** ....
espérer **T** / **Ti** (en), p.p.inv.
espionner **T** ....
esquicher **T** ....
esquinter **T** ....
esquisser **T** ....
esquiver **T** / **Pr** ....
essaimer **I** / **P.p.inv.** ....
essanger **T** ....
essarter **T** ....
essayer **T** / **Pr** (à) .... 28 ou
essorer **T** ....
essoriller **T** ....
essoucher **T** ....
essouffler **T** / **Pr** ....
essuyer **T** ....
estamper **T** ....
estampiller **T** ....
ester **I** / **Déf** : usité seulemen l'inf. (*ester en justice*)
estérifier **T** ....
esthétiser **I,** p.p.inv. / **T** ....
estimer **T** / **Pr** ....
estiver **T** / **I,** p.p.inv. ....
estomaquer **T** / -qu- partout
estomper **T** / **Pr** ....
estoquer **T** / -qu- partout ....
estourbir **T** ....
estrapasser **T** ....
estropier **T** ....
établer **T** ....
établir **T** / **Pr** ....
étager **T** / **Pr** ....
étalager **T** ....
étaler **T** / **Pr** ....
étalinguer **T** / -gu- partout ..
étalonner **T** ....
étamer **T** ....
étamper **T** ....
étancher **T** ....
étançonner **T** ....
étarquer **T** / -qu- partout ....
étatiser **T** ....
étayer [etɛje] **T** .... 28 o
éteindre **T** / **Pr** ....
étendre **T** / **Pr** ....
éterniser **T** / **Pr** ....
éternuer **I** / **P.p.inv.** ....
étêter **T** ....
éthérifier **T** ....
éthériser **T** ....
étinceler **I** / **P.p.inv.** ....
étioler **T** / **Pr** ....
étiqueter **T** ....
étirer **T** / **Pr** ....
étoffer **T** ....
étoiler **T** ....
étonner **T** / **Pr** (de) ....
étouffer **T** / **I,** p.p.inv. / **Pr**
étouper **T** ....
étoupiller **T** ....
étourdir **T** / **Pr** ....
étrangler **T** ....
être **I** / **P.p.inv.** ....
étrécir **T** ....
étreindre **T** ....

:renner **T / I,** p.p.inv. 12
:résillonner **T** 12
:riller **T** 12
.riper **T** 12
'riquer **T** / -qu- partout 15
tudier T / Pr 14
uver **T** 12
phoriser **T** 12
ropéaniser **T / Pr** 12
acuer **T** 12
ader -s'- + être 12
aluer T 12
angéliser **T** 12
anouir -s'- + être 34
aporer T / Pr 12
aser **T / Pr** 12
eiller T / Pr 12
enter **T / Pr** 12
entrer **T** 12
ertuer -s'- (à) **+ être** 12
der **T** 12
ncer **T** 17
scérer **T** 19
iter T / I, p.p.inv. 12
oluer I / P.p.inv. 12
oquer T / -qu- partout 15
acerber **T** 12
agérer T / I, p.p.inv. **/ Pr** 19
lter **T / Pr** 12
aminer T 12
spérer T 19
ucer T 17
aver **T** 12
éder **T** / Attention au part. prés. : *xcédant* (ne pas confondre vec le nom «excédent») 19
eller **I / P.p.inv.** / Attention au art. prés. : *excellant* (ne pas onfondre avec l'adj. excellent») 12
entrer **T** 12
epter T 12
per **Ti** (de) / **P.p.inv.** 12
ser **T** 12
iter T / Pr 12
amer **-s'- + être** 12
ure T 92
ommunier **T** 14
rier **T** 14
éter **T** 19
ursionner **I / P.p.inv.** 12
user T / Pr 12
crer **T** 19
cuter T / Pr 12
nplifier **T** 14
npter [ɛgzɑ̃te] **T** 12
rcer T / Pr 17
trer **T** 12
lier **T** 14
ler **T / Pr** 12
usser **T** 12
éréder **T** 19
ber **T / Pr** 12
rter **T** 12
mer **T** 12
er T 16

exiler T / Pr 12
exister I / P.p.inv. 12
exonder **-s'- + être** 12
exonérer **T** 19
exorciser **T** 12
expatrier **T / Pr** 14
expectorer **T** 12
expédier T / Attention au part. prés. : *expédiant* (ne pas confondre avec «expédient», nom et adj.) 14
expérimenter **T** 12
expertiser **T** 12
expier [ɛkspje] **T** 14
expirer T / I, p.p.inv. 12
expliciter **T** 12
expliquer T / Pr / -qu- partout 15
exploiter T 12
explorer T 12
exploser I / P.p.inv. 12
exporter T 12
exposer T / Pr 12
exprimer T / Pr 12
exproprier **T** 14
expulser T 12
expurger **T** 16
exsuder **I,** p.p.inv. **/ T** 12
extasier **-s'- + être** 14
exténuer **T / Pr** 12
extérioriser **T / Pr** 12
exterminer **T** 12
extirper **T / Pr** 12
extorquer **T** / -qu- partout ... 15
extrader **T** 12
extraire T / Pr (de) / **Déf** : pas de passé simple, pas de subj. imparf. 88
extrapoler **T / I,** p.p.inv. 12
extravaguer **I / P.p.inv.** / -gu- partout. Attention au part. prés. : *extravaguant* (ne pas confondre avec l'adj. «extravagant») 15
extravaser **-s'- + être** 12
extruder **T / I,** p.p.inv. 12
exulcérer **T** 19
exulter **I / P.p.inv.** 12

F

fabriquer T / -qu- partout ... 15
fabuler **I / P.p.inv.** 12
facetter **T** 12
fâcher T / Pr 12
faciliter T 12
façonner T 12
factoriser **T** 12
facturer **T** 12
fagoter **T** 12
faiblir **I / P.p.inv.** 34
failler **-se- + être** 12
faillir [fajir] **I / Ti** (à) / **P.p.inv.** / **Déf** : usité surtout à l'inf. et aux temps composés (*j'ai failli* ...) / Suit le modèle 34 aux présents de l'ind. (*vous faillissez*), du subj. (*que je faillisse*), de l'impér. (*faillissons*) et à l'ind. imparf. (*je faillissais*) 46
fainéanter **I / P.p.inv.** 12
faire T / Pr 5
faisander [fəzɑ̃de] **T / Pr** 12
falloir U + être / P.p.inv. / Pr uniquement dans des expressions comme : *il s'en fallut de peu que...* 11
falsifier **T** 14
faluner **T** 12
familiariser **T / Pr** (avec) 12
fanatiser **T** 12
faner T / Pr 12
fanfaronner **I / P.p.inv.** 12
fantasmer **I / P.p.inv.** 12
farcir **T / Pr** 34
farder **T / Pr** 12
farfouiller **I / P.p.inv.** 12
fariner **T** 12
farter **T** 12
fasciner [fasine] **T** 12
fasciser [faʃize] **T** 12
faseyer [faseje] **I / P.p.inv.** 29
fatiguer T / I, p.p.inv. **/ Pr** / -gu- partout. Attention au part. prés. : *fatiguant* (ne pas confondre avec l'adj. «fatigant») 15
faucarder **T** 12
faucher **T** 12
faufiler **T / Pr** 12
fausser **T** 12
fauter **I / P.p.inv.** 12
favoriser T 12
faxer **T** 12
fayoter **I / P.p.inv.** 12
féconder **T** 12
féculer **T** 12
fédéraliser **T** 12
fédérer **T** 19
feindre **T / I,** p.p.inv. 69
feinter **T / I,** p.p.inv. 12
fêler **T** 12
féliciter T / Pr (de) 12
féminiser **T / Pr** 12
fendiller **T / Pr** 12
fendre T / Pr 65
fenêtrer **T** 12
férir **T / Déf** : usité seulement à l'inf. prés. (*sans coup férir*) et au part. passé (*féru/ue/us/ues*)
ferler **T** 12
fermenter **I / P.p.inv.** 12
fermer T / I, p.p.inv. 12
ferrailler **I,** p.p.inv. **/ T** 12
ferrer **T** 12
ferrouter **T** 12
fertiliser **T** 12
fesser **T** 12
festonner **T** 12
festoyer **I / P.p.inv.** 30
fêter T 12
feuiller **I / P.p.inv.** 12
feuilleter **T** 26

feuler **I** / **P.p.inv.** 12
feutrer **T** / **I,** p.p.inv. / **Pr** 12
fiabiliser **T** 12
fiancer **T** / **Pr** 17
ficeler **T** 22
fiche **Pr** (de) / Part. passé : *fichu/ue/us/ues* 12
ficher **T** 12
fidéliser **T** 12
fienter **I** / **P.p.inv.** 12
fier -se- (à) **+ être** 14
figer **T** 16
fignoler **T** / **I,** p.p.inv. 12
figurer **T** / **I,** p.p.inv. / **Pr** 12
filer **T** / **I,** p.p.inv. 12
fileter **T** 27
filialiser **T** 12
filigraner **T** 12
filmer **T** 12
filocher **I** / **P.p.inv.** 12
filouter **T** 12
filtrer **T** / **I,** p.p.inv. 12
finaliser **T** 12
financer **T** 17
finasser **I** / **P.p.inv.** 12
finir **T** / **I,** p.p.inv. 34
fiscaliser **T** 12
fissionner **T** / **I,** p.p.inv. 12
fissurer **T** 12
fixer **T** / **Pr** 12
flageller **T** 12
flageoler **I** / **P.p.inv.** 12
flagorner **T** 12
flairer **T** 12
flamber **I,** p.p.inv. / **T** 12
flamboyer **I** / **P.p.inv.** 30
flancher **I** / **P.p.inv.** 12
flâner **I** / **P.p.inv.** 12
flanquer **T** / -qu- partout 15
flasher [flaʃe] **Ti** (sur), p.p.inv. / **T** 12
flatter **T** / **Pr** (de) 12
flécher **T** 19
fléchir **T** / **I,** p.p.inv. 34
flemmarder **I** / **P.p.inv.** 12
flétrir **T** / **Pr** 34
fleurer **T** / **I,** p.p.inv. 12
fleureter **I** / **P.p.inv.** 26
fleurir **I,** p.p.inv. / **T** / Au sens de «prospérer», base flor- à l'imparf. (*il florissait*) et au part. prés. (*florissant*) 34
flexibiliser **T** 12
flibuster **I** / **P.p.inv.** 12
flinguer **T** / -gu- partout 15
flipper **I** / **P.p.inv.** 12
flirter [flœrte] **I** / **P.p.inv.** 12
floconner **I** / **P.p.inv.** 12
floculer **I** / **P.p.inv.** 12
floquer **T** / -qu- partout 15

P.p. inv. : verbe dont le participe passé est toujours invariable

p.p. inv. : participe passé invariable dans l'emploi indiqué

flotter **I,** p.p.inv. / **T** / **U,** p.p.inv. 12
flouer **T** 12
fluctuer **I** / **P.p.inv.** 12
fluer **I** / **P.p.inv.** 12
fluidifier **T** 14
fluidiser **T** 12
flûter **I** / **P.p.inv.** 12
focaliser **T** 12
foirer **I** / **P.p.inv.** 12
foisonner **I** / **P.p.inv.** 12
folâtrer **I** / **P.p.inv.** 12
folioter **T** 12
fomenter **T** 12
foncer **T** / **I,** p.p.inv. 17
fonctionnaliser **T** 12
fonctionnariser **T** 12
fonctionner **I** / **P.p.inv.** 12
fonder **T** / **Pr** (sur) 12
fondre **T** / **I,** p.p.inv. / **Pr** 65
forcer **T** / **I,** p.p.inv. / **Pr** 17
forcir **I** / **P.p.inv.** 34
forclore **T** / **Déf** : usité seulement à l'inf. et au part. passé (*forclos/ose/oses*)
forer **T** 12
forfaire **Ti** (à) / **P.p.inv.** / **Déf** : usité seulement à l'inf. prés., au sing. de l'ind. prés., au part. passé (*forfait*) et aux temps composés 5
forger **T** 16
forjeter **T** / **I,** p.p.inv. 26
forlancer **T** 17
forligner **I** / **P.p.inv.** 12
forlonger **T** 16
formaliser **T** / **Pr** 12
formater **T** 12
former **T** / **Pr** 12
formoler **T** 12
formuler **T** 12
forniquer **I** / **P.p.inv.** / -qu- partout 15
fortifier **T** 14
fossiliser **T** / **Pr** 12
fossoyer **T** 30
fouailler **T** 12
foudroyer **T** 30
fouetter **T** / **I,** p.p.inv. 12
fouger **T** / **I,** p.p.inv. 16
fouiller **T** / **I,** p.p.inv. / **Pr** 12
fouiner **I** / **P.p.inv.** 12
fouir **T** 34
fouler **T** / **Pr** 12
foulonner **T** 12
fourbir **T** 34
fourcher **I** / **P.p.inv.** 12
fourgonner **I** / **P.p.inv.** 12
fourguer **T** / -gu- partout 15
fourmiller **I** / **Ti** (de) / **P.p.inv.** 12
fournir **T** / **Ti** (à), p.p.inv. / **Pr** 34
fourrager **I** / **P.p.inv.** 16
fourrer **T** / **Pr** 12
fourvoyer **T** / **Pr** 30

foutre **T** / **Pr** (de) / **Déf** : inusi… au passé simple et au subj. i… parf. / Suit le modèle «rendre… (mais avec la base fout-) sauf … sing. de l'ind. prés. et de l'impé… prés. (*je fous, tu fous, il/elle fout ; fous*) …
fracasser **T**
fractionner **T**
fracturer **T**
fragiliser **T**
fragmenter **T**
fraîchir **I** / **P.p.inv.**
fraiser **T**
framboiser **T**
franchir **T**
franchiser **T**
franciser **T**
francophoniser **T** / Québec
franger **T**
fransquillonner **I** / **P.p.inv.** / Belgique
frapper **T** / **I,** p.p.inv. / **Pr**
fraser **T**
fraterniser **I** / **P.p.inv.**
frauder **T** / **I,** p.p.inv.
frayer [frɛje] **T** / **Ti** (avec), p.p.inv. / **I,** p.p.inv. 28 ou
fredonner **T** / **I,** p.p.inv.
frégater **T**
freiner **T** / **I,** p.p.inv.
frelater **T**
frémir **I** / **P.p.inv.**
fréquenter **T** / **I,** p.p.inv., Afrique
fréter **T**
frétiller **I** / **P.p.inv.**
fretter **T**
fricasser **T**
fricoter **T** / **Ti** (avec), p.p.inv.
frictionner **T**
frigorifier **T**
frimer **I** / **P.p.inv.**
fringuer **T** / **Pr** / -gu- partout
friper **T**
frire **T** / **I,** p.p.inv. / **Déf** : pas… part. prés., pas de plur. au p… de l'ind. et de l'impér., pas d… imparf. et passé simple, pas de subj. prés. et imparf.
friser **T** / **I,** p.p.inv.
frisotter **T** / **I,** p.p.inv.
frissonner **I** / **P.p.inv.**
fritter **T**
froisser **T**
frôler **T**
froncer **T**
fronder **T**
frotter **T** / **I,** p.p.inv. / **Pr** (à)
frouer **I** / **P.p.inv.**
froufrouter **I** / **P.p.inv.**
fructifier **I** / **P.p.inv.**
frustrer **T**
fuguer **I** / **P.p.inv.** / -gu- partout

gueuser **I** / **P.p.inv.** 12
guider T 12
guigner **T** 12
guillemeter **T** 26
guillocher **T** 12
guillotiner **T** 12
guincher **I** / **P.p.inv.** 12
guinder **T** 12
guiper **T** 12
guniter **T** 12

H

habiliter **T** 12
habiller T / **Pr** 12
habiter T / **I,** p.p.inv. 12
habituer T / **Pr** (à) 12
hacher **T** 12
hachurer **T** 12
haïr T / **Pr** 35
halener **T** 24
haler **T** 12
hâler **T** 12
haleter **I** / **P.p.inv.** 27
halluciner **T** 12
hancher **T** / **Pr** 12
handicaper **T** 12
hannetonner **T** 12
hanter **T** 12
happer **T** 12
haranguer **T** / -gu- partout ... 15
harasser **T** 12
harceler **T** .... 22 ou 24
harder **T** 12
harmoniser **T** / **Pr** 12
harnacher **T** 12
harponner **T** 12
hasarder **T** / **Pr** 12
hâter T / **Pr** 12
haubaner **T** 12
hausser T / **I,** p.p.inv., Belgique 12
haver **T** 12
havir **T** 34
héberger **T** 16
hébéter **T** 19
hébraïser **T** 12
héler **T** 19
helléniser **T** 12
hennir **I** / **P.p.inv.** 34
herbager **T** 16
herber **T** 12
herboriser **I** / **P.p.inv.** 12
hercher **I** / **P.p.inv.** 12
hérisser **T** / **Pr** 12
hériter I, p.p.inv. / **T** / **Ti** (de), p.p.inv. 12

> **P.p. inv.** : verbe dont le participe passé est toujours invariable
>
> p.p. inv. : participe passé invariable dans l'emploi indiqué

herscher [ɛrʃe] **I** / **P.p.inv.** ... 12
herser **T** 12
hésiter I / **P.p.inv.** 12
heurter T / **I,** p.p.inv. / **Pr** (à) 12
hiberner **I** / **P.p.inv.** 12
hiérarchiser **T** 12
hisser **T** / **Pr** 12
historier **T** 14
hiverner **I,** p.p.inv. / **T** 12
hocher **T** 12
homogénéiser **T** 12
homologuer **T** / -gu- partout 15
hongrer **T** 12
hongroyer **T** 30
honnir **T** 34
honorer T / **Pr** 12
hoqueter **I** / **P.p.inv.** 26
horrifier **T** 14
horripiler **T** 12
hospitaliser **T** 12
hotter **T** 12
houblonner **T** 12
houer **T** 12
houpper **T** 12
hourder **T** 12
houspiller **T** 12
housser **T** 12
houssiner **T** 12
hucher **T** 12
huer **T** / **I,** p.p.inv. 12
huiler **T** 12
hululer **I** / **P.p.inv.** 12
humaniser **T** / **Pr** 12
humecter **T** 12
humer **T** 12
humidifier **T** 14
humilier **T** / **Pr** 14
hurler I, p.p.inv. / **T** 12
hybrider **T** 12
hydrater **T** 12
hydrofuger **T** 16
hydrogéner **T** 19
hydrolyser **T** 12
hypertrophier **T** / **Pr** 14
hypnotiser **T** / **Pr** 12
hypostasier **T** 14
hypothéquer **T** / -qu- partout 19

I

idéaliser **T** 12
identifier **T** / **Pr** (à, avec) 14
idolâtrer **T** 12
ignifuger [ignifyʒe/iɲifyʒe] **T** 16
ignorer T 12
illuminer T 12
illusionner **T** / **Pr** 12
illustrer T / **Pr** 12
imaginer T / **Pr** 12
imbiber **T** / **Pr** (de) 12
imbriquer **T** / **Pr** / -qu- partout 15
imiter T 12
immatriculer **T** 12
immerger **T** / **Pr** 16
immigrer **I** / **P.p.inv.** 12
immiscer -s'- [imise] (dans) + **être** 17
immobiliser T 12
immoler **T** 12
immortaliser **T** 12
immuniser **T** 12
impartir **T** / Usité surtout à l'inf., à l'ind. prés., au part. passé et aux temps composés 34
impatienter [ɛ̃pasjɑ̃te] **T** / **Pr** 12
impatroniser **-s'- + être** 12
imperméabiliser **T** 12
impétrer **T** 19
implanter **T** / **Pr** 12
impliquer **T** / **Pr** / -qu- partout 15
implorer **T** 12
imploser **I** / **P.p.inv.** 12
importer I / **Ti** (à) / **P.p.inv.** / **Déf** : usité seulement aux 3es pers. et à l'inf. 12
importer T 12
importuner **T** 12
imposer T / **Ti** (à), p.p.inv. / **Pr** (expression *en imposer à quelqu'un*) 12
imprégner **T** 19
impressionner T 12
imprimer T 12
improviser T 12
impulser **T** 12
imputer **T** 12
inactiver **T** 12
inalper **-s'- + être** 12
inaugurer **T** 12
incarcérer **T** 19
incarner **T** / **Pr** 1
incendier **T** 14
incinérer **T** 1
inciser **T** 1
inciter **T** 1
incliner T / **Ti** (à), p.p.inv. / **Pr** 1
inclure **T** / Part. passé : *inclus, incluse/es* 9
incomber **Ti** (à) / **P.p.inv.** / **Déf** usité à l'inf. et aux 3es pers. 1
incommoder **T** 1
incorporer **T** 1
incrémenter **T** 1
incriminer **T** 1
incruster **T** / **Pr** 1
incuber **T** 1
inculper **T** 1
inculquer **T** / -qu- partout 1
incurver **T** / **Pr** 1
indaguer **I** / **P.p.inv.** / Belgique / -gu- partout 1
indemniser **T** 1
indexer **T** 1
indifférer **T** 1
indigner T / **Pr** (de) 1
indiquer T / -qu- partout 1
indisposer **T** 1
individualiser **T** / **Pr** 1

J, K

L

labéliser **T** 12
labelliser **T** 12
labialiser **T** 12
labourer **T** 12
lacer **T** 17
lacérer **T** 19
lâcher **T** / **I,** p.p.inv. 12
laïciser **T** 12
lainer **T** 12
laisser **T** / **Pr** 12
laitonner **T** 12
laïusser [lajyse] **I** / **P.p.inv.** 12
lambiner **I** / **P.p.inv.** 12
lambrisser **T** 12
lamenter **-se- + être** 12
lamer **T** 12
laminer **T** 12
lamper **T** 12
lancer **T** / **I,** p.p.inv. / **Pr** 17
lanciner **T** / **I,** p.p.inv. 12
langer **T** 16
langueyer [lɑ̃gɛje] **T** /
-y- partout 29
languir **I,** p.p.inv. / **Ti** (après),
p.p.inv. / **Pr** (de) 34
lanterner **I** / **P.p.inv.** 12
laper **I,** p.p.inv. / **T** 12
lapider **T** 12
lapiner **I** / **P.p.inv.** 12
laquer **T** / -qu- partout 15
larder **T** 12
lardonner **T** 12
larguer **T** / -gu- partout 15
larmoyer **I** / **P.p.inv.** 30
lasser **T** / **Pr** (de) 12
latiniser **T** 12
latter **T** 12
laver **T** / **Pr** 12
layer [lɛje] **T** .... 28 ou 29
lécher **T** 19
légaliser **T** 12
légender **T** 12
légiférer **I** / **P.p.inv.** 19
légitimer **T** 12
léguer **T** / -gu- partout 19
lénifier **T** 14
léser **T** 19
lésiner **I** / **P.p.inv.** 12
lessiver **T** 12
lester **T** 12
leurrer **T** / **Pr** 12
lever **T** / **I,** p.p.inv. / **Pr** 24
léviger **T** 16
levretter **I** / **P.p.inv.** 12

P.p. inv. : verbe dont le participe passé est toujours invariable

p.p. inv. : participe passé invariable dans l'emploi indiqué

lézarder **I,** p.p.inv. / **T** / **Pr** 12
liaisonner **T** 12
liarder **I** / **P.p.inv.** 12
libeller **T** 12
libéraliser **T** 12
libérer **T** / **Pr** 19
licencier **T** 14
licher **T** 12
liciter **T** 12
lier **T** / **Pr** 14
lifter **T** / **I,** p.p.inv. 12
ligaturer **T** 12
ligner **T** 12
lignifier **-se- + être** 14
ligoter **T** 12
liguer **T** / **Pr** (contre) /
-gu- partout 15
limer **T** / **Pr** 12
limiter **T** / **Pr** (à, dans) 12
limoger **T** 16
liquéfier **T** / **Pr** 14
liquider **T** 12
lire **T** 79
liserer **T** 24
lisérer **T** 19
lisser **T** 12
lister **T** 12
liter **T** 12
lithographier **T** 14
livrer **T** / **Pr** (à) 12
lixivier **T** 14
lober **T** / **I,** p.p.inv. 12
localiser **T** 12
locher **T** 12
lock-outer [lɔkaute] **T** 12
lofer **I** / **P.p.inv.** 12
loger **I,** p.p.inv. / **T** 16
longer **T** 16
lorgner **T** 12
lotionner **T** 12
lotir **T** 34
louanger **T** 16
loucher **I** / **Ti** (sur) /
P.p.inv. 12
louer **T** / **Pr** (de) 12
louper **T** / **I,** p.p.inv. / **U,** p.p.inv.
dans l'expression familière
ça n'a pas loupé........ 12
lourder **T** 12
lourer **T** 12
louver **T** 12
louveter **I** / **P.p.inv.** 26
louvoyer **I** / **P.p.inv.** 30
lover **T** / **Pr** 12
lubrifier **T** 14
luger **I** / **P.p.inv.** 16
luire **I** / **P.p.inv.** (*lui*) 83
luncher [lœʃe] **I** / **P.p.inv.** 12
lustrer **T** 12
luter **T** 12
lutiner **T** 12
lutter **I** / **P.p.inv.** 12
luxer **T** / **Pr** 12
lyncher [lɛ̃ʃe] **T** 12
lyophiliser **T** 12
lyser **T** 12

M

macadamiser **T** 12
macérer **T** / **I,** p.p.inv. 19
mâcher **T** 12
machiner **T** 12
mâchonner **T** 12
mâchouiller **T** 12
mâchurer **T** 12
macler **T** 12
maçonner **T** 12
maculer **T** 12
madériser **-se- + être** 12
maganer **T** / Québec 12
magasiner **I** / **P.p.inv.**
Québec 12
magner **-se- + être** 12
magnétiser **T** 12
magnétoscoper **T** 12
magnifier [maɲifje] **T** 14
magouiller **T** / **I,** p.p.inv. 12
maigrir **I,** p.p.inv. / **T** 34
mailler **T** / **I,** p.p.inv. 12
maintenir **T** / **Pr** 4
maîtriser **T** / **Pr** 12
majorer **T** 12
malaxer **T** 12
malléabiliser **T** 12
malmener **T** 24
malter **T** 12
maltraiter **T** 12
manager [manadʒe] **T** 1
mandater **T** 1
mander **T** 1
mandriner **T** 1
mangeotter **T** / **I,** p.p.inv. 1
manger **T** / **I,** p.p.inv. 1
manier **T** / **Pr** 1
manifester **T** / **I,** p.p.inv. /
Pr 1
manigancer **T** 1
manipuler **T** 1
manœuvrer **T** / **I,** p.p.inv. 1
manquer **I,** p.p.inv. / **T** / **Ti**
(à, de), p.p.inv. /
-qu- partout 1
manucurer **T** 1
manufacturer **T** 1
manutentionner **T** 1
maquer **T** / -qu- partout 1
maquignonner **T** 1
maquiller **T** / **Pr** 1
marabouter **T** / Afrique 1
marauder **I** / **P.p.inv.** 1
marbrer **T** 1
marchander **T** / **I,** p.p.inv. ... 1
marcher **I** / **P.p.inv.** 1
marcotter **T** 1
margauder **I** / **P.p.inv.** 1
marger **T** 1
marginaliser **T** 1
marginer **T** 1
margoter **I** / **P.p.inv.** 1
margotter **I** / **P.p.inv.** 1
marier **T** / **Pr** 1
mariner **T** / **I,** p.p.inv. 1

marivauder **I** / **P.p.inv.** 12
marmiter **T** 12
marmonner **I,** p.p.inv. / **T** 12
marmotter **T** / **I,** p.p.inv. 12
marner **T** / **I,** p.p.inv. 12
maronner **I** / **P.p.inv.** 12
maroquiner **T** 12
maroufler **T** 12
marquer T / **I,** p.p.inv. /
-qu- partout 15
marqueter **T** 26
marrer **-se- + être**............... 12
marteler **T** 24
martyriser **T** 12
marxiser **T** 12
nasculiniser **T** 12
nasquer **T** / **I,** p.p.inv. /
-qu- partout 15
nassacrer T 12
nasser **T** / **I,** p.p.inv. / **Pr** ... 12
nassicoter **T** 12
nassifier **T** 14
nastiquer **T** / -qu- partout ... 15
nasturber **T** / **Pr** 12
natcher **I,** p.p.inv. / **T** 12
natelasser **T** 12
nater **T** 12
nâter **T** 12
natérialiser **T** / **Pr** 12
aterner **T** 12
aterniser **T** 12
athématiser **T** 12
âtiner **T** 12
atir **T** 34
atraquer **T** / -qu- partout ... 15
atricer **T** 17
audire T 77
augréer **I,** p.p.inv. / **T** /
-é- partout 13
aximaliser **T** 12
aximiser **T** 12
azer **T** 12
azouter **T** / **I,** p.p.inv. 12
écaniser **T** 12
écher **T** 19
conduire **-se- + être /**
Belgique ; Zaïre 82
connaître **T** 74
contenter **T** 12
dailler **T** 12
diatiser **T** 12
dicaliser **T** 12
dire **Ti** (de) / **P.p.inv.** / 2[e]
ers. du plur. à l'ind. prés. et à
impér. prés. :
vous) médisez 76
diter T / **Ti** (sur), p.p.inv.
I, p.p.inv. 12
duser **T** 12
fier -se- (de) **+ être** 14
gir **T** 34
gisser **T** 12
goter **I** / **P.p.inv.** 12
uger **T** / **Ti** (de), p.p.inv. /
r 16
langer T 16

mêler T / **Pr** 12
mémérer **I** / **P.p.inv.** /
Québec 12
mémoriser **T** 12
menacer T 17
ménager T / **Pr** 16
mendier I, p.p.inv. / **T** 14
mendigoter **T** / **I,** p.p.inv. 12
mener T / **I,** p.p.inv. 24
mensualiser **T** 12
mentaliser **T** 12
mentionner **T** 12
mentir I / **P.p.inv.** 36
menuiser **T** / **I,** p.p.inv. 12
méprendre **-se-** (sur) **+ être** ... 67
mépriser T 12
merceriser **T** 12
merder **I,** p.p.inv. / **T** 12
merdoyer **I** / **P.p.inv.** 30
meringuer **T** / -gu- partout ... 15
mériter T / **Ti** (de), p.p.inv. 12
mésallier **-se- + être** 14
mésestimer **T** 12
messeoir **Ti** (à) / **Déf** : usité seulement à l'inf. prés., à l'ind. prés., imparf. et futur simple, au subj. prés., au cond. prés. et au part. prés. (*messéant*) 60
mesurer T / **Pr** (à, avec) 12
mésuser **Ti** (de) / **P.p.inv.** ... 12
métaboliser **T** 12
métalliser **T** 12
métamorphiser **T** 12
métamorphoser **T** / **Pr** 12
métastaser **T** / **I,** p.p.inv. 12
météoriser **I** / **P.p.inv.** 12
méthaniser **T** 12
métisser **T** 12
métrer **T** 19
mettre T / **Pr** (à, en) 6
meubler T / **I,** p.p.inv. 12
meugler **I** / **P.p.inv.** 12
meuler **T** 12
meurtrir **T** 34
miauler **I** / **P.p.inv.** 12
microfilmer **T** 12
mignoter **T** 12
migrer **I** / **P.p.inv.** 12
mijoter **T** / **I,** p.p.inv. 12
militariser **T** 12
militer **I** / **P.p.inv.** 12
millésimer **T** 12
mimer **T** / **I,** p.p.inv. 12
minauder **I** / **P.p.inv.** 12
mincir **I,** p.p.inv. / **T** 34
miner **T** 12
minéraliser **T** 12
miniaturiser **T** 12
minimaliser **T** 12
minimiser **T** 12
minorer **T** 12
minuter **T** 12
mirer **T** / **Pr** (dans) 12
miroiter **I** / **P.p.inv.** 12
miser **T** / **Ti** (sur), p.p.inv. /
I, p.p.inv., Suisse 12
miter **-se- + être** 12
mithridatiser **T** 12

mitiger **T** 16
mitonner **I,** p.p.inv. / **T** 12
mitrailler **T** 12
mixer **T** 12
mixtionner **T** 12
mobiliser **T** / **Pr** 12
modeler **T** / **Pr** (sur) 24
modéliser **T** 12
modérer **T** / **Pr** 19
moderniser T / **Pr** 12
modifier T 14
moduler **T** / **I,** p.p.inv. 12
moffler **T** / Belgique 12
moirer **T** 12
moiser **T** 12
moisir **I,** p.p.inv. / **T** 34
moissonner **T** 12
moitir **T** 34
molester **T** 12
moleter **T** 26
molletonner **T** 12
mollir **I,** p.p.inv. / **T** 34
momifier **T** / **Pr** 14
monder **T** 12
mondialiser **T** 12
monétiser **T** 12
monnayer **T** .... 28 ou 29
monologuer **I** / **P.p.inv.** /
-gu- partout 15
monopoliser **T** 12
monter I + être / **T + avoir** /
Pr 12
montrer T / **Pr** 12
moquer T / **Pr** (de) /
-qu- partout 15
moquetter **T** 12
moraliser **T** / **I,** p.p.inv. 12
morceler **T** 22
mordancer **T** 17
mordiller **T** 12
mordorer **T** 12
mordre T / **Ti** (à), p.p.inv. /
Pr 65
morfler **I** / **P.p.inv.** 12
morfondre **-se- + être** 65
morguer **T** / -gu- partout 15
morigéner **T** 19
mortaiser **T** 12
mortifier **T** 14
motionner **I** / **P.p.inv.** 12
motiver **T** 12
motoriser **T** 12
motter **-se- + être** 12
moucharder **T** / **I,** p.p.inv. 12
moucher T / **Pr** 12
moucheronner **I** / **P.p.inv.** 12
moucheter **T** 26
moudre T 96
moufeter [mufte] **I** /
P.p.inv. 12
moufter **I** / **P.p.inv.** 12
mouiller T / **I,** p.p.inv. / **Pr** 12
mouler **T** 12
mouliner **T** 12
moulurer **T** 12
mourir I / **Pr** / **+ être** 42
mousser **I** / **P.p.inv.** 12

moutonner **I** / **P.p.inv.** 12
mouvementer **T** 12
mouvoir T / **Pr** 54
moyenner **T** 12
muer **I,** p.p.inv. / **T** / **Pr** (en) 12
mugir **I** / **P.p.inv.** 34
multiplier T / **I,** p.p.inv. / **Pr** 14
municipaliser **T** 12
munir T / **Pr** (de) 34
murer **T** / **Pr** 12
mûrir I, p.p.inv. / **T** 34
murmurer I, p.p.inv. / **T** 12
musarder **I** / **P.p.inv.** 12
muscler **T** 12
museler **T** 22
muser **I** / **P.p.inv.** 12
musiquer **T** / -qu- partout 15
musser **T** 12
muter **T** / **I,** p.p.inv. 12
mutiler **T** 12
mutiner -se- + **être** 12
mutualiser **T** 12
mystifier **T** 14
mythifier **T** 14

N

nacrer **T** 12
nager I, p.p.inv. / **T** 16
naître I /+ **être** 75
nanifier **T** 14
naniser **T** 12
nantir **T** / **Pr** (de) 34
napper **T** 12
narguer **T** / -gu- partout 15
narrer **T** 12
nasaliser **T** 12
nasiller **I** / **P.p.inv.** 12
nationaliser T 12
natter **T** 12
naturaliser T 12
naufrager **I** / **P.p.inv.** 16
naviguer I / **P.p.inv.** / -gu- partout. Attention au part. prés. : *naviguant* (ne pas confondre avec l'adj. et le nom «navigant») 15
navrer **T** 12
néantiser **T** 12
nébuliser **T** 12
nécessiter **T** 12
nécroser **T** / **Pr** 12
négliger T / **Pr** / Attention au part. prés. : *négligeant* (ne pas confondre avec l'adj. «négligent») 16
négocier T / **I,** p.p.inv. 14

P.p. inv. : verbe dont le participe passé est toujours invariable

p.p. inv. : participe passé invariable dans l'emploi indiqué

neiger U / **P.p.inv.** 16
nervurer **T** 12
nettoyer T 30
neutraliser **T** / **Pr** 12
niaiser **I** / **P.p.inv.** / Québec 12
nicher **I,** p.p.inv. / **Pr** 12
nickeler **T** 22
nidifier **I** / **P.p.inv.** 14
nieller **T** 12
nier [nje] **T** 14
nimber **T** 12
nipper **T** / **Pr** 12
nitrater **T** 12
nitrer **T** 12
nitrifier **T** 14
nitrurer **T** 12
niveler **T** 22
noircir T / **I,** p.p.inv. / **Pr** 34
noliser **T** 12
nomadiser **I** / **P.p.inv.** 12
nombrer **T** 12
nominaliser **T** 12
nominer **T** 12
nommer T / **Pr** 12
nonupler **T** 12
nordir **I** / **P.p.inv.** 34
normaliser **T** / **Pr** 12
noter T 12
notifier **T** 14
nouer T 12
nourrir T / **Pr** (de) 34
nover **T** 12
noyauter **T** 12
noyer T / **Pr** 30
nuancer **T** 17
nucléariser **T** 12
nuer **T** 12
nuire Ti (à) / **P.p.inv.** (*nui*) 83
numériser **T** 12
numéroter **T** / **I,** p.p.inv. 12

O

obéir Ti (à) / **P.p.inv.** / Attention : peut se conjuguer à la voix passive ; à cette voix, le part. passé est variable : *elles ont été obéi***es** 34
obérer **T** 19
objecter **T** 12
objectiver **T** 12
obliger T 16
obliquer **I** / **P.p.inv.** / -qu- partout 15
oblitérer **T** 19
obnubiler **T** 12
obombrer **T** 12
obscurcir T / **Pr** 34
obséder **T** 19
observer T / **Pr** 12
obstiner -s'- + être 12
obstruer **T** 12
obtempérer [ɔptãpere] **Ti** (à) / **P.p.inv.** 19

obtenir T 4
obturer **T** 12
obvenir **I** /+ **être** 4
obvier **Ti** (à) / **P.p.inv.** 14
occasionner **T** 12
occidentaliser **T** 12
occire [ɔksir] **T** / **Déf** : usité seulement à l'inf., au part. passé (*occis, occise/es*) et aux temps composés.
occlure **T** / Part. passé : *occlus, occluse/es* 93
occulter **T** 12
occuper T / **Pr** (de) 12
ocrer **T** 12
octavier **I** / **P.p.inv.** 14
octroyer **T** / **Pr** 30
octupler **T** 12
œilletonner **T** 12
œuvrer **I** / **P.p.inv.** 12
offenser T / **Pr** (de) 1
officialiser **T** 1
officier **I** / **P.p.inv.** 1
offrir T / **Pr** 4
offusquer **T** / **Pr** (de) / -qu- partout 1
oindre **T** / Usité surtout à l'inf. et au part. passé : *oint/ts, ointe/tes* 7
oiseler **I** / **P.p.inv.** 2
ombrager **T**
ombrer **T**
omettre **T**
ondoyer **I,** p.p.inv. / **T**
onduler I, p.p.inv. / **T**
opacifier **T**
opaliser **T**
opérer T / **I,** p.p.inv. / **Pr**
opiacer **T**
opiner **Ti** / **P.p.inv.**
opposer T / **Pr** (à)
oppresser **T**
opprimer T
opter **I** (pour, en faveur de) / **P.p.inv.**
optimaliser **T**
optimiser **T**
oraliser **T**
orbiter **I** / **P.p.inv.**
orchestrer [ɔrkɛstre] **T**
ordonnancer **T**
ordonner T
organiser T / **Pr**
organsiner **T**
orienter T / **Pr**
ornementer **T**
orner T
orthographier **T**
osciller [ɔsile] **I** / **P.p.inv.**
oser T
ossifier **-s'- + être**
ôter T / **Pr**
ouater [wate] **T**
ouatiner [watine] **T**
oublier T / **Pr**
ouiller **T**
ouïr T / Usité aujourd'hui seulem à l'inf., au part. passé et

temps composés, souvent avec le verbe «dire» : *j'ai ouï dire que* 47
ourdir **T** ... 34
ourler **T** ... 12
outiller **T** ... 12
outrager **T** ... 16
outrepasser **T** ... 12
utrer **T** ... 12
uvrager **T** ... 16
uvrer **T** ... 12
uvrir T / **I,** p.p.inv. / **Pr** ... 44
valiser **T** ... 12
vationner **T** ... 12
vuler **I** / **P.p.inv.** ... 12
xyder **T** / **Pr** ... 12
xygéner **T** / **Pr** ... 19
zoner **T** ... 12
zoniser **T** ... 12

acager **T** / **I,** p.p.inv. ... 16
acifier T ... 14
acquer **T** / -cqu- partout ... 15
actiser **I** / **P.p.inv.** ... 12
aganiser **T** ... 12
gayer [pageje] **I** / **P.p.inv.** ... 28 ou 29
giner **T** ... 12
gnoter -se- + **être** ... 12
illassonner **T** ... 12
ller **T** ... 12
lleter **T** ... 26
ître T / **I,** p.p.inv. : *pu*, terme de fauconnerie / **Déf** : passé simple, subj. imparf. et temps composés inusités ... 100
abrer **I** / **P.p.inv.** ... 12
anquer **I,** p.p.inv. / **T** / qu- partout ... 15
ataliser **T** ... 12
ettiser **T** ... 12
ir I, p.p.inv. / **T** ... 34
ssader **T** ... 12
sser **T** ... 12
ssonner **T** ... 12
ier **T** / **Ti** (à), p.p.inv. à l'oral eulement (construction en rincipe fautive) ... 14
ner **T** ... 12
er **T** ... 12
iter **I** / **P.p.inv.** ... 12
ner -se- + **être** ... 12
acher **T** / **Pr** ... 12
er **T** ... 12
fier **T** ... 14
quer **I,** p.p.inv. / **T** / **Pr** / qu- partout ... 15
neauter **I** / **P.p.inv.** ... 12
osser **T** / Suisse ; Savoie 12
ser **T** ... 12
eler **I** / **P.p.inv.** ... 22
coufler **I** / **P.p.inv.** ... 12
llonner **I** / **P.p.inv.** ... 12
lloter **I** / **P.p.inv.** ... 12

papoter **I** / **P.p.inv.** ... 12
parachever **T** ... 24
parachuter **T** ... 12
parader **I** / **P.p.inv.** ... 12
parafer **T** ... 12
paraffiner **T** ... 12
paraître I /+ **être ou avoir** 74
paralyser T ... 12
paramétrer **T** ... 19
parangonner **T** ... 12
parapher **T** ... 12
paraphraser **T** ... 12
parasiter **T** ... 12
parcellariser **T** ... 12
parcelliser **T** ... 12
parcourir T ... 41
pardonner T / **Ti** (à), p.p.inv. / Le part. passé s'accorde à la voix passive : *elle a été pardonné***e** 12
parementer **T** ... 12
parer T / **Ti** (à), p.p.inv. / **Pr** (de) ... 12
paresser **I** / **P.p.inv.** ... 12
parfaire **T** / **Déf** : usité à l'inf., au part. passé, au sing. de l'ind. prés. et aux temps composés 5
parfiler **T** ... 12
parfondre **T** ... 65
parfumer T / **Pr** ... 12
parier **T** ... 14
parjurer -se- + **être** ... 12
parlementer **I** / **P.p.inv.** ... 12
parler I, p.p.inv. / **Ti** (de), p.p.inv. / **T** / **Pr,** p.p.inv. 12
parodier **T** ... 14
parquer **T** / **I,** p.p.inv. / -qu- partout ... 15
parqueter **T** ... 26
parrainer **T** ... 12
parsemer **T** ... 24
partager T ... 16
participer Ti (à) / **P.p.inv.** 12
particulariser **T** ... 12
partir I /+ **être** ... 36
parvenir I /+ **être** ... 4
passementer **T** ... 12
passer I / **T** / **Pr** (de) /+ **être ou avoir** sauf à la voix pronominale : toujours «être» ... 12
passionner T / **Pr** (pour) ... 12
passiver **T** ... 12
pasteuriser **T** ... 12
pasticher **T** ... 12
patauger **I** / **P.p.inv.** ... 16
pateliner **I** / **P.p.inv.** ... 12
patenter **T** ... 12
patienter I / **P.p.inv.** ... 12
patiner **I,** p.p.inv. / **T** / **Pr** ... 12
pâtir **I** / **P.p.inv.** ... 34
pâtisser **I** / **P.p.inv.** ... 12
patoiser **I** / **P.p.inv.** ... 12
patouiller **I,** p.p.inv. / **T** ... 12
patronner **T** ... 12
patrouiller **I** / **P.p.inv.** ... 12
pâturer **T** / **I,** p.p.inv. ... 12
paumer **T** / **Pr** ... 12

paumoyer **T** ... 30
paupériser **T** ... 12
pauser **I** / **P.p.inv.** ... 12
pavaner -se- + **être** ... 12
paver **T** ... 12
pavoiser **T** / **I,** p.p.inv. ... 12
payer T / **I,** p.p.inv. / **Pr** ... 28 ou 29
peaufiner **T** ... 12
pécher **I** / **P.p.inv.** ... 19
pêcher T ... 12
pécloter **I** / **P.p.inv.** / Suisse ... 12
pédaler **I** / **P.p.inv.** ... 12
peigner T / **Pr** ... 12
peindre T / **Pr** ... 69
peiner T / **I,** p.p.inv. ... 12
peinturer **T** ... 12
peinturlurer **T** ... 12
peler **T** / **I,** p.p.inv. ... 24
peller [pɛle] **T** / Suisse ... 12
pelleter [pɛlte] **T** ... 26
pelliculer **T** ... 12
peloter [plɔte] **T** ... 12
pelotonner **T** / **Pr** ... 12
pelucher [plyʃe] **I** / **P.p.inv.** 12
pénaliser **T** ... 12
pencher T / **I,** p.p.inv. / **Pr** 12
pendiller **I** / **P.p.inv.** ... 12
pendouiller **I** / **P.p.inv.** ... 12
pendre T / **I,** p.p.inv. / **Pr** ... 65
penduler **I** / **P.p.inv.** ... 12
pénétrer T / **I,** p.p.inv. / **Pr** (de) ... 19
penser I, p.p.inv. / **Ti** (à), p.p.inv. / **T** ... 12
pensionner **T** ... 12
pépier **I** / **P.p.inv.** ... 14
percer T / **I,** p.p.inv. ... 17
percevoir **T** ... 50
percher I, p.p.inv. / **T** / **Pr** 12
percuter **T** / **I,** p.p.inv. ... 12
perdre T / **I,** p.p.inv. / **Pr** ... 65
perdurer **I** / **P.p.inv.** ... 12
pérenniser **T** ... 12
perfectionner **T** / **Pr** ... 12
perforer **T** ... 12
perfuser **T** ... 12
péricliter **I** / **P.p.inv.** ... 12
périmer -se- + **être** ... 12
périr I / **P.p.inv.** ... 34
perler **T** / **I,** p.p.inv. ... 12
permettre T / **Pr** ... 6
permuter **T** / **I,** p.p.inv. ... 12
pérorer **I** / **P.p.inv.** ... 12
peroxyder **T** ... 12
perpétrer **T** ... 19
perpétuer **T** / **Pr** ... 12
perquisitionner **I,** p.p.inv. / **T** 12
persécuter **T** ... 12
persévérer I / **P.p.inv.** ... 19
persifler **T** ... 12
persister I (dans, à + inf.) / **P.p.inv.** ... 12
personnaliser **T** ... 12
personnifier **T** ... 14

persuader **T** / **Pr** (de) 12
perturber **T** 12
pervertir **T** / **Pr** 34
pervibrer **T** 12
peser **T** / **I,** p.p.inv. 24
pester **I** / **P.p.inv.** 12
pétarader **I** / **P.p.inv.** 12
péter **I,** p.p.inv. / **T** 19
pétiller **I** / **P.p.inv.** 12
petit-déjeuner **I** / **P.p.inv.** 12
pétitionner **I** / **P.p.inv.** 12
pétouiller **I** / **P.p.inv.** / Suisse 12
pétrifier **T** 14
pétrir **T** 34
pétuner **I** / **P.p.inv.** 12
peupler **T** / **Pr** 12
phagocyter **T** 12
philosopher **I** / **P.p.inv.** 12
phosphater **T** 12
phosphorer **I** / **P.p.inv.** 12
photocomposer **T** 12
photocopier **T** 14
photographier **T** 14
phraser **T** 12
piaffer **I** / **P.p.inv.** 12
piailler **I** / **P.p.inv.** 12
pianoter **I** / **P.p.inv.** 12
piauler **I** / **P.p.inv.** 12
picoler **T** 12
picorer **T** 12
picoter **T** 12
piéger **T** 20
piéter **I** / **P.p.inv.** 19
piétiner **I,** p.p.inv. / **T** 12
pieuter **-se- + être** 12
pifer **T** 12
piffer **T** 12
pigeonner **T** 12
piger **T** 16
pigmenter **T** 12
pignocher **I** / **P.p.inv.** 12
piler **T** / **I,** p.p.inv. 12
piller [pije] **T** 12
pilonner **T** 12
piloter **T** 12
pimenter **T** 12
pinailler **I** / **P.p.inv.** 12
pincer **T** 17
pinter **I,** p.p.inv. / **T** / **Pr** 12
piocher **T** 12
pioncer **I** / **P.p.inv.** 17
piorner **I** / **P.p.inv.** / Suisse 12
piper **T** 12
pique-niquer **I** / **P.p.inv.** / -qu- partout 15
piquer **T** / **I,** p.p.inv. / **Pr** / -qu- partout 15

P.p. inv. : verbe dont le participe passé est toujours invariable

p.p. inv. : participe passé invariable dans l'emploi indiqué

piqueter **T** / **I,** p.p.inv., Québec 26
pirater **T** / **I,** p.p.inv. 12
pirouetter **I** / **P.p.inv.** 12
pisser **T** / **I,** p.p.inv. 12
pister **T** 12
pistonner **T** 12
pitonner **T** / **I,** p.p.inv. 12
pivoter **I** / **P.p.inv.** 12
placarder **T** 12
placer **T** / **Pr** 17
placoter **I** / **P.p.inv.** / Québec 12
plafonner **I,** p.p.inv. / **T** 12
plagier **T** 14
plaider **T** / **I,** p.p.inv. 12
plaindre **T** / **Pr** 68
plaire **I** (à) / **U** dans des expressions figées : *s'il vous/te plaît ; plaît-il* (pour faire répéter si on n'a pas entendu), etc. / **Pr** / **P.p.inv.** même à la voix pronominale 89
plaisanter **I,** p.p.inv. / **T** 12
planchéier [plɑ̃ʃeje] **T** / -é- partout dans la base 14
plancher **I** / **Ti** (sur) / **P.p.inv.** 12
planer **T** / **I,** p.p.inv. 12
planifier **T** 14
planquer **T** / **Pr** / -qu- partout 15
planter **T** / **Pr** 12
plaquer **T** / -qu- partout 15
plasmifier **T** 14
plastifier **T** 14
plastiquer **T** / -qu- partout 15
plastronner **I** / **P.p.inv.** 12
platiner **T** 12
plâtrer **T** 12
plébisciter **T** 12
pleurer **I,** p.p.inv. / **T** 12
pleurnicher **I** / **P.p.inv.** 12
pleuvasser **U** / **P.p.inv.** 12
pleuviner **U** / **P.p.inv.** 12
pleuvoir **U** / **I** / **P.p.inv.** / Existe à la 3e pers. du plur. au sens figuré 61
pleuvoter **U** / **P.p.inv.** 12
plier **T** / **I,** p.p.inv. / **Pr** (à) 14
plisser **T** / **I,** p.p.inv. 12
plomber **T** 12
plonger **T** / **I,** p.p.inv. / **Pr** 16
ployer **T** / **I,** p.p.inv. 30
plucher **I** / **P.p.inv.** 12
plumer **T** 12
pluviner **U** / **P.p.inv.** 12
pocharder **-se- + être** 12
pocher **T** 12
poêler [pwale] **T** 12
poétiser **T** 12
poignarder **T** 12
poiler **-se- + être** 12
poinçonner **T** 12
poindre **I** / **Déf** : usité seulement à l'ind. prés., au part. prés. et à la 3e pers. du sing. des temps simples
pointer **T** / **I,** p.p.inv. / **Pr**
pointiller **I,** p.p.inv. / **T**
poireauter **I** / **P.p.inv.**
poiroter **I** / **P.p.inv.**
poisser **T**
poivrer **T** / **Pr**
polariser **T** / **Pr** (sur)
polémiquer **I** / **P.p.inv.** / -qu- partout
policer **T**
polir **T**
polissonner **I** / **P.p.inv.**
politiser **T**
polluer **T**
polycopier **T**
polymériser **T**
pommader **T**
pommeler **-se- + être**
pommer **I** / **P.p.inv.**
pomper **T**
pomponner **T** / **Pr**
poncer **T**
ponctionner **T**
ponctuer **T**
pondérer **T**
pondre **T**
ponter **I,** p.p.inv. / **T**
pontifier **I** / **P.p.inv.**
populariser **T**
poquer **I** / **P.p.inv.** / -qu- partout
porter **T** / **I,** p.p.inv. / **Pr**
portraiturer **T**
poser **T** / **I,** p.p.inv. / **Pr**
positionner **T** / **Pr**
posséder **T** / **Pr**
postdater **T**
poster **T** / **Pr**
postillonner **I** / **P.p.inv.**
postposer **T**
postsynchroniser **T**
postuler **T** / **I,** p.p.inv.
potasser **T**
potentialiser **T**
potiner **I** / **P.p.inv.**
poudrer **T**
poudroyer **I** / **P.p.inv.**
pouffer **I** / **P.p.inv.**
pouliner **I** / **P.p.inv.**
pouponner **I** / **P.p.inv.**
pourchasser **T**
pourfendre **T**
pourlécher **-se- + être**
pourrir **I,** p.p.inv. / **T**
poursuivre **T**
pourvoir **Ti** (à), p.p.inv. / **T** / **Pr** (de, en)
pousser **T** / **I,** p.p.inv. / **Pr**
poutser **T** / Suisse
pouvoir **T** / **U + être** à la pronominale : *il se peut* (+ subj.) / **P.p.inv.** / **Déf** pas d'impér.
praliner **T**

pratiquer T / **Pr** / -qu- partout ... 15
préaviser T ... 12
précariser T ... 12
précautionner -se- + être ... 12
précéder T / Attention au part. prés. : *précédant* (ne pas confondre avec l'adj. «précédent») ... 19
préchauffer T ... 12
prêcher T / **I,** p.p.inv. ... 12
précipiter T / **I,** p.p.inv. / **Pr** 12
préciser T / **Pr** ... 12
précompter T ... 12
préconiser T ... 12
prédestiner T ... 12
prédéterminer T ... 12
prédiquer T / -qu- partout ... 15
prédire T / 2e pers. du plur. à l'ind. prés. et à l'impér. prés. : *(vous) prédisez* ... 76
prédisposer T ... 12
prédominer I / **P.p.inv.** ... 12
préétablir T ... 34
préexister I / **P.p.inv.** ... 12
préfacer T ... 17
préférer T ... 19
préfigurer T ... 12
préfixer T ... 12
réformer T ... 12
réjuger T / **Ti** (de), p.p.inv. 16
rélasser -se- + être ... 12
rélever T ... 24
réluder I / **Ti** (à) / **P.p.inv.** 12
réméditer T ... 12
rémunir T / **Pr** (contre) ... 34
rendre T / **I,** p.p.inv. / **Pr** (à, de, pour) ... 67
rénommer T ... 12
réoccuper T / **Pr** (de) ... 12
réparer T / **Pr** ... 12
épayer T ... 28 ou 29
réposer T ... 12
rérégler T ... 19
résager T ... 16
rescrire T / **Pr** ... 78
ésélectionner [preselɛksjɔne] **T** ... 12
résenter T / **I,** p.p.inv. / **Pr** ... 12
éserver T ... 12
ésider T / **Ti** (à), p.p.inv. / Attention au part. prés. : *présidant* (ne pas confondre avec le nom «président») ... 12
essentir T ... 36
esser T / **I,** p.p.inv. / **Pr** 12
essurer T / **Pr** ... 12
essuriser T ... 12
ester T / Belgique;Zaïre ... 12
ésumer T / **Ti** (de), p.p.inv. ... 12
ésupposer [presypoze] **T** ... 12
ésurer T ... 12
étendre T / **Ti** (à), p.p.inv. ... 65
êter T / **Ti** (à), p.p.inv. / **Pr** (à) ... 12

prétériter T Suisse ... 12
prétexter T ... 12
prévaloir I, p.p.inv. / **Pr** (de) 56
prévariquer I / **P.p.inv.** / -qu- partout ... 15
prévenir T ... 4
prévoir T ... 52
prier T / **I,** p.p.inv. ... 14
primer T / **Ti** (sur), p.p.inv. 12
priser T ... 12
privatiser T ... 12
priver T / **Pr** (de) ... 12
privilégier T ... 14
procéder I / **Ti** (à) / **P.p.inv.** ... 19
proclamer T ... 12
procréer T / -é- partout dans la base ... 13
procurer T ... 12
prodiguer T / -gu- partout 15
produire T / **Pr** ... 82
profaner T ... 12
proférer T ... 19
professer T ... 12
professionnaliser T / **Pr** ... 12
profiler T / **Pr** ... 12
profiter Ti (de, à) / **I** / **P.p.inv.** ... 12
programmer T ... 12
progresser I / **P.p.inv.** ... 12
prohiber T ... 12
projeter T ... 26
prolétariser T / **Pr** ... 12
proliférer I / **P.p.inv.** ... 19
prolonger T ... 16
promener T / **I,** p.p.inv. / **Pr** ... 24
promettre T / **I,** p.p.inv. / **Pr** ... 6
promouvoir T / Usité surtout à l'inf., au part. passé (*promu/ue/us/ues*), aux temps composés et à la voix passive ... 54
promulguer T / -gu- partout 15
prôner T ... 12
prononcer T / **I,** p.p.inv. / **Pr** 17
pronostiquer T / -qu- partout 15
propager T / **Pr** ... 16
prophétiser T ... 12
proportionner T ... 12
proposer T / **Pr** ... 12
propulser T / **Pr** ... 12
proroger T ... 16
proscrire T ... 78
prospecter T ... 12
prospérer I / **P.p.inv.** ... 19
prosterner -se- + être ... 12
prostituer T / **Pr** ... 12
protéger T ... 20
protester I, p.p.inv. / **Ti** (de), p.p.inv. / **T** (langage juridique) ... 12
prouver T ... 12
provenir I /**+ être** ... 4

provigner T / **I,** p.p.inv. ... 12
provisionner T ... 12
provoquer T / -qu- partout. Attention au part. passé : *provoquant* (ne pas confondre avec l'adj. «provocant») ... 15
psalmodier T / **I,** p.p.inv. ... 14
psychanalyser T ... 12
psychiatriser T ... 12
publier T ... 14
puddler [pœdle] **T** ... 12
puer I / **T** / **P.p.inv.** / Peu usité au passé simple, au subj. imparf. et aux temps composés ... 12
puiser T / **I,** p.p.inv. ... 12
pulluler I / **P.p.inv.** ... 12
pulser T ... 12
pulvériser T ... 12
punaiser T ... 12
punir T ... 34
purger T / **Pr** ... 16
purifier T ... 14
putréfier T / **Pr** ... 14
putter [pœte] **I** / **P.p.inv.** ... 12
pyrograver T ... 12

Q

quadriller T ... 12
quadrupler [kwadryple] **T** / **I,** p.p.inv. ... 12
qualifier T / **Pr** ... 14
quantifier T ... 14
quartager T ... 16
quarter T ... 12
quémander T / **I,** p.p.inv. ... 12
quereller T / **Pr** ... 12
quérir T / **Déf** : usité seulement à l'inf. prés. après «aller», «envoyer», «faire», «venir»
questionner T ... 12
quêter T / **I,** p.p.inv. ... 12
queuter I / **P.p.inv.** ... 12
quintupler [kɛ̃typle] **T** / **I,** p.p.inv. ... 12
quittancer T ... 17
quitter T / **I,** p.p.inv., Afrique ... 12

R

rabâcher T / **I,** p.p.inv. ... 12
rabaisser T / **Pr** ... 12
rabattre T / **I,** p.p.inv. / **Pr** (sur) ... 73
rabibocher T / **Pr** (avec) ... 12
rabioter T ... 12
râbler T ... 12
rabonnir I / **P.p.inv.** ... 34
raboter T ... 12
rabougrir T / **Pr** ... 34
rabouter T ... 12
rabrouer T ... 12

raccommoder T / **Pr** 12
raccompagner **T** 12
raccorder **T** 12
raccourcir T / **I,** p.p.inv. 34
raccrocher [rakrɔʃe] **T** /
I, p.p.inv. / **Pr** (à) 12
raccuser **T** / Belgique 12
racheter T / **Pr** 27
raciner **T** 12
racketter **T** 12
racler **T** /
Pr dans l'expression
se racler la gorge 12
racoler **T** 12
raconter T 12
racornir **T** 34
rader **T** 12
radicaliser **T** 12
radier **T** 14
radiner **I,** p.p.inv. / **Pr** 12
radiobaliser **T** 12
radiodiffuser **T** 12
radiographier **T** 14
radioguider **T** 12
radoter **I,** p.p.inv. / **T** 12
radouber **T** 12
radoucir **T** / **Pr** 34
raffermir **T** / **Pr** 34
raffiner T / **Ti** (sur), p.p.inv. 12
raffoler **Ti** (de) / **P.p.inv.** 12
raffûter **T** 12
rafistoler **T** 12
rafler **T** 12
rafraîchir T / **I,** p.p.inv. / **Pr** 34
ragaillardir **T** 34
rager **I** / **P.p.inv.** 16
ragréer **T** / -é- partout dans
la base 13
raguer **I** / **P.p.inv.** /
-gu- partout 15
raidir **T** / **Pr** 34
railler **T** 12
rainer **T** 12
rainurer **T** 12
raire **I** / **P.p.inv.** / **Déf** : pas de passé simple, pas de subj. imparf. 88
raisonner I, p.p.inv. / **T** 12
rajeunir T / **I,** p.p.inv. / **Pr** 34
rajouter **T** 12
rajuster **T** 12
ralentir T / **I,** p.p.inv. 34
râler **I** / **P.p.inv.** 12
ralinguer **T** / **I,** p.p.inv. /
-gu- partout 15
raller **I** / **P.p.inv.** 12
rallier **T** / **Pr** (à) 14
rallonger **T** / **I,** p.p.inv. 16
rallumer T / **Pr** 12

P.p. inv. : verbe dont le participe passé est toujours invariable

p.p. inv. : participe passé invariable dans l'emploi indiqué

ramager **T** / **I,** p.p.inv. 16
ramasser T / **Pr** 12
ramender **T** 12
ramener T / **Pr** 24
ramer T / **I,** p.p.inv. 12
rameuter **T** 12
ramifier **T** / **Pr** 14
ramollir **T** / **Pr** 34
ramoner **T** 12
ramper I / **P.p.inv.** 12
rancarder **T** / **Pr** (sur) 12
rancir **I,** p.p.inv. / **T** 34
rançonner **T** 12
randomiser **T** 12
randonner **I** / **P.p.inv.** 12
ranger T / **Pr** 16
ranimer T / **Pr** 12
rapatrier T 14
râper T 12
rapercher **T** / Suisse 12
rapetasser **T** 12
rapetisser **T** / **I,** p.p.inv. 12
rapiécer **T** 21
rapiner **T** / **I,** p.p.inv. 12
raplatir **T** 34
rapointir **T** 34
rappareiller **T** 12
rapparier **T** 14
rappeler T / **Pr** 22
rappliquer **I** / **P.p.inv.** /
-qu- partout 15
rappointir **T** 34
rapporter T / **Pr** (à) 12
rapprendre **T** 67
rapprêter **T** 12
rapprocher T / **Pr** (de) 12
raquer **T** / -qu- partout 15
raréfier **T** / **Pr** 14
raser T / **Pr** 12
rassasier **T** 14
rassembler T / **Pr** 12
rasseoir **T** / **Pr** 57
rasséréner **T** / **Pr** 19
rassir **I** / **+ être ou avoir** /
Attention au part. passé : *rassis/ise/ises* («rassi/ie/is/ies» appartient à la langue orale, à propos du pain ou de la pâtisserie) 34
rassortir **T** 34
rassurer T 12
ratatiner **T** / **Pr** 12
râteler **T** 22
rater I, p.p.inv. / **T** 12
ratiboiser **T** 12
ratifier T 14
ratiner **T** 12
ratiociner [rasjosine] **I** /
P.p.inv. 12
rationaliser **T** 12
rationner **T** 12
ratisser **T** / **I,** p.p.inv. 12
rattacher T / **Pr** (à) 12
rattraper T / **Pr** 12
raturer **T** 12
raucher **T** 12
rauquer **I** / **P.p.inv.** /
-qu- partout 15

ravager **T** 16
ravaler **T** / **Pr** 12
ravauder **T** 12
ravigoter **T** 12
ravilir **T** 34
raviner **T** 12
ravir **T** 34
raviser **-se- + être** 12
ravitailler **T** 12
raviver **T** 12
ravoir **T** / **Pr,** Belgique / **Déf** : usité seulement à l'inf. prés.
rayer **T** 29
rayonner I, p.p.inv. / **T** 12
razzier **T** 14
réabonner **T** 12
réabsorber **T** 12
réaccoutumer **T** 12
réactiver **T** 12
réactualiser **T** 12
réadapter **T** 12
réadmettre **T** 6
réaffirmer **T** 12
réagir I / **P.p.inv.** 34
réajuster **T** 1
réaléser **T** 1
réaligner **T** 1
réaliser T / **Pr** 1
réaménager **T** 1
réamorcer **T** 1
réanimer **T** 1
réapparaître **I** / **+ être ou avoir** 7
réapprendre **T** 6
réapprovisionner **T** 1
réargenter **T** 1
réarmer **T** / **I,** p.p.inv. 1
réarranger **T** 1
réassigner **T** 1
réassortir **T** 3
réassurer **T** 1
rebaisser **I,** p.p.inv. / **T** ....
rebaptiser [rəbatize] **T** ....
rebâtir **T** ....
rebattre **T** ....
rebeller **-se- + être**...............
rebiffer **-se- + être** ....
rebiquer **I** / **P.p.inv.** /
-qu- partout ....
reblanchir **T** ....
reboire **T** / **I,** p.p.inv. ....
reboiser **T** ....
rebondir I / **P.p.inv.** ....
reborder **T** ....
reboucher **T** ....
reboutonner **T** ....
rebroder **T** ....
rebrousser **T** ....
rebrûler **T** ....
rebuter **T** ....
recacheter **T** ....
recadrer **T** ....
recalcifier **T** ....
recalculer **T** ....
recaler **T** ....
recapitaliser **T** ....

récapituler **T** ... 12
recarder **T** ... 12
recarreler [rəkarle] **T** ... 22
recaser **T** ... 12
recauser **Ti** (de) / **P.p.inv.** 12
recéder **T** ... 19
receler **T** ... 24
recenser **T** ... 12
recentrer **T** ... 12
receper **T** ... 24
recéper **T** ... 19
réceptionner **T** ... 12
recercler **T** ... 12
recevoir T / **Pr** ... 50
echampir **T** ... 34
échampir **T** ... 34
echanger **T** ... 16
echanter **T** ... 12
echaper **T** ... 12
échapper **I** / **Ti** (à, de) / **+ être ou avoir** ... 12
echarger **T** ... 16
echasser **T** ... 12
échauffer T / **Pr** ... 12
echausser **T** / **Pr** ... 12
echercher T ... 12
echigner **I** / **Ti** (à) / **P.p.inv.** 12
echristianiser [rəkristjanize] **T** ... 12
chuter **I** / **P.p.inv.** ... 12
cidiver **I** / **P.p.inv.** ... 12
ciproquer **I,** p.p.inv. / **T** / Belgique ; Zaïre / -qu- partout ... 15
citer T ... 12
clamer T / **I,** p.p.inv. / **Pr** (de) ... 12
classer **T** ... 12
clouer **T** ... 12
coiffer **T** / **Pr** ... 12
coler **T** ... 12
coller **T** / **Ti** (à), p.p.inv. .. 12
colter T ... 12
commander T / **Pr** (de) 12
commencer T / **I,** p.p.inv. 17
comparaître **I** / **P.p.inv.** 74
compenser T ... 12
composer **T** ... 12
compter **T** ... 12
concilier T / **Pr** (avec) 14
ondamner [rəkɔ̃dane] **T** ... 12
conduire T ... 82
conforter T ... 12
connaître T / **Pr** ... 74
onquérir **T** ... 43
onsidérer **T** ... 19
constituer T ... 12
onstruire **T** ... 82
onvertir **T** / **Pr** ... 34
opier T ... 14
order **T** ... 12
orriger **T** ... 16
oucher **T** ... 12
oudre **T** ... 97
ouper **T** / **I,** p.p.inv. ... 12

recourber **T** ... 12
recourir **T** / **I,** p.p.inv. / **Ti** (à), p.p.inv. ... 41
recouvrer **T** ... 12
recouvrir T ... 44
recracher **T** / **I,** p.p.inv. ... 12
recréer **T** / -é- partout dans la base ... 13
récréer **T** / -é- partout dans la base ... 13
recrépir **T** ... 34
recreuser **T** ... 12
récrier **-se- + être** ... 14
récriminer **I** / **P.p.inv.** ... 12
récrire **T** ... 78
recristalliser **T** / **I,** p.p.inv. 12
recroître **I** / **P.p.inv.** : au masc. sing., *recrû* (accent circonflexe pour éviter de confondre avec l'adj. «recru») ... 91
recroqueviller **-se- + être** ... 12
recruter T / **Pr** ... 12
rectifier T ... 14
recueillir T / **Pr** ... 45
recuire **T** / **I,** p.p.inv. ... 82
reculer T / **I,** p.p.inv. ... 12
reculotter **T** ... 12
récupérer T / **I,** p.p.inv. ... 19
récurer **T** ... 12
récuser **T** / **Pr** ... 12
recycler **T** / **Pr** ... 12
redécouvrir **T** ... 44
redéfaire **T** ... 5
redéfinir **T** ... 34
redemander **T** ... 12
redémarrer **I** / **P.p.inv.** ... 12
redéployer **T** ... 30
redescendre I, + être / **T, + avoir** ... 65
redevenir I / **+ être** ... 4
redevoir **T** ... 10
rediffuser **T** ... 12
rédiger T ... 16
redimensionner **T** / Suisse 12
rédimer **T** ... 12
redire T ... 76
rediscuter **T** ... 12
redistribuer **T** ... 12
redonner **T** ... 12
redorer **T** ... 12
redoubler T / **Ti** (de), p.p.inv. / **I,** p.p.inv. ... 12
redouter T ... 12
redresser T / **I,** p.p.inv. / **Pr** 12
réduire T / **I,** p.p.inv. / **Pr** (à) ... 82
réécouter **T** ... 12
réécrire **T** ... 78
réédifier **T** ... 14
rééditer **T** ... 12
rééduquer **T** / -qu- partout ... 15
réélire **T** ... 79
réembaucher **T** ... 12
réemployer **T** ... 30
réemprunter **T** ... 12
réengager **T** / **I,** p.p.inv. / **Pr** 16
réenregistrer **T** ... 12

réensemencer **T** ... 17
rééquilibrer **T** ... 12
réer **I** / **P.p.inv.** / -é- partout ... 13
réescompter **T** ... 12
réessayer **T** ... 28 ou 29
réétudier **T** ... 14
réévaluer **T** ... 12
réexaminer **T** ... 12
réexpédier **T** ... 14
réexporter **T** ... 12
refaçonner **T** ... 12
refaire T / **Pr** ... 5
refendre **T** ... 65
référencer **T** ... 17
référer **Ti** (à), p.p.inv. dans l'expression *en référer à* / **Pr** (à) ... 19
refermer T ... 12
refiler **T** ... 12
réfléchir T / **I,** p.p.inv. / **Ti** (à, sur), p.p.inv. / **Pr** (dans, sur) ... 34
refléter T / **Pr** (dans) ... 19
refleurir **I,** p.p.inv. / **T** ... 34
refluer **I** / **P.p.inv.** ... 12
refonder **T** ... 12
refondre **T** ... 65
reformer T / **Pr** ... 12
réformer **T** ... 12
reformuler **T** ... 12
refouiller **T** ... 12
refouler **T** ... 12
réfracter **T** ... 12
refréner **T** ... 19
réfréner **T** ... 19
réfrigérer **T** ... 19
refroidir T / **I,** p.p.inv. ... 34
réfugier -se- + être ... 14
refuser T / **I,** p.p.inv. / **Pr** ... 12
réfuter **T** ... 12
regagner T ... 12
régaler T / **Pr** ... 12
regarder T / **Ti** (à), p.p.inv. / **I,** p.p.inv. / **Pr** ... 12
regarnir **T** ... 34
régater **I** / **P.p.inv.** ... 12
regeler **T** / **U,** p.p.inv. ... 24
régénérer **T** ... 19
régenter **T** ... 12
regimber **I,** p.p.inv. / **Pr** ... 12
régionaliser **T** ... 12
régir **T** ... 34
registrer **T** ... 12
réglementer **T** ... 12
régler T ... 19
régner I / **P.p.inv.** ... 19
regonfler **T** / **I,** p.p.inv. ... 12
regorger **I** / **P.p.inv.** ... 16
regratter **T** ... 12
regréer **T** / -é- partout dans la base ... 13
regreffer **T** ... 12
régresser **I** / **P.p.inv.** ... 12
regretter T / -tt- partout 12
regrimper **I,** p.p.inv. / **T** ... 12

regrossir **I** / **P.p.inv.** 34
regrouper **T** / **Pr** 12
régulariser T 12
réguler **T** 12
régurgiter **T** 12
réhabiliter **T** 12
réhabituer **T** 12
rehausser **T** 12
réhydrater **T** 12
réifier **T** 14
réimperméabiliser **T** 12
réimplanter **T** 12
réimporter **T** 12
réimposer **T** 12
réimprimer **T** 12
réincarcérer **T** 19
réincarner -se- (dans) **+ être** 12
réincorporer **T** 12
réinscrire **T** 78
réinsérer **T** 19
réinstaller **T** 12
réintégrer **T** 19
réintroduire **T** 82
réinventer **T** 12
réinvestir **T** / **I,** p.p.inv. 34
réinviter **T** 12
réitérer **T** / **I,** p.p.inv. 19
rejaillir **I** / **P.p.inv.** 34
rejeter T / **I,** p.p.inv. / **Pr** ... 26
rejoindre T 70
rejointoyer **T** 30
rejouer **T** / **I,** p.p.inv. 12
réjouir T / **Pr** (de) 34
rejuger **T** 16
relâcher T / **I,** p.p.inv. / **Pr** 12
relaisser -se- **+ être**............. 12
relancer **T** / **I,** p.p.inv. 17
rélargir **T** 34
relater **T** 12
relativiser **T** 12
relaver **T** 12
relaxer **T** / **Pr** 12
relayer **T** / **Pr** .... 28 ou 29
reléguer **T** / -gu- partout 19
relever T / **Ti** (de), p.p.inv. / **Pr** 24
relier **T** 14
relire T / **Pr** 79
reloger **T** 16
relouer **T** 12
reluire **I** / **P.p.inv.** (*relui*) 83
reluquer **T** / -qu- partout 15
remâcher **T** 12
remailler **T** 12
remanger **T** / **I,** p.p.inv. 16
remanier T 14
remaquiller **T** 12
remarcher **I** / **P.p.inv.** 12
remarier -se- + être 14

P.p. inv. : verbe dont le participe passé est toujours invariable

p.p. inv. : participe passé invariable dans l'emploi indiqué

remarquer T / -qu- partout 15
remastiquer **T** / -qu- partout 15
remballer **T** 12
rembarquer **T** / **I** / **Pr** (dans) / -qu- partout 15
rembarrer **T** 12
rembaucher **T** 12
remblaver **T** 12
remblayer **T** .... 28 ou 29
rembobiner **T** 12
remboîter **T** 12
rembouger **T** 16
rembourrer **T** 12
rembourser T 12
rembrunir -se- **+ être** 34
rembucher **T** 12
remédier Ti (à) / **P.p.inv.** ... 14
remembrer **T** 12
remémorer **T** / **Pr** 12
remercier T 14
remettre T / **Ti** (sur), p.p.inv., Belgique / **Pr** (à) 6
remeubler **T** 12
remilitariser **T** 12
remiser **T** / **Pr** 12
remmailler [rɑ̃maje] **T** 12
remmailloter [rɑ̃majɔte] **T** 12
remmancher [rɑ̃mɑ̃ʃe] **T** 12
remmener [rɑ̃məne] **T** 24
remmouler [rɑ̃mule] **T** 12
remodeler **T** 24
remonter I + être / **T + avoir** / **Pr** 12
remontrer **T** 12
remordre **T** 65
remorquer **T** / -qu- partout ... 15
remoudre **T** 96
remouiller **T** 12
remouler **T** 12
rempailler **T** 12
rempaqueter **T** 26
rempiéter **T** 19
rempiler **T** / **I,** p.p.inv. 12
remplacer T 17
remplier **T** 14
remplir T / **Pr** 34
remployer **T** 30
remplumer -se- **+ être** 12
rempocher **T** 12
rempoissonner **T** 12
remporter T 12
rempoter **T** 12
remprunter **T** 12
remuer T / **I,** p.p.inv. / **Pr** ... 12
rémunérer **T** 19
renâcler **I** / **P.p.inv.** 12
renaître I / **Ti** (à) / **Déf** : pas de part. passé, donc pas de temps composés 75
renauder **I** / **P.p.inv.** 12
rencaisser **T** 12
rencarder **T** / **Pr** (sur) 12
renchérir **I** / **P.p.inv.** 34
rencogner **T** / **Pr** (dans) 12
rencontrer T / **Pr** 12

rendormir **T** / **Pr** ....
rendosser **T** ....
rendre T / **Pr** (attention : p.p. inv. seulement dans l'expression *se rendre compte de...*) ....
renégocier **T** ....
reneiger **U** / **P.p.inv.** ....
renfaîter **T** ....
renfermer T / **Pr** ....
renfiler **T** ....
renfler **T** ....
renflouer **T** ....
renfoncer **T** ....
renforcer **T** ....
renformir **T** ....
renfrogner -se- **+ être** ....
rengager **T** / **I,** p.p.inv. / **Pr**
rengainer **T** ....
rengorger -se- **+ être** ....
rengraisser **I** / **P.p.inv.** ....
rengrener **T** ....
rengréner **T** ....
renier **T** ....
renifler **I,** p.p.inv. / **T** ....
renommer **T** ....
renoncer Ti (à), p.p.inv. / **I,** p.p.inv. / **T,** Belgique ..
renouer **T** / **I,** p.p.inv. ....
renouveler T / **Pr** ....
rénover T ....
renseigner T / **Pr** ....
rentabiliser **T** ....
rentamer **T** ....
renter **T** ....
rentoiler **T** ....
rentraire **T** ....
rentrayer **T** .... 28 ou
rentrer I + être / **T + avoir**
renverser T / **I,** p.p.inv. / **Pr**
renvider **T** ....
renvoyer T ....
réoccuper **T** ....
réopérer **T** ....
réorchestrer **T** ....
réorganiser **T** ....
réorienter **T** ....
repairer **I** / **P.p.inv.** ....
repaître **T** / **Pr** (de) ....
répandre T / **Pr** ....
reparaître I /+ être ou avoir ....
réparer T ....
reparler **I** / **Ti** (de) / **P.p.inv.** ....
repartager **T** ....
repartir **I + être** / **T** au sens de «répliquer» ....
répartir T ....
repasser I, p.p.inv. / **T** ......
repaver **T** ....
repayer **T** .... 28 ou
repêcher **T** ....
repeindre **T** ....
rependre **T** ....
repenser **Ti** (à), p.p.inv. / **T**
repentir -se- (de) **+ être** ......

révolter **T** / **Pr** ... 12
révolutionner **T** ... 12
révoquer **T** / -qu- partout ... 15
revoter **T** / **I,** p.p.inv. ... 12
revouloir **T** ... 8
révulser **T** ... 12
rewriter [rərajte] **T** ... 12
rhabiller **T** / **Pr** ... 12
rhumer [rɔme] **T** ... 12
ribler **T** ... 12
ribouler **I** / **P.p.inv.** ... 12
ricaner **I** / **P.p.inv.** ... 12
ricocher **I** / **P.p.inv.** ... 12
rider **T** / **Pr** ... 12
ridiculiser **T** ... 12
rifler **T** ... 12
rigidifier **T** ... 14
rigoler **I** / **P.p.inv.** ... 12
rimailler **T** / **I,** p.p.inv. ... 12
rimer **I,** p.p.inv. / **T** ... 12
rincer **T** / **Pr** ... 17
ringarder **T** ... 12
ringardiser **T** ... 12
rioter **I** / **P.p.inv.** ... 12
ripailler **I** / **P.p.inv.** ... 12
riper **T** / **I,** p.p.inv. ... 12
ripoliner **T** ... 12
riposter **Ti** (à), p.p.inv. / **I,** p.p.inv. / **T** ... 12
rire **I** / **Ti** (de) / **Pr** (de) / **P.p.inv.** même à la voix pronominale ... 80
risquer **T** / **Ti** (de), p.p.inv. / **Pr** / -qu- partout ... 15
rissoler **T** / **I,** p.p.inv. ... 12
ristourner **T** ... 12
ritualiser **T** ... 12
rivaliser **I** / **P.p.inv.** ... 12
river **T** ... 12
riveter **T** ... 26
rober **T** ... 12
robotiser **T** ... 12
rocher **I** / **P.p.inv.** ... 12
rocouer **T** ... 12
rôdailler **I** / **P.p.inv.** ... 12
roder **T** ... 12
rôder **I** / **P.p.inv.** ... 12
rogner **T** / **Ti,** p.p.inv. / **I,** p.p.inv. ... 12
rognonner **I** / **P.p.inv.** ... 12
roidir **T** ... 34
roiller [rɔje] **U** / **P.p.inv.** / Suisse ... 12
romancer **T** ... 17
romaniser **T** / **I,** p.p.inv. ... 12
rompre **T** / **Ti** (avec), p.p.inv. / **I,** p.p.inv. / **Pr** 71
ronchonner **I** / **P.p.inv.** ... 12

P.p. inv. : verbe dont le participe passé est toujours invariable

p.p. inv. : participe passé invariable dans l'emploi indiqué

ronéoter **T** ... 12
ronéotyper **T** ... 12
ronfler **I** / **P.p.inv.** ... 12
ronger **T** ... 16
ronronner **I** / **P.p.inv.** ... 12
roquer **I** / **P.p.inv.** / -qu- partout ... 15
roser **T** ... 12
rosir **T** / **I,** p.p.inv. ... 34
rosser **T** ... 12
roter **I** / **P.p.inv.** ... 12
rôtir **T** / **I,** p.p.inv. / **Pr** ... 34
roucouler **I,** p.p.inv. / **T** ... 12
rouer **T** ... 12
rougeoyer **I** / **P.p.inv.** ... 30
rougir **T** / **I,** p.p.inv. ... 34
rouiller **T** / **I,** p.p.inv. / **Pr** ... 12
rouir **T** ... 34
rouler **T** / **I,** p.p.inv. / **Pr** ... 12
roulotter **T** ... 12
roupiller **I** / **P.p.inv.** ... 12
rouscailler **I** / **P.p.inv.** ... 12
rouspéter **I** / **P.p.inv.** ... 19
roussir **T** / **I,** p.p.inv. ... 34
roustir **T** ... 34
router **T** ... 12
rouvrir **T** / **I,** p.p.inv. ... 44
rubaner **T** ... 12
rubéfier **T** ... 14
rubriquer **T** / -qu- partout ... 15
rucher **T** ... 12
rudoyer **T** ... 30
ruer **I,** p.p.inv. / **Pr** (sur) ... 12
rugir **I** / **P.p.inv.** ... 34
ruiler **T** ... 12
ruiner **T** / **Pr** ... 12
ruisseler **I** / **P.p.inv.** ... 22
ruminer **T** ... 12
rupiner **I** / **P.p.inv.** ... 12
ruser **I** / **P.p.inv.** ... 12
russifier **T** ... 14
russiser **T** ... 12
rustiquer **T** / -qu- partout ... 15
rutiler **I** / **P.p.inv.** ... 12
rythmer **T** ... 12

S

sabler **T** ... 12
sablonner **T** ... 12
saborder **T** ... 12
saboter **T** ... 12
sabouler **T** ... 12
sabrer **T** ... 12
saccader **T** ... 12
saccager **T** ... 16
saccharifier [sakarifje] **T** ... 14
sacquer **T** / -cqu- partout ... 15
sacraliser **T** ... 12
sacrer **T** / **I,** p.p.inv. ... 12
sacrifier **T** / **Ti** (à), p.p.inv. / **Pr** ... 14
safraner **T** ... 12
saietter [sɛjɛte] **T** ... 12
saigner **T** / **I,** p.p.inv. / **Pr** 12

saillir (= faire saillie) **I** / **P.p.inv.** / **Déf** : usité seulemen aux 3es pers. et aux temps impersonnels ... 4
saillir (= s'accoupler) **T** / **Déf** usité seulement à l'inf., aux 3 pers. des temps simples et au part. prés. ... 3
saisir **T** / **Pr** (de) ... 3
salarier **T** ... 1
saler **T** ... 1
salifier **T** ...
salir **T** / **Pr** ...
saliver **I** / **P.p.inv.** ... 1
saloper **T** ...
salpêtrer **T** ...
saluer **T** ...
sanctifier **T** ...
sanctionner **T** ...
sanctuariser **T** ...
sangler **T** ...
sangloter **I** / **P.p.inv.** ...
saouler [sule] **T** / **Pr** ...
saper **T** / **Pr** ...
saponifier **T** ...
saquer **T** / -qu- partout ...
sarcler **T** ...
sarmenter **T** ...
sasser **T** ...
satelliser **T** ...
satiner **T** ...
satiriser **T** ...
satisfaire **T** / **Ti** (à), p.p.inv. / **Pr** (de) ...
saturer **T** ...
saucer **T** ...
saucissonner **I,** p.p.inv. / **T** ...
saumurer **T** ...
sauner **I** / **P.p.inv.** ...
saupoudrer **T** ...
saurer **T** ...
sauter **I,** p.p.inv. / **T** ...
sautiller **I** / **P.p.inv.** ...
sauvegarder **T** ...
sauver **T** / **Pr** ...
savoir **T** ...
savonner **T** ...
savourer **T** ...
scalper **T** ...
scandaliser **T** / **Pr** (de) ...
scander **T** ...
scanner [skane] **T** ...
scarifier **T** ...
sceller [sɛle] **T** ...
scénariser [senarize] **T** ...
scheider [ʃɛde] **T** ...
schématiser **T** ...
schlinguer [ʃlɛ̃ge] **I** / **P.p.inv.** / -gu- partout ...
schlitter **T** ...
scier **T** ...
scinder [sɛ̃de] **T** / **Pr** ...
scintiller [sɛ̃tije] **I** / **P.p.inv.**
scléroser **T** / **Pr** ...
scolariser **T** ...
scotcher **T** ...

cotomiser **T** 12
crabbler **I** / **P.p.inv.** 12
cratcher **T** 12
cruter **T** 12
culpter [skylte] **T** /
I, p.p.inv. 12
écher T / **I,** p.p.inv. 19
conder [səgɔ̃de] **T** 12
couer T / **Pr** 12
courir T 41
créter **T** 19
créter **T** 19
ctionner **T** 12
ctoriser **T** 12
culariser **T** 12
curiser **T** 12
dentariser **T** 12
dimenter **I,** p.p.inv. / **Pr** 12
duire T 82
gmenter **T** 12
journer I / **P.p.inv.** 12
ecter **T** 12
ectionner **T** 12
ler **T** 12
mbler I / **U** / **P.p.inv.** 12
ner T 24
noncer **T** 17
sibiliser **T** 12
tir T / **I,** p.p.inv. / **Pr** 36
ir **Ti** (à) / **U** : *il sied de* /
éf : usité seulement aux 3^{es}
ers. des temps simples
au part. prés. 60
arer T / **Pr** (de) 12
tupler [sɛptyple] **T** /
p.p.inv. 12
uestrer **T** 12
ncer **T** 17
ouir **T** 34
er **T** 14
er **T** 12
guer **T** / -gu- partout 15
onner **T** 12
enter **I** / **P.p.inv.** 12
er T 12
T 34
ir T / **I,** p.p.inv. / **Ti** (à,
), p.p.inv. / **Pr** (de) 37
I / **P.p.inv.** 34
er **T** 24
pler **T** / **I,** p.p.inv. 12
aliser **T** 12
pouiner **T** 12
ter [ʃute] **I,** p.p.inv. /
..... 12
ter [ʃœte] **T** 12
er **T** 19
r **I** / **P.p.inv.** 20
r **I,** p.p.inv. / **T** 12
ter **I,** p.p.inv. / **T** 12
ler T / **Pr** 12
liser **T** 12
r T / **Pr** 12
fier T 14
etter **T** / **Pr** 12
ner T 12

similiser **T** 12
simplifier T 14
simuler **T** 12
singer **T** 16
singulariser **T** / **Pr** 12
siniser **T** 12
sintériser **T** 12
sinuer **I** / **P.p.inv.** 12
siphonner **T** 12
siroter **T** / **I,** p.p.inv. 12
situer T / **Pr** 12
skier **I** / **P.p.inv.** 14
slalomer **I** / **P.p.inv.** 12
slaviser **T** 12
slicer [slajse] **T** 17
smasher [smaʃe] **I,** p.p.inv. /
T 12
smiller [smije] **T** 12
sniffer **T** 12
snober **T** 12
sociabiliser **T** 12
socialiser **T** 12
sodomiser **T** 12
soigner T 12
solder **T** / **Pr** (par) 12
solenniser [solanize] **T** 12
solfier **T** 14
solidariser **T** / **Pr** (avec) 12
solidifier **T** / **Pr** 14
soliloquer **I** / **P.p.inv.** /
-qu- partout 15
solliciter T 12
solubiliser **T** 12
solutionner **T** 12
somatiser **T** 12
sombrer **I** / **P.p.inv.** 12
sommeiller **I** / **P.p.inv.** 12
sommer **T** 12
somnoler **I** / **P.p.inv.** / Attention au part. prés. : *somnolant* (ne pas confondre avec l'adj. «somnolent») 12
sonder **T** 12
songer Ti (à) / **I** / **P.p.inv.** 16
sonnailler **I** / **P.p.inv.** 12
sonner I, p.p.inv. / **T** 12
sonoriser **T** 12
sophistiquer **T** / -qu- partout 15
sortir I + être / **T + avoir** 36
sortir **T** / langage juridique 34
soucier -se- (de) **+ être** 14
souder **T** / **Pr** 12
soudoyer **T** 30
souffler I, p.p.inv. / **T** 12
souffleter **T** 26
souffrir T / **I,** p.p.inv. / **Ti**
(de), p.p.inv. / **Pr** 44
soufrer **T** 12
souhaiter T 12
souiller **T** 12
soulager T / **Pr** 16
soûler **T** / **Pr** 12
soulever T / **Pr** 24
souligner T 12
soumettre T / **Pr** (à) 6
soumissionner **T** 12
soupçonner T 12

souper I / **P.p.inv.** 12
soupeser **T** 24
soupirer I, p.p.inv. / **T** / **Ti**
(après), p.p.inv. 12
souquer **T** / **I,** p.p.inv. /
-qu- partout 15
sourciller **I** / **P.p.inv.** 12
sourdre **I** / **Déf** : usité seulement à l'inf. prés. et aux 3es pers. de l'ind. prés. (*il/s sourd/ent*) et de l'imparf. (*elle/s sourdait/aient*) 65
sourire I / **Ti** (à) / **Pr** /
P.p.inv. même à la voix pronominale 80
sous-alimenter [suzalimɑ̃te]
T 12
sous-assurer [suzasyre] **T** 12
souscrire **T** / **I,** p.p.inv. /
Ti (à), p.p.inv. 78
sous-déclarer **T** 12
sous-employer [suzɑ̃plwaje]
T 30
sous-entendre [suzatadr] **I** ... 65
sous-estimer [suzɛstime] **T** ... 12
sous-évaluer [suzevalɥe] **T** ... 12
sous-exploiter [suzɛksplwate]
T 12
sous-exposer [suzɛkspoze] **T** 12
sous-louer **T** 12
sous-payer **T** ..... 28 ou 29
sous-tendre **T** 65
sous-titrer **T** 12
soustraire T / **Déf** : pas de passé simple, pas de subj. imparf. 88
sous-traiter **T** 12
sous-utiliser **T** 12
sous-virer **I** / **P.p.inv.** 12
soutacher **T** 12
soutenir T / **Pr** 4
soutirer **T** 12
souvenir -se- (de) / **U,** p.p.inv. dans des expressions comme *il me souvient que...* 4
soviétiser **T** 12
spatialiser **T** 12
spécialiser **T** / **Pr** 12
spécifier **T** 14
spéculer **I** / **P.p.inv.** 12
speeder **I** / **P.p.inv.** 12
spiritualiser **T** 12
spolier **T** 14
sponsoriser **T** 12
sporuler **I** / **P.p.inv.** 12
sprinter [sprinte] **I** / **P.p.inv.** 12
squatter [skwate] **T** 12
squattériser [skwaterize] **T** ... 12
squeezer [skwize] **T** 12
stabiliser **T** 12
staffer **T** 12
stagner [stagne] **I** / **P.p.inv.** 12
standardiser **T** 12
starifier **T** 14
stariser **T** 12
stationner I / **P.p.inv.** 12
statuer **I** / **P.p.inv.** 12

statufier T ... 14
sténographier T ... 14
stérer T ... 19
stériliser T ... 12
stigmatiser T ... 12
stimuler T ... 12
stipendier T ... 14
stipuler T ... 12
stocker T ... 12
stopper T / I, p.p.inv. ... 12
stratifier T ... 14
stresser T ... 12
striduler I / P.p.inv. ... 12
strier T ... 14
structurer T ... 12
stupéfaire T / Déf : usité seulement à la 3e pers. du sing. de l'ind. prés. et des temps composés ; remplacé par «stupéfier» aux autres temps ... 5
stupéfier T ... 14
stuquer T / -qu- partout ... 15
styler T ... 12
styliser T ... 12
subdéléguer T / -gu- partout 19
subdiviser T ... 12
subir T ... 34
subjuguer T / -gu- partout ... 15
sublimer T / I, p.p.inv. ... 12
submerger T ... 16
subodorer T ... 12
subordonner T ... 12
suborner T ... 12
subroger T ... 16
subsidier T / Belgique ... 14
subsister I / P.p.inv. ... 12
substantiver T ... 12
substituer T / Pr (à) ... 12
subsumer T ... 12
subtiliser T / I, p.p.inv. ... 12
subvenir Ti (à) / P.p.inv. ... 4
subventionner T ... 12
subvertir T ... 34
succéder Ti (à) / **Pr** / **P.p.inv.** même à la voix pronominale ... 19
succomber I / Ti (à) / P.p.inv. ... 12
sucer T ... 17
suçoter T ... 12
sucrer T / **Pr** ... 12
suer I, p.p.inv. / **T** ... 12
suffire Ti (à) / **Pr** / **P.p.inv.** même à la voix pronominale : *suffi* ... 81
suffixer T ... 12
suffoquer T / I, p.p.inv. / -qu- partout. Attention au part. prés. : *suffoquant* (ne pas confondre avec l'adj. «suffocant») ... 15
suggérer [sygʒere] T ... 19
suggestionner [sygʒɛstjɔne] T ... 12
suicider -se- + être ... 12
suiffer T ... 12
suinter I / P.p.inv. ... 12
suivre T / **I,** p.p.inv. / **U,** p.p.inv. / **Pr** ... 84
sulfater T ... 12
sulfurer T ... 12
superposer T / Pr (à) ... 12
superviser T ... 12
supplanter T ... 12
suppléer T / Ti (à), p.p.inv. / -é- partout dans la base 13
supplicier T ... 14
supplier T ... 14
supporter T / **Pr** ... 12
supposer T ... 12
supprimer T / **Pr** ... 12
suppurer I / P.p.inv. ... 12
supputer T ... 12
surabonder I / P.p.inv. ... 12
surajouter T ... 12
suralimenter T ... 12
surbaisser T ... 12
surcharger T ... 16
surchauffer T ... 12
surclasser T ... 12
surcomprimer T ... 12
surcontrer T ... 12
surcouper T ... 12
surdéterminer T ... 12
surdorer T ... 12
surélever T ... 24
surenchérir I / P.p.inv. ... 34
surentraîner T ... 12
suréquiper T ... 12
surestimer T ... 12
surévaluer T ... 12
surexciter T ... 12
surexploiter T ... 12
surexposer T ... 12
surfacer T / I, p.p.inv. ... 17
surfaire T / Usité surtout à l'inf. prés., à l'ind. prés. et au part. passé ... 5
surfer [sœrfe] I / P.p.inv. ... 12
surfiler T ... 12
surgeler T ... 24
surgir I / **P.p.inv.** (*surgi*) ... 34
surhausser T ... 12
surimposer T ... 12
suriner T ... 12
surinformer T ... 12
surir I / P.p.inv. (*suri*) ... 34
surjaler I / P.p.inv. ... 12
surjeter T ... 26
surligner T ... 12
surlouer T ... 12
surmédicaliser T ... 12
surmener T ... 24
surmonter T ... 12
surmouler T ... 12
surnager I / P.p.inv. ... 16
surnommer T ...
suroxyder T ...
surpasser T / Pr ...
surpayer T ... 28 ou
surpiquer T / -qu- partout ...
surplomber T / I, p.p.inv. ...
surprendre T ...
surproduire T ...
surprotéger T ...
sursaturer T ...
sursauter I / **P.p.inv.** ...
sursemer T ...
surseoir Ti (à) / P.p.inv. ...
surtaxer T ...
surtitrer T ...
surveiller T ...
survendre T ...
survenir I /+ **être** ...
survirer I / P.p.inv. ...
survivre I / Ti (à) / P.p.inv. (*survécu*) ...
survoler T ...
survolter T ...
susciter T ...
suspecter T ...
suspendre T ...
sustenter T / Pr ...
susurrer I, p.p.inv. / T ...
suturer T ...
swinguer [swinge] I / P.p.inv. / -gu- partout ...
symboliser T ...
sympathiser I (avec) / **P.p.inv.** ...
synchroniser [sɛ̃krɔnize] T ...
syncoper T / I, p.p.inv. ...
syndicaliser T ...
syndiquer T / Pr / -qu- partout ...
synthétiser T ...
systématiser T ...

T

tabasser T ...
tabler Ti (sur) / P.p.inv. ...
tabouer T ...
tabouiser [tabuize] T ...
tacher T ...
tâcher Ti (de + inf.), p.p.inv. / **T** ...
tacheter T ...
tacler I, p.p.inv. / T ...
taillader T ...
tailler T / **Pr** ...
taire T / **Pr** / Pas d'accent conflexe à l'ind. prés. : *elle (se) tait* ...
taler T ...
taller I / P.p.inv. ...
talocher T ...
talonner T / I, p.p.inv. ...
talquer T / -qu- partout ...
tambouriner I, p.p.inv. / T ...
tamiser T ...

P.p. inv. : verbe dont le participe passé est toujours invariable

p.p. inv. : participe passé invariable dans l'emploi indiqué

tamponner T / Pr 12
tancer T 17
tanguer I / P.p.inv. / -gu- partout 15
taniser T 12
tanner T 12
tanniser T 12
tapager I / P.p.inv. 16
taper Ti (sur), p.p.inv. / T / I / Pr 12
tapiner I / P.p.inv. 12
:apir -se- + être 34
'apisser T 12
:apoter T 12
aquer T / -qu- partout 15
:aquiner T 12
arabuster T 12
arauder T 12
arder I / Ti (à) / P.p.inv. 12
arer T 12
arguer -se- (de) + être / -gu- partout 15
arifer T 12
arir T / I, p.p.inv. / Pr 34
artiner T 12
artir I / P.p.inv. 34
asser T / Pr 12
âter T / Ti (de, à), p.p.inv. / Pr 12
tonner I / P.p.inv. 12
touer T 12
veler T 22
xer T 12
yloriser [tɛlɔrize] T 12
hatcher I / P.p.inv. 12
chniciser T 12
chniser T 12
chnocratiser T 12
iller T 12
indre T / Pr 69
inter T 12
écharger T 12
écommander T 12
édiffuser T 12
égraphier T / I, p.p.inv. 14
éguider T 12
ématiser T 12
éphoner I, p.p.inv. / T 12
escoper T / Pr 12
éviser T 12
exer T 12
moigner T / I, p.p.inv. / Ti (de), p.p.inv. 12
npérer T 19
npêter I / P.p.inv. 12
nporiser I / P.p.inv. 12
ailler T 12
ndre T / Ti (à, vers), p.p.inv. 65
ir T / I, p.p.inv. / Ti (à, de), p.p.inv. / Pr / U, p.p.inv. dans les expressions comme «*qu'à cela ne tienne*» ou «*il ne tient qu'à toi de...*» 4
onner T 12
oriser I / P.p.inv. 12
ter T 12

tercer T 17
tergiverser I / P.p.inv. 12
terminer T / Pr 12
ternir T 34
terrasser T 12
terreauter T 12
terrer T / Pr 12
terrifier T 14
terrir I / P.p.inv. 34
terroriser T 12
terser T 12
tester I, p.p.inv. / T 12
tétaniser T 12
téter T / I, p.p.inv. 19
texturer T 12
théâtraliser T 12
théoriser T / I, p.p.inv. 12
thésauriser T 12
tiédir I, p.p.inv. / T 34
tiercer T 17
tiller T 12
timbrer T 12
tinter T / I, p.p.inv. 12
tintinnabuler I / P.p.inv. 12
tiper T / Suisse 12
tipper T / Suisse 12
tiquer I / P.p.inv. / -qu- partout 15
tirailler T / I, p.p.inv. 12
tire-bouchonner T 12
tirer T / I, p.p.inv. / Pr 12
tisonner T 12
tisser T 12
titiller T 12
titrer T 12
tituber I / P.p.inv. 12
titulariser T 12
toiletter T 12
toiser T 12
tolérer T 19
tomber I + être / T + avoir 12
tomer T 12
tondre T 65
tonifier T 14
tonitruer I / P.p.inv. 12
tonner I / U / P.p.inv. 12
tonsurer T 12
tontiner T 12
toper I / P.p.inv. 12
toquer -se- (de) + être / -qu- partout 15
torcher T 12
torchonner T 12
tordre T / Pr 65
toréer I / P.p.inv. / -é- partout dans la base 13
torpiller T 12
torréfier T 14
torsader T 12
tortiller T / I, p.p.inv. / Pr 12
tortorer T 12
torturer T / Pr 12
tosser I / P.p.inv. 12
totaliser T 12
toucher T / Ti (à), p.p.inv. / Pr 12

touer T 12
touiller T 12
toupiller T 12
toupiner I / P.p.inv. 12
tourber I / P.p.inv. 12
tourbillonner I / P.p.inv. 12
tourillonner T / I, p.p.inv. 12
tourmenter T / Pr 12
tournailler I / P.p.inv. 12
tournebouler T 12
tourner T / I, p.p.inv. / Pr 12
tournicoter I / P.p.inv. 12
tourniquer I / P.p.inv. / -qu- partout 15
tournoyer I / P.p.inv. 30
tousser I / P.p.inv. 12
toussoter I / P.p.inv. 12
trabouler I / P.p.inv. 12
tracasser T 12
tracer T / I, p.p.inv. 17
tracter T 12
traduire T / Pr 82
traficoter I, p.p.inv. / T 12
trafiquer I, p.p.inv. / T / Ti (de), p.p.inv. / -qu- partout 15
trahir T / Pr 34
traînailler I / P.p.inv. 12
traînasser I / P.p.inv. 12
traîner T / I, p.p.inv. / Pr 12
traire T / Déf : pas de passé simple, pas de subj. imparf. 88
traiter T / I, p.p.inv. / Ti (de), p.p.inv. 12
tramer T / Pr 12
trancher T / I, p.p.inv. 12
tranquilliser T / Pr 12
transbahuter T 12
transborder T 12
transcender T 12
transcoder T 12
transcrire T 78
transférer T 19
transfigurer T 12
transfiler T 12
transformer T / Pr 12
transfuser T 12
transgresser T 12
transhumer [trɑ̃zyme] I, p.p.inv. / T 12
transiger [trɑ̃ziʒe] I / P.p.inv. 16
transir [trɑ̃zir] T / Usité surtout à l'inf., à l'ind. et au part. passé 34
transistoriser [trɑ̃zistɔrize] T 12
transiter [trɑ̃zite] T / I, p.p.inv. 12
transmettre T / Pr 6
transmigrer I / P.p.inv. 12
transmuer T 12
transmuter T 12
transparaître I / P.p.inv. 74
transpercer T 17
transpirer I / P.p.inv. 12
transplanter T 12
transporter T / Pr 12

transposer **T** ... 12
transsuder **I** / **P.p.inv.** ... 12
transvaser **T** ... 12
transvider **T** ... 12
trapper **T** / Québec ... 12
traquer **T** / -qu- partout ... 15
traumatiser **T** ... 12
travailler I, p.p.inv. / **T** ... 12
travailloter **I** / **P.p.inv.** ... 12
traverser T ... 12
travestir **T** / **Pr** ... 34
trébucher **I,** p.p.inv. / **T** ... 12
tréfiler **T** ... 12
treillager **T** ... 16
treillisser **T** ... 12
trémater **T** ... 12
trembler I / **P.p.inv.** ... 12
trembloter **I** / **P.p.inv.** ... 12
trémousser **-se- + être** ... 12
tremper T / **I,** p.p.inv. ... 12
trémuler **I** / **P.p.inv.** ... 12
trépaner **T** ... 12
trépasser **I** / **P.p.inv.** ... 12
trépider **I** / **P.p.inv.** ... 12
trépigner **I** / **P.p.inv.** ... 12
tressaillir **I** / **P.p.inv.** ... 46
tressauter **I** / **P.p.inv.** ... 12
tresser **T** ... 12
treuiller **T** ... 12
trévirer **T** ... 12
trianguler **T** ... 12
triballer **T** ... 12
tricher I / **Ti** (sur) / **P.p.inv.** ... 12
tricoter **T** / **I,** p.p.inv. ... 12
trier **T** ... 14
trifouiller **I** / **P.p.inv.** ... 12
triller **I** / **P.p.inv.** ... 12
trimarder **I** / **P.p.inv.** ... 12
trimbaler **T** / **Pr** ... 12
trimballer **T** ... 12
trimer **I** / **P.p.inv.** ... 12
tringler **T** ... 12
trinquer I / **P.p.inv.** / -qu- partout ... 15
triompher I / **Ti** (de) / **P.p.inv.** ... 12
tripatouiller **T** ... 12
tripler **T** / **I,** p.p.inv. ... 12
tripoter **T** / **I,** p.p.inv. ... 12
triquer **T** / -qu- partout ... 15
trisser **T** / **I,** p.p.inv. / **Pr** ... 12
triturer **T** / **Pr** ... 12
tromper T / **Pr** ... 12
trompeter [trɔ̃pete] **I,** p.p.inv. / **T** ... 26
tronçonner **T** ... 12
trôner **I** / **P.p.inv.** ... 12

P.p. inv. : verbe dont le participe passé est toujours invariable

p.p. inv. : participe passé invariable dans l'emploi indiqué

tronquer **T** / -qu- partout ... 15
tropicaliser **T** ... 12
troquer **T** / -qu- partout ... 15
trotter **I,** p.p.inv. / **Pr** ... 12
trottiner **I** / **P.p.inv.** ... 12
troubler T / **Pr** ... 12
trouer T ... 12
trousser **T** / **Pr** ... 12
trouver T / **Pr** / **U,** p.p.inv. : *il se trouve que* ... 12
truander **I,** p.p.inv. / **T** ... 12
trucider **T** ... 12
truffer **T** ... 12
truquer **T** / -qu- partout ... 15
trusquiner **T** ... 12
truster [trœste] **T** ... 12
tuber **T** ... 12
tuer T / **Pr** ... 12
tuiler **T** ... 12
tuméfier **T** ... 14
turbiner **I,** p.p.inv. / **T** ... 12
turlupiner **T** ... 12
tuteurer **T** ... 12
tutoyer T ... 30
tuyauter **T** ... 12
twister [twiste] **I** / **P.p.inv.** ... 12
typer **T** ... 12
tyranniser **T** ... 12

U

ulcérer **T** ... 19
ululer **I** / **P.p.inv.** ... 12
unifier **T** / **Pr** ... 14
uniformiser **T** ... 12
unir T / **Pr** ... 34
universaliser **T** ... 12
upériser **T** ... 12
urbaniser **T** / **Pr** ... 12
urger **U** / **P.p.inv.** / Usité surtout avec le pronom démonstratif familier : *ça urge* ... 16
uriner **I,** p.p.inv. / **T** ... 12
user Ti (de), p.p.inv. / **T** / **Pr** ... 12
usiner **T** ... 12
usurper **T** ... 12
utiliser T ... 12

V

vacciner [vaksine] **T** ... 12
vaciller **I** / **P.p.inv.** ... 12
vadrouiller **I** / **P.p.inv.** ... 12
vagabonder **I** / **P.p.inv.** ... 12
vagir **I** / **P.p.inv.** ... 34
vaguer **I** / **P.p.inv.** / -gu- partout ... 15
vaincre T ... 72
valdinguer **I** / **P.p.inv.** / -gu- partout ... 15
valider **T** ... 12
valoir I, p.p.inv. / **T** / **Pr** / **U,** p.p.inv. : *il vaut mieux* ... 55

valoriser **T** ...
valser **I,** p.p.inv. / **T** ...
vamper **T** ...
vampiriser **T** ...
vandaliser **T** ...
vanner **T** ...
vanter T / **Pr** (de) ...
vaporiser **T** ...
vaquer **I** / **Ti** (à) / **P.p.inv.** / - partout. Attention au part. pr *vaquant* (ne pas confondre avec l'adj. «vacant») ...
varapper **I** / **P.p.inv.** ...
varier T / **I,** p.p.inv. ...
varloper **T** ...
vasectomiser **T** ...
vaseliner **T** ...
vasouiller **I** / **P.p.inv.** ...
vassaliser **T** ...
vaticiner **I** / **P.p.inv.** ...
vautrer **-se- + être** ...
vedettiser **T** ...
végéter **I** / **P.p.inv.** ...
véhiculer [veikyle] **T** ...
veiller I, p.p.inv. / **T** / **Ti** (à, sur), p.p.inv. / **Pr,** Suisse ...
veiner **T** ...
vêler **I** / **P.p.inv.** ...
velouter **T** ...
vendanger **T** / **I,** p.p.inv. ...
vendre T / **Pr** ...
vénérer **T** ...
venger T / **Pr** (de) ...
venir I /**+ être** ...
venter **U** / **P.p.inv.** ...
ventiler **T** ...
verbaliser **I,** p.p.inv. / **T** ...
verdir **T** / **I,** p.p.inv. ...
verdoyer **I** / **P.p.inv.** ...
verduniser **T** ...
verglacer **U** / **P.p.inv.** ...
vérifier T ...
vermiller **I** / **P.p.inv.** ...
vermillonner **I** / **P.p.inv.** ...
vermouler **-se- + être** ...
vernir **T** / Attention au part. pas *verni/ie/is/ies* (ne pas confond avec le nom «vernis») ...
vernisser **T** ...
verrouiller **T** / **Pr** ...
verser T / **I,** p.p.inv. ...
versifier **I,** p.p.inv. / **T** ...
vesser **I** / **P.p.inv.** ...
vétiller **I** / **P.p.inv.** ...
vêtir **T** / **Pr** ...
vexer T / **Pr** ...
viabiliser **T** ...
viander **I,** p.p.inv. / **Pr** ...
vibrer **I,** p.p.inv. / **T** ...
vibrionner **I** / **P.p.inv.** ...
vicier **T** ...
vidanger **T** ...
vider T ...
vidimer **T** ...
vieillir I, p.p.inv. / **T** / **Pr** ...
vieller **I** / **P.p.inv.** ...

W, Y, Z